D0591212

5 DAGEN
IN PARIJS

DANIELLE STEEL

5 DAGEN IN PARIJS

SIJTHOFF

Zesde druk
© 1995 Danielle Steel
All rights reserved including the rights of reproduction in
whole or in part in any form
© 1997, 2010 Nederlandse vertaling
Uitgeverij Luitingh ~ Sijthoff B.V., Amsterdam
Alle rechten voorbehouden
Oorspronkelijke titel: *Five days in Paris*
Vertaling: Marianne Lakens Douwes
Omslagontwerp: Anton Feddema
Omslagbeeld: Getty Images

ISBN 978 90 218 9867 4

www.boekenwereld.com
www.uitgeverijsijthoff.nl
www.watleesjij.nu

Geef nooit de hoop op,
en als je kunt,
vind dan de moed
om opnieuw lief te hebben

d.s.

*Vijf minuten... vijf dagen...
en in één enkel ogenblik
veranderde een mensenleven voorgoed.*

Het weer in Parijs was ongewoon warm toen Peter Haskells vliegtuig op de luchthaven Charles de Gaulle landde. Het toestel taxiede vlot naar de aankomsthal en een paar minuten later liep Peter, aktetas in de hand, met grote stappen door het gebouw. Hij glimlachte bijna toen hij bij de rij voor de douane kwam, ondanks de hitte en het aantal samengedromde mensen vóór hem. Peter Haskell was dol op Parijs.

Hij reisde gewoonlijk vier tot vijf keer per jaar naar Europa. Het farmaceutische imperium dat hij leidde had onderzoekscentra in Duitsland, Zwitserland en Frankrijk en enorme laboratoria in Engeland. Het was altijd weer interessant om hier te komen, ideeën uit te wisselen met hun onderzoeksteams, en nieuwe wegen te verkennen voor de handel, wat zijn sterke kant was. Maar deze keer was het veel meer dan dat, veel meer dan gewoon een onderzoeksreis of het introduceren van een nieuw product. Hij was hier voor de geboorte van 'zijn troetelkind': Vicotec. De droom van zijn leven. Vicotec zou van invloed zijn op het leven en de levensverwachting van alle mensen met kanker. Het zou wereldwijd de toepassing en het karakter van de chemotherapie ingrijpend veranderen. Het zou Peters grote bijdrage aan de mensheid zijn. Afgezien van zijn gezin, was dit waar hij de afgelopen vier jaar voor had geleefd. En het zou Wilson-Donovan zonder enige twijfel miljoenen opleveren. Het was zelfs zo dat volgens hun berekeningen in de eerste vijf jaar al een winst van meer dan een miljard gemaakt zou kunnen worden. Maar dat was niet de hoofdzaak voor Peter. De hoofdzaak was het leven, en de kwaliteit daarvan, voor degenen die verzwakt waren tot flakkerende kaarsjes in de donkere nacht die kanker heet. Vicotec zou hen gaan helpen. Het had eerst een idealistische droom geleken, maar nu waren ze vlak bij de eindoverwinning. Elke keer als Peter dacht aan wat stond te gebeuren, ging er een golf van opwinding door hem heen.

En hun laatste resultaten waren perfect geweest. De besprekingen in Duitsland en Zwitserland waren uitstekend verlopen. De tests in hun laboratoria waren zelfs met nog meer zorgvuldigheid uitgevoerd dan die in Amerika. Ze waren er nu zeker van. Het was veilig. Zodra het College ter Beoordeling van Geneesmiddelen zijn goedkeuring gaf, konden ze naar fase één gaan: het testen op mensen. Dat betekende dat er een lage dosis van de medicijn gegeven zou worden aan een groep goed ingelichte vrijwilligers om te zien hoe zij erop reageerden.

Wilson-Donovan had de aanvraag al maanden geleden, in januari, bij het CBG ingediend. Uitgaande van de informatie die ze nu hadden, zouden ze vragen om voor Vicotec de 'versnelde procedure' te volgen, zodat ze snel konden beginnen met die tests. Ten slotte, als Wilson-Donovan bewezen had hoe veilig Vicotec was, zou het CBG het kunnen vrijgeven. De 'versnelde procedure' werd gebruikt om de diverse stappen naar goedkeuring te bespoedigen als het ging om medicijnen die bestemd waren ter bestrijding van levensbedreigende ziekten. Zodra ze de goedkeuring van het CBG hadden, zouden ze beginnen met een groep van honderd personen die een overeenkomst zouden tekenen waarin stond dat ze op de hoogte waren van mogelijke gevaren van de behandeling en bereid waren aan het onderzoek mee te werken. Ze waren allen uitzichtloos ziek en ze wisten dat het hun enige hoop was. Mensen die zich opgaven voor dit soort experimenten, waren dankbaar voor iedere hulp die ze konden krijgen.

Wilson-Donovan wilde zo snel mogelijk beginnen met het beproeven van de medicijn op patiënten. Daarom was het zo belangrijk om de veiligheid van Vicotec nu te testen, vóór het begin van de hoorzittingen van het CBG in september, waardoor Vicotec hopelijk in de 'versnelde procedure' zou terechtkomen. Peter was er volkomen van overtuigd dat de laatste tests die waren uitgevoerd door Paul-Louis Suchard, het hoofd van het laboratorium in Parijs, het goede nieuws dat hij in Genève had gekregen alleen maar zouden bevestigen.

'Zaken of vakantie, monsieur?' De douanebeambte stempelde ongeïnteresseerd zijn paspoort af en keek nauwelijks naar hem op nadat hij de foto had bekeken. Peter Haskell had blauwe ogen en donker haar en zag er jonger uit dan zijn vierenveertig jaar. Hij was lang, had regelmatige trekken, en de meeste mensen zouden het erover eens zijn dat hij knap was.

'Zaken,' zei hij haast trots. Vicotec. Victorie. Redding voor alle mensen die worstelden met de kwellingen van chemotherapie en kanker.

De ambtenaar gaf hem zijn pas terug en Peter pakte zijn koffer op en liep naar buiten, op zoek naar een taxi. Het was een prachtige, zonnige junidag. Omdat hij in Genève niets meer te doen had, was hij een dag eerder naar Parijs gekomen. Hij vond het hier heerlijk en er was altijd wel iets te beleven, al was het maar een lange wandeling langs de Seine. En wie weet zou Suchard ermee akkoord gaan hem eerder te ontmoeten dan was afgesproken, ook al was het zondag. Het was nog vroeg en hij had nog geen kans gehad om hem te bellen. Hoewel Suchard zeer Frans, zeer serieus en zeer gereserveerd was, zou Peter hem vanuit het hotel opbellen en kijken of hij vrij was en eventueel bereid om hun afspraak te verzetten.

Peter had door de jaren heen een beetje Frans leren spreken, hoewel hij al zijn zaken met Suchard in het Engels deed. Peter Haskell had veel geleerd sinds hij uit het Midwesten was weggegaan. Het was duidelijk, zelfs voor de douanebeambte op Charles de Gaulle, dat hij een belangrijk man was, een man van aanzienlijke intelligentie en distinctie. Hij was bedaard, beminnelijk en krachtig en straalde zelfvertrouwen uit. Op z'n vierenveertigste was hij directeur van een van de grootste farmaceutische bedrijven ter wereld. Hij was geen wetenschapper maar zakenman, net als Frank Donovan, de president van het bedrijf. Het was min of meer toevallig dat Peter achttien jaar geleden met Franks dochter was getrouwd. Het was geen 'handige zet' van hem geweest, en ook geen berekening. In Peters ogen was het een samenloop van omstandigheden, een gril van het noodlot, waar hij de eerste zes jaar dat hij haar kende tegen gevochten had.

Peter wilde niet met Kate Donovan trouwen. Hij wist niet eens wie ze was toen ze elkaar op de universiteit van Michigan leerden kennen. Zij was toen negentien en hij twintig. In eerste instantie was ze gewoon een knappe blonde tweedejaarsstudente die hij op een feestje had ontmoet, maar na twee afspraakjes was hij gek op haar. Ze gingen al vijf maanden met elkaar om toen iemand bij wijze van grapje zei dat hij een verdomd uitgekookte jongen was om met de knappe kleine Katie om te gaan. En toen legde hij het uit. Ze was de enige erfgename van het Wilson-Donovan-fortuin, het grootste farmaceutische bedrijf in het land. Peter was ontzettend kwaad geworden en was met alle verontwaardiging en naïviteit van een twintigjarige tegen Katie tekeergegaan omdat ze het hem niet had verteld.

'Hoe kón je? Waarom heb je dat niet gezegd?' viel hij tegen haar uit.

'Wat had ik dan moeten zeggen? Had ik je soms moeten waarschuwen wie mijn vader was? Ik dacht niet dat het je iets zou kunnen schelen.' Ze was ontzettend gekwetst geweest door zijn uitval en bang dat hij haar zou verlaten. Ze wist hoe trots hij was en hoe arm zijn ouders waren. Hij had haar verteld dat zijn ouders pas dit jaar het melkveebedrijf hadden gekocht waarop zijn vader z'n hele leven had gewerkt. Ze hadden er een zware hypotheek op genomen. Peter leefde in constante angst dat de zaak niet zou slagen en dat hij zijn studie zou moeten opgeven en naar huis, naar Wisconsin, zou moeten komen om hen te helpen.

'Je weet heel goed dat het me kan schelen. Wat word ik nu verondersteld te doen?' Hij wist beter dan wie ook dat hij niet kon meekomen in haar wereld, dat hij daar niet thuishoorde, nooit zou thuishoren en dat Katie nooit op een boerderij in Wisconsin zou kunnen leven. Ze had te veel van de wereld gezien en was veel te mondain, ook al scheen ze dat zelf niet te beseffen. Het probleem was dat hij zich in zijn eigen wereld meestal ook niet thuisvoelde. Hoe hij ook zijn best deed om thuis 'een van hen' te zijn, hij had altijd iets 'anders', iets 'grootsteedsers' over zich. Als kind al vond hij het vreselijk om op een boerderij te wonen en droomde hij ervan naar Chicago of New York te gaan en deel uit te maken van de zakenwereld. Hij had

er een hekel aan om koeien te melken, balen hooi te sta-
pelen en eindeloos stallen uit te mesten. Jarenlang had hij
na schooltijd zijn vader geholpen op het melkveebedrijf en
nu was zijn vader de eigenaar. Peter wist wat dat betekende. Uiteindelijk zou hij, als hij van *college* kwam, naar
huis moeten gaan om hen te helpen. Hij zag daar ontzettend tegen op, maar hij was van mening dat je moest doen
wat er van je verwacht werd, je verplichtingen moest na-
komen en niet moest proberen er onderuit te komen. Hij
was altijd een goede jongen geweest zei zijn moeder, zelfs
als dat betekende de dingen op de moeilijke manier te moeten doen. Hij was bereid om voor alles wat hij zich wenste te werken.

Toen Peter eenmaal wist wie Katie was, leek het hem verkeerd om met haar om te blijven gaan. Hoe oprecht hij
ook was, het leek op een gemakkelijke uitweg, een snelle
rit naar de top, de kortste weg. Hoe knap ze ook was en
hoe verliefd hij ook dacht te zijn, hij wist dat hij er niets
aan kon veranderen. Hij was zo vastbesloten geen voor-
deel te halen uit zijn relatie met haar dat ze twee weken
nadat hij erachter kwam wie ze was uit elkaar gingen. En
niets wat ze zei kon daar verandering in brengen. Zij was
radeloos en hij had er meer verdriet van dan hij haar ooit
vertelde. Hij was derdejaars en in juni ging hij naar huis
om zijn vader in Wisconsin bij te staan. Tegen het eind van
de zomer besloot hij zijn studie een jaar te onderbreken
om zijn vader te helpen de zaak van de grond te krijgen.
Ze hadden het jaar daarvoor een slechte winter gehad en
Peter dacht daar iets aan te kunnen doen met wat nieuwe
ideeën en plannen die hij op *college* had geleerd.

Het zou hem gelukt zijn ook, maar hij werd opgeroepen
voor de dienst en naar Vietnam gestuurd. Hij zat een jaar
dicht bij Da Nang en toen hij bijtekende voor een tweede

jaar werd hij bij de inlichtingendienst in Saigon geplaatst. Het was een verwarrende tijd. Hij was tweeëntwintig toen hij Vietnam verliet en de antwoorden waarnaar hij had gezocht had hij niet gevonden. Hij wist niet wat hij met de rest van zijn leven moest doen. Hij wilde niet meer op de boerderij van zijn vader werken, maar vond dat het eigenlijk wel zijn plicht was. Zijn moeder was gestorven toen hij in Vietnam zat en hij wist hoe erg dat voor zijn vader was.

Hij had nog een jaar studie voor de boeg, maar hij voelde er niets voor om terug te gaan naar de universiteit van Michigan. Hij had het gevoel dat hij dat ontgroeid zou zijn. Vietnam had hem ook in verwarring gebracht. Hij was gaan houden van het land waar het zo zwaar was geweest en dat hij had willen haten. En eigenlijk vond hij het jammer toen hij daar wegging. Hij had er een paar vluchtige romances gehad, meestal met Amerikaans militair personeel, en met een beeldschoon Vietnamees meisje, maar alles was zo gecompliceerd en relaties werden onvermijdelijk beïnvloed door het feit dat niemand verwachtte het er levend af te brengen. Hij had nooit meer contact opgenomen met Katie Donovan, hoewel hij een kerstkaart van haar had gekregen die was doorgestuurd vanuit Wisconsin. Hij had in het begin in Da Nang veel aan haar gedacht, maar het leek gewoon eenvoudiger om haar niet te schrijven. Wat moest hij trouwens tegen haar zeggen? Jammer dat jij zo rijk bent en ik zo arm... ik wens je veel plezier in Connecticut, ik ga voor de rest van mijn leven mest schuiven op een boerderij... tot ziens....

Maar zodra hij terug was werd het voor iedereen in Wisconsin duidelijk dat hij daar niet op zijn plaats was. Zelfs zijn vader drong er bij hem op aan om in Chicago een baan te zoeken. Hij vond er gemakkelijk een bij een handelsfirma, studeerde in de avonduren, haalde zijn graad en was net aan zijn nieuwe baan begonnen toen hij op een feestje van een oude vriend uit Michigan Katie tegen het lijf liep. Ze woonde inmiddels ook in Chicago en stond op het punt af te studeren aan Northwestern. De eerste keer dat hij haar weer zag, benam ze hem de adem. Ze was knapper dan ooit. Het was bijna drie jaar geleden dat hij haar voor het laatst had gezien. Drie jaar lang had hij zichzelf gedwongen uit haar buurt te blijven en nu hij haar terugzag merkte hij tot zijn verbazing dat alles nog steeds in hem begon te trillen.

'Wat doe jij hier?' vroeg hij nerveus, alsof ze alleen maar in zijn herinnering mocht bestaan. Hij had haar allang naar het verleden verbannen en verwachtte van haar dat ze daar zou blijven. Haar aanwezigheid hier deed haar plotseling in het heden belanden.

'Ik maak m'n studie af,' zei ze en hield haar adem in terwijl ze naar hem keek. Hij leek langer en magerder, zijn ogen waren blauwer en zijn haar nog donkerder dan ze zich herinnerde. Alles aan hem leek aantrekkelijker en opwindender dan in haar eindeloze dromen over hem. Ze had hem nooit kunnen vergeten. Hij was de enige man die ooit van haar was weggegaan om wie ze was en om wat hij dacht haar nooit te kunnen geven. 'Ik hoor dat je in Vietnam bent geweest,' zei ze zacht, en hij knikte. 'Het moet vreselijk geweest zijn.' Ze was heel bang hem weer af te schrikken, om iets totaal verkeerds te zeggen. Ze wist hoe trots hij was en terwijl ze naar hem keek besefte ze dat hij nooit uit zichzelf naar haar toe zou komen. Hij keek haar aan en vroeg zich af hoe ze geworden was en wat ze van hem wilde. Maar ze zag er onschuldig en tamelijk ongevaarlijk uit, ondanks haar beangstigende achtergrond en het gevaar dat ze naar zijn idee vertegenwoordigde. In zijn ogen was ze een bedreiging voor zijn integriteit geweest en een onhoudbare schakel tussen het verleden dat hij niet langer kon leven en een toekomst die hij wilde, maar waarvan hij geen idee had hoe hij die moest bereiken. Hij had zoveel van de wereld gezien sinds ze elkaar voor het laatst hadden ontmoet, dat hij zich nu, terwijl hij naar haar keek, nauwelijks kon herinneren waar hij toen zo bang voor was geweest. Ze leek hem nu niet meer zo angstaanjagend, alleen maar heel jong, heel naïef en onweerstaanbaar aantrekkelijk.

Ze praatten die nacht urenlang en ten slotte bracht hij haar naar huis. En toen, hoewel hij wist dat hij dat niet moest doen, belde hij haar. Het leek zo gemakkelijk in het begin. Hij zei tegen zichzelf dat ze best gewoon vrienden konden zijn, wat geen van beiden geloofde. Maar hij wist alleen dat hij bij haar wilde zijn. Ze was slim en grappig, ze begreep zijn dwaze gevoel overal een buitenbeentje te zijn en zijn ideeën over wat hij met zijn leven wilde doen. Uiteindelijk, in de verre toekomst, wilde hij de wereld veranderen, of er op z'n minst iets aan wijzigen. Zij was op dat moment de enige persoon in zijn leven die dat begreep. Hij had toen zoveel dromen gehad, zoveel goede bedoelingen. En nu, twintig jaar later, gingen door Vicotec al die oude dromen in vervulling.

Peter Haskell riep een taxi aan op Charles de Gaulle. De chauffeur zette zijn koffer in de achterbak en knikte toen Peter hem vertelde waar hij naartoe wilde. Alles aan Peter Haskell duidde erop dat hij een leidinggevende man was, een man van formaat. En toch, als je in zijn ogen keek, zag je vriendelijkheid en kracht, integriteit, een warm hart en gevoel voor humor. Peter Haskell bestond uit meer dan alleen een goed gesneden pak, een gesteven wit overhemd, de das van Hermès die hij droeg en de dure aktetas.

'Wat is het warm, hè,' zei Peter op weg naar de stad in het Frans, en de chauffeur knikte. Hij kon aan zijn accent horen dat Peter Amerikaan was maar de taal redelijk sprak. De chauffeur antwoordde in het Frans, hij sprak langzaam zodat Peter hem kon verstaan.

'We hebben al een week mooi weer. Komt u uit Amerika?' vroeg de chauffeur geïnteresseerd. Mensen reageerden zo op Peter, ze voelden zich tot hem aangetrokken, zelfs al lag dat niet in hun aard. En het feit dat hij in het Frans tegen hem praatte maakte een prettige indruk op de chauffeur. 'Ik kom nu uit Genève,' vertelde Peter. Hij glimlachte terwijl hij aan Katie dacht. Hij hoopte altijd dat ze met hem mee zou gaan op reis, maar dat deed ze nooit. In het begin waren de kinderen nog te klein en later had ze het te druk met haar eigen wereld en haar talloze verplichtingen. Door de jaren heen was ze maar twee keer met hem meegegaan op zakenreis. Een keer naar Londen en nog een keer naar Zwitserland, maar nooit naar Parijs.

Parijs was iets speciaals voor hem, het was het toppunt van alles waarvan hij altijd had gedroomd zonder zich daarvan bewust te zijn. Hij had al die jaren keihard gewerkt voor wat hij had, ook al leek het hem soms gemakkelijk af te gaan. Hij wist beter dan wie ook dat dat niet zo was. Je kreeg niets voor niets in het leven. Je werkte voor wat je had, of je eindigde met niets.

Hij was twee jaar lang met Katie omgegaan nadat hij haar weer had gevonden. Na haar studie bleef ze in Chicago, zodat ze bij Peter in de buurt kon zijn en vond een baan bij een galerie. Ze was gek op hem, maar hij was vastbesloten dat ze nooit zouden trouwen. Hij bleef volhouden dat ze uiteindelijk op moesten houden elkaar te zien, dat ze terug moest gaan naar New York en met andere mannen moest uitgaan. Maar hij kon zichzelf er nooit toe brengen om met haar te breken en haar ook echt weg te laten gaan. Ze waren toen al te veel aan elkaar gehecht en Katie wist dat hij echt van haar hield.

Ten slotte bemoeide haar vader zich ermee. Hij pakte het slim aan. Hij zei tegen Peter niets over hun relatie, sprak alleen over zaken. Hij voelde instinctief dat het de enige manier was om Peters verdedigingslinie te doorbreken. Frank Donovan wilde Peter en zijn dochter in New York hebben en hij deed wat hij kon om Katie te helpen Peter voor zich te winnen. Net als Peter was Frank Donovan een marketing-man, en een goede. Hij praatte met Peter over zijn carrière, zijn levensdoel en zijn toekomst, en wat hij hoorde stond hem aan. Hij bood Peter een baan aan bij Wilson-Donovan. Hij sprak nauwelijks over Katie, legde er alleen de nadruk op dat de baan niets met haar te maken had. Hij verzekerde Peter dat het werken voor Wilson-Donovan heel goed zou zijn voor zijn carrière en beloofde hem dat niemand zijn aanstelling ooit in verband zou brengen met Katie. Hun relatie was volgens Frank een totaal andere kwestie. Maar het was een baan om over na te denken, dat besefte Peter heel goed. Ondanks al zijn angsten op dat moment was een baan bij een belangrijke onderneming in New York precies wat hij wilde, en ook wat Katie wilde.

Peter tobde erover en voerde eindeloze gesprekken. Hij ging naar huis, naar Wisconsin, om het tijdens een lang weekend met zijn vader te bespreken en zelfs die vond dat hij het moest doen, dat het een verstandige stap zou zijn. Zijn vader zou voor hem het liefst de maan van de hemel plukken en moedigde hem aan om Donovans aanbod te accepteren. Hij zag iets in Peter dat Peter zelf nog niet ontdekt had. Hij had leiderscapaciteiten zoals maar weinig mensen hebben, een rustige kracht en een ongebruikelijke moed. Zijn vader wist dat wat Peter ook zou doen, hij het altijd goed zou doen. En hij voelde dat de baan bij Wils-on-Donovan nog maar het begin voor hem zou zijn. Hij had de gewoonte om Peters moeder te plagen toen Peter nog maar een klein jongetje was. Dan zei hij tegen haar dat Peter nog eens president van Amerika zou worden, of op z'n minst gouverneur van Wisconsin. En soms geloof-de ze hem. Het was niet moeilijk om in grootse dingen te geloven als het om Peter ging.

Zijn zuster Muriel zei dezelfde dingen over hem. In haar ogen was haar broer Peter een held, lang voor Chicago of Vietnam en zelfs al voor hij naar de universiteit ging. Hij had iets unieks over zich. Dat wist iedereen. En zij zei het-zelfde als haar vader: 'Ga naar New York, ga voor de hoofdprijs.' Ze vroeg ook of hij van plan was om met Ka-tie te trouwen, maar hij hield vol van niet en dat leek haar te spijten. Ze vond dat Katie heel aantrekkelijk en opwin-dend klonk uit zijn verhalen en dat ze heel mooi was op de foto's die Peter haar had laten zien.

Peters vader had hem lang geleden al gevraagd Katie eens mee te brengen, maar Peter zei altijd dat hij haar geen val-se hoop omtrent hun toekomst wilde geven. Ze zou zich waarschijnlijk meteen aanpassen en koeien leren melken van Muriel, en wat dan? Het was alles wat hij haar te bie-den had en hij was absoluut niet van plan om Katie op te zadelen met het zware leven waarin hij was opgegroeid. Volgens hem had het zijn moeder het leven gekost. Ze was aan kanker overleden, zonder behoorlijke medische ver-zorging omdat het geld daarvoor ontbrak. Zijn vader was niet eens verzekerd. Hij had altijd gedacht dat zijn moe-der aan armoede en uitputting was gestorven en aan te veel ontberingen in haar leven. En zelfs al had Katie genoeg geld om dat niet mee te hoeven maken, hij hield te veel van haar om haar te veroordelen tot dit bestaan, of het haar zelfs maar van dichtbij te laten zien. Zijn zuster was tweeëntwintig en zag er nu al uitgeput uit. Toen ze van school kwam was ze meteen met haar schoolvriendje getrouwd. Dat was toen hij in Vietnam zat. En ze had inmiddels drie kinderen. Zelfs op haar eenentwintigste had ze er al afgetobd en treurig uitgezien. Er was zoveel meer dat hij ook voor haar wilde, maar je hoefde maar naar haar te kijken om te zien dat ze het nooit zou hebben. Zij zou nooit ontsnappen. Ze had zelfs nooit hoger onderwijs gehad. En nu zat ze gevangen. Peter wist, net als zijn zuster, dat zij en haar man voor de rest van hun leven op het melkveebedrijf van haar vader zouden werken, tenzij hij de boerderij kwijtraakte. Er was geen andere uitweg. Behalve voor Peter. Muriel koesterde daarover geen wrok. Ze was blij voor hem. De wereld had zich voor hem geopend en hij hoefde alleen maar de weg in te slaan die Frank Donovan voor hem had geëffend.

'Doe het, Peter,' fluisterde Muriel tegen hem toen hij naar de boerderij kwam om met hen te praten. 'Ga naar New York. Papa wil dat graag,' zei ze grootmoedig. 'Wij willen het allemaal.' Het was alsof ze hem vertelden dat hij zichzelf moest redden, ervoor moest gaan, zich vrij moest maken van het leven dat hem zou verstikken als hij het de kans gaf. Ze wilden dat hij naar New York zou gaan om te proberen de top te bereiken.

Hij had een brok als een kei in zijn keel toen hij dat weekend wegreed van de boerderij. Zijn vader en Muriel keken hem na en wuifden tot zijn auto helemaal uit het gezicht was verdwenen. Het was alsof ze alle drie wisten dat dit een belangrijk moment in zijn leven was. Belangrijker dan de universiteit. Belangrijker dan Vietnam. In zijn hart en zijn ziel sneed hij de banden met de boerderij door.

Toen Peter terugkwam in Chicago, bracht hij de avond alleen door. Hij belde Katie niet op. Maar de volgende ochtend belde hij haar vader. Hij accepteerde zijn aanbod en voelde zijn handen trillen terwijl hij de telefoon vasthield. Precies twee weken later begon Peter bij Wilson-Donovan. En eenmaal in New York, werd hij iedere ochtend wakker met een gevoel alsof hij de hoofdprijs in de loterij had gewonnen.

Katie had haar baan als receptioniste bij de kunstgalerie in Chicago op dezelfde dag opgezegd als hij de zijne. Ze ging terug naar New York en ging weer bij haar vader wonen. Frank Donovan was dolgelukkig. Zijn plan had gewerkt. Zijn kleine meisje was weer thuis. En bovendien had hij ook nog een briljante marketing-man gevonden. Voor alle betrokkenen was het een uitstekende regeling.

De daaropvolgende maanden concentreerde Peter zich meer op zaken dan op de romantiek. Het ergerde Katie in het begin, maar toen ze erover klaagde tegen haar vader, zei hij dat ze geduld moest hebben. En ten slotte begon Peter zich wat te ontspannen en maakte hij zich minder druk over onafgemaakte zaken op kantoor. Maar over het algemeen wilde hij alles perfect doen om te bewijzen dat Franks vertrouwen in hem gerechtvaardigd was en hem te laten zien hoe dankbaar hij was.

Hij ging zelfs niet meer naar huis, naar Wisconsin, had er nooit tijd voor. Maar na verloop van tijd begon hij tot Katies grote opluchting meer tijd vrij te maken voor wat afleiding. Ze gingen naar feestjes en naar toneelstukken en ze stelde hem aan al haar vrienden voor. Tot zijn verbazing constateerde Peter dat hij hen allemaal aardig vond en dat hij zich heel erg op zijn gemak voelde in hun wereldje.

En in de maanden die daarop volgden leken al die dingen

waar hij, wat Katie betrof, eerst zo bang voor was geweest, steeds minder verontrustend te worden. Zijn loopbaan verliep uitstekend en tot zijn grote verbazing maakte niemand zich druk over zijn positie of hoe hij die had bereikt. Eigenlijk leek iedereen hem aardig te vinden en te accepteren. Meegesleept door die golf van sympathie, waren Katie en hij binnen een jaar verloofd, wat voor niemand als een verrassing kwam, behalve misschien voor Peter. Maar hij kende haar lang genoeg en hij was zich zo op zijn gemak gaan voelen in haar wereldje dat hij het gevoel had daarin thuis te horen. Frank Donovan zei dat het voorbestemd was, en Katie glimlachte. Ze had er nooit ook maar een moment aan getwijfeld dat Peter de ware voor haar was. Ze had het altijd geweten en was er altijd absoluut zeker van geweest dat ze zijn vrouw wilde worden.

Peters zuster, Muriel, was dolblij voor hem toen hij haar belde om het nieuws te vertellen. Uiteindelijk bleek zijn vader de enige te zijn die tot Peters grote teleurstelling bezwaar maakte tegen hun verbintenis. Zozeer als zijn vader voor de baan bij Wilson-Donovan, die hij als een prachtkans beschouwde, was geweest, zozeer was hij tegen het huwelijk. En hij was er volkomen van overtuigd dat Peter er uiteindelijk spijt van zou krijgen.

'Je zult altijd de werknemer blijven als je met haar trouwt, jongen. Dat is niet goed, dat is niet eerlijk, maar zo werkt dat. Elke keer als ze naar je kijken, zullen ze zich herinneren wie je ooit was en niet wie je nu bent.' Maar Peter geloofde hem niet. Hij had zijn draai gevonden in haar wereld. Die was nu ook van hem. En zijn eigen wereld leek bij een ander leven te horen, maakte gewoon geen deel meer uit van hem, was hem volkomen vreemd geworden. Het was alsof hij per abuis in Wisconsin was opgegroeid, of het iemand anders was geweest en hij daar eigenlijk nooit had gewoond. Zelfs Vietnam kwam hem nu wezen-lijker voor dan zijn jonge jaren in Wisconsin. Het was soms haast niet te geloven dat hij daar echt meer dan twintig jaar had doorgebracht. In iets meer dan een jaar was Peter een zakenman, een man van de wereld en een New Yorker geworden. Zijn familie was hem nog heel dierbaar en zou dat altijd blijven, maar de gedachte aan een leven als melkveehouder bezorgde hem nog steeds nachtmerries. Maar hoe hij zijn vader er ook van probeerde te overtui-gen dat hij de juiste stap genomen had, het lukte hem ge-woon niet, de oude Haskell bleef koppig bij zijn bezwa-ren. Ten slotte stemde hij er toch mee in om naar de bruiloft te komen, maar dat was waarschijnlijk alleen omdat hij murw gepraat was door Peter die maar bleef proberen zijn vader op andere gedachten te brengen.

Het was een klap voor hem toen zijn vader uiteindelijk toch niet naar de bruiloft kwam. Hij had een week daarvoor een ongeluk met de tractor gehad en lag in bed met een ge-blesseerde rug en een gebroken arm. Muriel kon niet ko-men omdat ze op het punt stond haar vierde kind ter we-reld te brengen, en haar man Jack wilde haar niet alleen laten om naar New York te vliegen. Peter voelde zich eerst nogal in de steek gelaten, maar werd vervolgens, net als bij al het andere in zijn nieuwe leven, geheel in beslag geno-men door de maalstroom van activiteiten om hem heen.

Ze gingen naar Europa op huwelijksreis en nog maanden daarna leken ze nooit tijd te hebben om naar Wisconsin te gaan. Katie had altijd plannen voor hem, of anders Frank wel. Ondanks al hun beloftes en goede bedoelingen, luk-te het hun op de een of andere manier niet om zijn fami-lie op de boerderij op te zoeken. Ten slotte had Peter zijn vader beloofd dat ze met Kerstmis zouden komen en deze keer zou niets hem tegenhouden. Hij zei er zelfs niets over tegen Kate. Hij zou haar ermee overvallen. Hij begon te geloven dat het de enige manier was om daar te komen. Maar zijn vader kreeg een hartaanval en stierf vlak voor Thanksgiving. Peter werd overstelpt door emoties. Hij voelde schuld en verdriet en spijt over alle dingen die hij niet had gedaan en altijd had willen doen. En nu had Katie zijn vader nooit ontmoet.

Peter nam haar mee naar de begrafenis. Het was een trieste aangelegenheid, het stortregende toen zij en Peter daar met strakke gezichten bij het graf stonden. Peter was er duidelijk kapot van en Muriel stond een eind van hem af te snikken tussen haar man en kinderen. Het leek een vreemd contrast tussen boeren en stadsmensen. Peter begon te beseffen hoe ver hij van hen af was komen te staan, hoe ver hij alles achter zich had gelaten, hoe weinig ze nu nog gemeen hadden. Katie had zich niet op haar gemak gevoeld bij hen en zei dat ook tegen Peter. Muriel was ongewoon koel tegen Katie, wat niets voor haar was. Toen Peter daar iets over zei tegen Muriel, mompelde ze een beetje onbeholpen dat Katie daar niet hoorde. Hoewel ze Peters vrouw was, had ze hun vader niet eens gekend. Ze was duur gekleed in een zwarte jas en een bonthoed en maakte een geïrriteerde indruk. Muriel zei dit ook tegen Peter en het deed hem verdriet. Ze had haar kritiek heel duidelijk uitgesproken en ze hadden erover geruzied en toen alle twee gehuild. Het voorlezen van het testament bracht weer nieuwe spanningen teweeg. Hun vader had de boerderij aan Muriel en Jack nagelaten en Kate was zichtbaar verontwaardigd toen ze hoorde wat de notaris zei.

'Hoe kon hij je dat aandoen?' tierde ze in de beslotenheid van zijn oude slaapkamer. Er lag linoleum in een tegelmotief op de vloer en de oude geelbruine verf op de muren was gebarsten en gebladderd. Het was wel even wat anders dan het huis dat Frank voor hen in Greenwich had gekocht. 'Hij heeft je onterfd!' Ze kookte van woede en Peter probeerde het haar uit te leggen. Hij begreep het veel beter dan zijn vrouw.

'Het is alles wat ze hebben, Kate, deze armzalige van godverlaten plek. Dit is hun hele leven. Ik heb een carrière, een goede baan, een leven met jou. Ik heb dit niet nodig. Ik wilde het niet eens, en dat wist pap.' Peter zag het niet als onrechtvaardig. Hij wilde dat Muriel het kreeg. De boerderij betekende alles voor hen.

'Je had de boel kunnen verkopen en het geld met hen kunnen delen, dan hadden ze naar iets beters kunnen verhuizen,' zei ze redelijk, maar het toonde Peter alleen maar dat ze het niet begreep.

'Dat willen ze niet, Kate, en dat is waarschijnlijk waar pap bang voor was. Hij wilde niet dat we de boerderij zouden verkopen. Hij heeft er zijn hele leven over gedaan om hem te kopen.' Ze zei niet dat ze het een rampgebied vond, maar hij merkte het aan de manier waarop ze naar hem keek en aan de stilte die tussen hen groeide. Wat Kate betrof was de boerderij nog erger dan Peter haar had verteld toen ze op de universiteit zaten en ze vond het een hele opluchting dat ze hier nooit meer terug hoefden te komen. Zij in ieder geval niet. En als ze er iets over te zeggen had, Peter ook niet, nu zijn vader hem had onterfd. Wat haar betrof was Wisconsin nu een afgesloten tijdperk. Ze wilde dat Peter vooruit zou komen.

Muriel was nog steeds van streek toen ze vertrokken en Peter had het akelige gevoel dat hij niet alleen afscheid had genomen van zijn vader, maar ook van haar. Het was alsof dat was wat Kate wilde, hoewel ze dat nooit met zoveel woorden tegen hem zei. Het leek of ze wilde dat zijn wortels, zijn banden, zijn loyaliteit en affectie alleen nog haar toebehoorden. Het leek wel of Kate jaloers was op Muriel en op het stuk van zijn leven en verleden dat zij vertegenwoordigde. En dat hij geen deel van de boerderij kreeg was een goed excuus om het voor eens en altijd af te sluiten.

'Je had gelijk toen je hier jaren geleden wegging,' zei Kate zacht toen ze wegreden. Ze scheen niet te merken dat Peter huilde. Alles wat ze wilde was zo snel mogelijk terug naar New York. 'Peter, jij hoort hier niet,' zei ze resoluut. Hij wilde met haar argumenteren, haar vertellen dat ze het mis had, het uit loyaliteit voor hen opnemen, maar hij wist dat ze gelijk had en voelde zich daar schuldig over. Hij was daar niet op z'n plaats. Was dat ook nooit geweest.

Toen ze in Chicago aan boord gingen van het vliegtuig, voelde hij een golf van opluchting. Hij was weer ontsnapt. Hij was op een bepaald punt nog doodsbang geweest dat zijn vader hem de boerderij had nagelaten en van hem zou hebben verwacht dat hij die zou runnen. Maar zijn vader was verstandiger geweest en had Peter beter gekend. Peter had nu niets meer met de boerderij te maken. Hij bezat hem niet, kon er niet door verslonden worden, zoals hij had gevreesd. Hij was eindelijk vrij. Het was nu het probleem van Jack en Muriel.

Toen het toestel los kwam van de grond op weg naar Kennedy Airport, wist hij dat hij de boerderij en alles wat die vertegenwoordigde, achter zich had gelaten. Hij hoopte alleen dat hij tegelijkertijd niet ook zijn zuster was kwijtgeraakt.

Hij was zwijgzaam tijdens de vlucht naar huis en in de daaropvolgende weken rouwde hij in stilte om zijn vader. Hij zei er weinig over tegen Kate, voornamelijk omdat hij zo'n idee had dat ze er niets over wilde horen. Hij belde Muriel een paar keer, maar die had het altijd druk met de kinderen, of was net op weg naar buiten om Jack te gaan helpen. Ze had nooit tijd om te praten en als ze dat wel had, vond Peter de manier waarop ze over Katie sprak niet prettig. Haar openlijke kritiek op zijn vrouw veroorzaakte een definitieve kloof tussen hen en na een poosje hield hij op met bellen. Hij wierp zich op zijn werk en vond afleiding in wat er op kantoor gebeurde. Eigenlijk leek hem zijn hele leven in New York een perfect bestaan. Hij voelde zich thuis bij Wilson-Donovan, tussen hun vrienden en in het sociale leven dat Katie voor hen had uitgestippeld. Het was alsof hij erin geboren was en nooit een ander leven had gekend.

Voor zijn vrienden in New York was Peter een van hen. Hij was gelijkmatig en ontwikkeld en men moest lachen als hij vertelde dat hij op een boerderij was opgegroeid. Meestal geloofde men het niet. Hij maakte meer de indruk dat hij uit Boston of New York kwam. En hij paste zich probleemloos aan bij de wensen van de Donovans. Frank had erop gestaan dat ze net als hij in Greenwich, Connecticut, zouden gaan wonen. Hij wilde 'zijn kindje' dicht bij zich hebben en bovendien was zij daaraan gewend en vond het ook fijn. Wilson-Donovan was gevestigd in New York waar ze ook een appartementje hadden, maar de Donovans hadden altijd in Greenwich gewoond, een uur rijden van New York. Het was gemakkelijk pendelen en Peter ging iedere dag samen met Frank met de trein op en neer. Peter vond het prettig wonen in Greenwich, hij was dol op hun huis en hij vond het heerlijk om met Katie getrouwd te zijn. De meeste tijd konden ze het uitstekend met elkaar vinden en de kwestie van de erfenis was het enige grote meningsverschil dat ze hadden gehad. Maar daar ruzieden ze allang niet meer over uit respect voor elkaars tegengestelde mening.

Het enige andere dat hem niet lekker zat, was dat Frank

hun eerste huis voor hen had gekocht. Peter had geprobeerd zich daartegen te verzetten maar hij wilde Katie niet van streek maken. Zij had hem gesmeekt haar vader zijn gang te laten gaan. Peter had nog wat tegengesputterd maar uiteindelijk had zij gewonnen. Ze wilde een groot huis zodat ze snel aan kinderen konden beginnen en Peter kon zich beslist niet veroorloven het soort huis te kopen waar zij aan gewend was en waarin ze volgens haar vader hoorde te wonen. Dit waren de problemen waar Peter zo bang voor was geweest. Maar de Donovans gingen er heel beschaafd mee om. Haar vader noemde het fraaie Tudorhuis een 'huwelijksgeschenk'. In Peters ogen was het een herenhuis. Het was groot genoeg om er drie of vier kinderen in onder te brengen, het had een prachtig zonneterras, een eetkamer, een woonkamer, vijf slaapkamers, een enorme werkkamer voor hem, een familiekamer en een fantastische boerenkeuken. Het stond in geen verhouding tot de aftandse oude boerderij die zijn vader aan zijn zuster had nagelaten in Wisconsin. En Peter moest schuchter toegeven dat hij het een heerlijk huis vond.

Haar vader wilde ook iemand aannemen om voor hen schoon te maken en te koken, maar hier trok Peter de grens. Hij verkondigde dat hij desnoods zelf zou koken, maar dat hij niet zou toestaan dat Frank hun ook nog een hulpje zou verschaffen. Katie leerde uiteindelijk koken, maar deed het niet zo lang. Tegen de kerst had ze zo'n last van zwangerschapsmisselijkheid dat ze niets meer kon doen en Peter moest bijna alle maaltijden bereiden en het huis schoonhouden. Maar het kon hem niet schelen, hij was dolblij over hun baby. Het leek hem een bijna mystieke ruil, een bijzondere troost voor het verlies van zijn vader, waar hij nog steeds meer verdriet over had dan hij wilde toegeven.

Het was voor hem het begin van achttien gelukkige, vruchtbare jaren. Ze kregen drie zonen in de eerste vier jaren van hun huwelijk. Sinds die tijd was Katies leven gevuld met liefdadigheidscomités, oudercommissies en carpoolen en ze genoot ervan. De jongens waren met duizend en een dingen bezig: voetbal, honkbal en zwemmen en onlangs had Katie besloten dat ze zich kandidaat wilde stellen voor het schoolbestuur in Greenwich. Ze was heel erg betrokken bij haar woongemeenschap en hield zich bezig met de wereldecologie en nog een aantal zaken waarvan Peter wist dat hij zich ervoor zou moeten interesseren maar het niet deed. Hij zei graag dat Katie zich met wereldomvattende zaken bezig hield voor hen beiden. Hij probeerde alleen maar zijn hoofd boven water te houden in zijn werk.

Maar ook daar wist ze veel van. Haar moeder was gestorven toen Katie drie was en vanaf dat moment was ze haar vaders constante metgezel geweest. Toen ze opgroeide wist Katie al alles over zijn zaak. Daar kwam geen verandering in, ook niet toen zij en Peter getrouwd waren. Het gebeurde wel dat zij bepaalde dingen over het bedrijf eerder wist dan hij. En als hij dacht dat hij haar een nieuwtje kon vertellen, was het steeds weer een schok voor hem als hij merkte dat zij het al wist. Dit veroorzaakte door de jaren heen een paar problemen, maar Peter was bereid om Franks plaats in haar leven te accepteren. Katies band met hem was heel wat sterker dan Peter had verwacht, maar daar stak geen kwaad in. Frank was een faire man en hij wist altijd precies hoe ver hij kon gaan met zijn mening. Althans, dat dacht Peter totdat Frank hun probeerde te vertellen naar welke kleuterschool ze hun zoon moesten sturen. Maar die keer hield Peter zijn poot stijf en bleef dat doen tot aan de middelbare school. Of beter gezegd, hij probeerde het. Maar er waren momenten dat Katies vader volkomen onvermurwbaar was. En wat Peter nog erger vond was dat Katie vaak zijn kant koos, hoewel ze het meestal zo tactvol mogelijk onder woorden bracht als ze haar vaders mening deelde.

Katies band met haar vader bleef door de jaren heen sterk en ze was het vaker met hem eens dan Peter lief was. Het was zijn enige klacht over een verder gelukkig huwelijk. Hij vond dat hij in zijn leven zo gelukkig was, dat hij niet het recht had om te zeuren over een incidentele krachtmeting met Frank. Wat Peter betrof wogen de lasten in zijn leven absoluut niet op tegen de lusten.

Het enige echt verdrietige in zijn leven was de dood van zijn zuster. Ze stierf op haar negenentwintigste aan kanker, net als zijn moeder, alleen was Muriel veel jonger. En net als zijn moeder had zijn zuster zich geen behoorlijke behandeling kunnen veroorloven. Zij en haar man waren zo trots geweest, ze hadden hem nooit gebeld om het te vertellen. Ze was al stervende toen Jack hem eindelijk belde. Peter vloog naar Wisconsin en was diepbedroefd toen hij haar zag. Ze stierf een paar dagen later. En in minder dan een jaar tijd verkocht Jack de boerderij, hertrouwde en verhuisde naar Montana. Nog jaren daarna wist Peter niet waar hij heen was gegaan of wat er met de kinderen van zijn zuster was gebeurd. En toen hij eindelijk weer iets van Jack hoorde, jaren na de dood van Muriel, zei Katie dat het allemaal verleden tijd was en dat hij het maar zo moest laten en hen moest vergeten. Peter had Jack het geld gestuurd waar hij in zijn telefoontje om had gevraagd, maar hij was nooit naar Montana gegaan om Muriels kinderen op te zoeken. Hij wist dat ze hem niet eens meer zouden kennen. Ze hadden een nieuwe moeder, een nieuw gezin, en Peter begreep wel dat Jack hem alleen had gebeld omdat hij geld nodig had. Hij voelde geen echte genegenheid voor de broer van zijn overleden vrouw en Peter ook niet voor hem, hoewel hij wel graag zijn neefjes en nichtjes had willen zien. Maar hij had het te druk om naar Montana te vliegen om hen op te zoeken en op een bepaalde manier waren ze een deel van een ander leven. Het was gemakkelijker om er gewoon afstand van te nemen zoals Kate zei, hoewel hij zich altijd schuldig voelde als hij eraan dacht.

Peter had zijn eigen leven te leiden, zijn eigen gezin om aan te denken, zijn eigen kinderen om te beschermen, om voor te vechten. Vier jaar geleden, voordat hun oudste zoon Mike naar de middelbare school zou gaan, was er inderdaad een verbeten strijd geleverd. Blijkbaar was elke Donovan, zolang men zich kon herinneren naar Andover gegaan. Frank vond dat Mike daar ook heen moest en Katie was het met hem eens. Maar Peter niet. Hij wilde Mike niet op een internaat hebben, hij wilde dat hij thuis bleef totdat hij naar de universiteit zou gaan. Maar deze keer won Frank met het grootste gemak. Mike had de beslissende stem, en zijn moeder en grootvader hadden hem ervan overtuigd dat hij, tenzij hij naar Andover ging, nooit op een behoorlijk *college* terecht zou komen, laat staan op de economische hogeschool. Bovendien zou hij iedere kans op een goede positie later verspelen en daarbij ook nog waardevolle connecties. Peter vond dit belachelijk en wees erop dat hij op de universiteit van Michigan had gezeten, z'n laatste jaar op de avondschool in Chicago had gedaan, zich nooit gespecialiseerd had in economie en nog nooit van Andover had gehoord toen hij nog in Wisconsin woonde. 'En het is mij ook gelukt,' zei hij met een glimlach. Hij leidde tenslotte een van de belangrijkste bedrijven in het land. Maar op het antwoord dat Mike gaf was hij niet voorbereid.

'Ja, maar jij bent erin getrouwd, pap. Dat is wat anders.'
Het was de ergste klap die de jongen hem kon geven. En
iets in Peters ogen moest Mike verteld hebben hoe hard dit
aankwam, want hij zei er meteen achteraan dat hij het niet
bedoelde zoals het klonk en dat twintig jaar geleden de
dingen 'anders' waren. Maar ze wisten alle twee dat het
niet waar was. Mike was ten slotte toch naar Andover gegaan en in het komend najaar zou hij, net als zijn grootvader, naar Princeton gaan. Paul was inmiddels ook op
Andover en alleen Patrick, de jongste, had het erover om
thuis te blijven als hij naar de middelbare school ging, of
misschien naar Exeter, alleen maar om iets anders te doen
dan zijn broers hadden gedaan. Hij had nog een jaar om
erover na te denken en praatte ook over een internaat in
Californië. Peter had daar graag verandering in gebracht,
maar wist dat het niet zou lukken. Weggaan gedurende de
middelbare schooltijd was een traditie bij de Donovans en
daar kon niet aan getornd worden. Zelfs Kate was naar
het internaat van Miss Porter gegaan, ondanks haar sterke band met haar vader. Peter zou zijn kinderen liever
thuisgehouden hebben, maar hij had zichzelf voorgehou-
den dat het voor hem een klein compromis was. Hij zou
ze een paar maanden per jaar niet bij zich hebben, maar
ze zouden een geweldige opleiding krijgen, dat stond buiten kijf. En Frank zei altijd dat ze belangrijke vriendschappen zouden sluiten, vriendschappen voor het leven.
Daar was moeilijk iets tegenin te brengen, dus dat deed
Peter ook maar niet. Maar het gaf hem ieder jaar een eenzaam gevoel als zijn zoons naar het internaat vertrokken.
Kate en de jongens waren de enige familie die hij had. Hij
miste Muriel en zijn ouders nog steeds, hoewel hij dat nooit
tegen Kate zei.
Peter had zich door de jaren heen op indrukwekkende wij-

ze opgewerkt. Hij was een belangrijk man. Zijn carrière was briljant te noemen. Zodra hij het zich kon veroorloven waren ze naar een groter huis in Greenwich verhuisd. Deze keer was er geen sprake van dat hij een huis van Frank zou accepteren. Peter kocht een mooi huis in Greenwich op een dikke tweeduizend vierkante meter grond. Hoewel de stad hem soms wel erg trok, wist hij hoe belangrijk het voor Katie was hier te blijven. Ze had haar hele leven in Greenwich gewoond. Ze had er haar vrienden, de juiste lagere scholen voor de kinderen, de comités die ze belangrijk vond, en haar vader. Ze vond het fijn om dicht bij hem te wonen en ze paste goed op zijn huis voor hem. En in de weekends gingen zij en Peter er vaak heen om over familiezaken of over het bedrijf te praten, of gewoon voor een partijtje tennis. Katie ging door de week ook nog vaak naar hem toe.

In de zomer gingen ze naar Martha's Vineyard, ook om bij hem in de buurt te zijn. Hij had daar al jaren een fantastisch buitenhuis. De Haskells zelf hadden een bescheidener onderkomen, maar Peter moest Kate gelijk geven dat het een geweldige plek voor de kinderen was en hij vond het er zelf ook fijn. Martha's Vineyard was een bijzondere plaats voor hem en zodra hij zich daar een eigen huis kon permitteren, had Peter haar gedwongen om het huisje dat haar vader hun leende op zijn terrein op te geven en kocht hij een beeldig huis een eindje verderop in de straat. De jongens vonden het prachtig toen Peter een eigen huisje voor hen bouwde waar ze hun vrienden konden ontvangen, wat ze dan ook constant deden. Kate en Peter werden nu al jaren omringd door kinderen, vooral in Martha's Vineyard. Er schenen altijd zo'n stuk of vijf extra kinderen bij hen te logeren.

Ze leidden een rustig en aangenaam leven. Ondanks het

feit dat Peter zich af en toe had moeten schikken in kwesties van huiselijke aard, zoals hoe en waar ze woonden en het naar een internaat gaan van de jongens, wist hij dat hij nooit zijn principes of integriteit geweld had aangedaan als het om zaken ging. Frank gaf hem de vrije hand. Peter was met geniale ideeën gekomen die het bedrijf snel positief beïnvloed hadden. Hij had een groei en ontwikkeling gebracht die ver uitstaken boven dat wat Frank ooit had gedroomd. Peters voorstellen waren van onschatbare waarde geweest, zijn besluitvorming doortastend en zeker. Frank had heel goed geweten wat hij deed toen hij hem in het bedrijf opnam en helemaal toen hij hem op z'n zevenendertigste directeur van Wilson-Donovan maakte. De manier waarop hij het bedrijf leidde, was vanaf het eerste begin meesterlijk. Er waren nu zeven jaren voorbij, waarvan vier besteed waren aan de ontwikkeling van Vicotec, een uitzonderlijk kostbare operatie, maar weer absoluut briljant. Het was vanaf het begin Peters troetelkind geweest. Het was zijn beslissing geweest om die koers op wetenschappelijk gebied te volgen en hij had Frank ervan overtuigd daarin mee te gaan. Het was een enorme investering maar die zou op de langen duur, daarover waren ze het eens, ruimschoots de moeite lonen. En voor Peter was er nog de toegevoegde waarde ervan. Het was het hoogtepunt van zijn levenslange droom om de mensheid te helpen, terwijl hij zich een weg baande in de hebzuchtige, egoïstische, materialistische zakenwereld. Alleen al ter nagedachtenis aan zijn moeder en Muriel wilde Peter Vicotec zo snel mogelijk gebruiksklaar hebben. Als een dergelijk product er voor hen was geweest, was hun leven misschien gespaard gebleven, of op z'n minst verlengd. En nu wilde hij anderen redden. Mensen op boerderijen en in kleine dorpjes, maar ook mensen in steden die geïsoleerd waren door ar-

moede of andere omstandigheden, die zonder een geneesmiddel als dit zeker zouden sterven.

Hij merkte dat hij er weer aan zat te denken in de taxi, en
aan de besprekingen die hij de hele week in Europa had
gevoerd. Het vergevorderde stadium waarin Vicotec op dit
moment verkeerde, was al iets om dankbaar voor te zijn.
En terwijl de auto zich richting Parijs spoedde speet het
hem, zoals gewoonlijk, dat Katie niet was meegekomen.

Voor Peter was het de perfecte stad. Hij vond haar iedere
keer weer adembenemend. Parijs had iets dat zijn hart sneller deed kloppen. Hij was hier vijftien jaar geleden voor
het eerst op zakenreis geweest. Toen had hij het gevoel gehad dat hij op de aarde was gezet voor dat ene moment
waarop hij de stad voor het eerst zag. Hij was in z'n eentje in Parijs aangekomen op een nationale feestdag. Hij
herinnerde zich nog goed dat hij over de Champs-Elysées
reed met de Arc de Triomphe recht voor zich en de Franse vlag die groots in de wind wapperde vanuit de triomf-
boog. Hij had de auto stilgezet, was uitgestapt, en terwijl
hij daar stond te kijken, had hij met enige gêne gemerkt
dat hij tranen in zijn ogen had.

Katie plaagde hem er wel eens mee en zei dat hij in een
vorig leven vast een Fransman was geweest omdat hij zoveel van Parijs hield. Het was een plek die veel voor hem
betekende en hij wist niet eens precies waarom. De stad
had iets ongelooflijk moois en machtigs over zich. Hij had
zich daar nog nooit verveeld en deze keer zou het niet anders zijn. Hij was ervan overtuigd dat zijn gesprek met
Paul-Louis Suchard de volgende dag, ondanks diens gesloten aard, een feestelijk karakter zou hebben.

De taxi zoefde door het middagverkeer en Peter zag allerlei bekende plekken, zoals de Invalides en de Opéra. Even
later reden ze de Place Vendôme op en Peter voelde zich

bijna alsof hij was thuisgekomen. Het standbeeld van Napoleon stond boven op de zuil in het midden van het plein en als je je ogen een beetje dichtkneep kon je je voorstellen dat hier rijtuigen met een familiewapen aan de zijkant voorthobbelden, waarin Franse edelen met gepoederde pruiken en satijnen broeken zaten. Peter glimlachte om die schilderachtige absurditeit toen de taxi stilhield voor de Ritz en de portier zich naar de taxi haastte om de deur open te doen. Hij herkende Peter zoals hij alle aankomende gasten leek te herkennen en wenkte snel de piccolo om Peters enige stuk bagage te pakken terwijl Peter de taxichauffeur betaalde.

De voorgevel van de Ritz was verrassend pretentieloos, met alleen de luifel ter onderscheiding. Het zag er niet indrukwekkender uit dan de vele fraaie winkels aan het plein. Chaumet en Boucheron waren vlakbij met hun fonkelende waren, Chanel was op de hoek van het plein, en JAR, de zeer exclusieve juwelier, genoemd naar de oprichter Joel A. Rosenthal, lag daarachter verscholen. Maar het Ritz hotel was beslist een van de belangrijkste elementen van de Place Vendôme en Peter zei altijd dat er op de hele wereld niet zoiets te vinden was. Het was van een opperste verfijning en luxe, en bood zijn gasten onbeperkt comfort op ieder gebied. Hij voelde zich altijd een beetje schuldig als hij daar tijdens een zakenreis logeerde, maar hij was er door de jaren heen te dol op geworden om ergens anders heen te gaan. Het was een soort droom in een verder zo verstandelijk en door rede beheerst leven. Peter hield van de verfijning, de elegantie, de uitgelezen inrichting van de kamers, de weelderige pracht van het brokaat op de wanden, de prachtige antieke schouwen. Toen hij door de draaideur ging voelde hij dan ook een golf van opwinding. De Ritz stelde hem nooit teleur en liet hem nooit in de steek. Als een mooie vrouw die men alleen af en toe bezoekt, wachtte ze elke keer met open armen op hem, het haar gekapt, de make-up perfect, en nog betoverender dan de vorige keer dat hij haar had gezien.

Peter hield bijna net zoveel van de Ritz als van Parijs. Het hoorde bij de betovering en de bekoring. Toen hij vanuit de draaideur de lobby inkwam werd hij meteen begroet door een portier in livrei. Hij haastte zich de twee treden op naar de receptie om zich in te schrijven. Het was zelfs al leuk om daar te wachten. Hij vond het heerlijk om naar de mensen te kijken. Links van hem stond een oudere Zuid-Amerikaan, met naast zich een opvallende jonge vrouw in een rode jurk. Ze spraken zacht met elkaar in het Spaans. Haar haar en haar nagels waren onberispelijk verzorgd en Peter zag dat ze een enorme diamant aan haar linkerhand droeg.

Ze wierp een vluchtige blik op hem en glimlachte toen hij haar aankeek. Hij was een uitzonderlijk aantrekkelijke man en niets in zijn houding duidde er voor de vrouw die naast hem stond op dat hij eens een boerenjongen was geweest. Hij zag eruit naar wat hij ook was: een vermogend, machtig man, die zich bewoog in de kringen van de elite en van hen die de imperia van deze wereld besturen. Alles aan Peter duidde op macht en invloed en toch had hij ook iets innemends, iets vriendelijks en jongensachtigs, en hij was absoluut buitengewoon knap. En als je de tijd nam om goed te kijken was er nog iets meer aan hem te zien, iets intrigerends in zijn ogen, meer dan de meeste mensen wisten, of wilden zien. Hij straalde een zekere zachtheid uit, een goedheid, een soort mededogen dat niet veel voorkomt bij machtige mannen. Maar de vrouw in de rode jurk zag dat allemaal niet. Zij zag een Hermès-das, de sterke, schone handen, de aktetas, de Engelse schoenen, het goed gesneden pak, en ze moest zich dwingen haar ogen weer op haar begeleider te richten.

Aan de andere kant van Peter stonden drie zeer goed geklede oudere Japanners in donkere pakken. En toen Peter, die nog steeds op zijn beurt wachtte, zich omdraaide zag hij enige beroering bij de deur toen vier forse donkere mannen door de draaideur kwamen en het beheer erover leken over te nemen. Toen nog twee van zulke mannen en vervolgens, alsof ze door een gomballenautomaat werden uitgespuugd, kwamen drie heel mooie vrouwen in fleurige Dior-pakjes te voorschijn. Behalve de kleur waren de pakjes identiek, maar de vrouwen zelf waren heel verschillend. Zoals de Spaanse vrouw die Peter naast zich had zien staan, zagen ook deze vrouwen er perfect verzorgd uit. Ze droegen alle drie diamanten om hun hals en in hun oren en maakten als groep nogal indruk. Ze werden onmiddellijk omsingeld door de zes lijfwachten die hen begeleidden. Toen kwam een veel oudere, zeer gedistingeerde Arabier vlak na hen door de draaideur.

'Koning Khaled...' hoorde Peter iemand dichtbij fluisteren, 'het kan ook zijn broer zijn... alle drie z'n vrouwen... ze blijven hier een maand... Ze hebben de hele vierde verdieping die over de tuinen uitkijkt...'

Het was de vorst van een kleine Arabische staat. Terwijl ze door de lobby liepen telde Peter acht lijfwachten en een heel assortiment van mensen dat hen scheen te volgen. Ze werden meteen vergezeld door een van de portiers en liepen langzaam door de lobby. Iedereen keek hen na, waardoor het bijna niemand opviel dat Catherine Deneuve gehaast het restaurant binnenliep om te gaan lunchen en iedereen vergeten leek te zijn dat Clint Eastwood hier logeerde gedurende de periode dat hij een film net buiten Parijs maakte. Dit soort gezichten en namen waren heel gewoon in de Ritz. Peter vroeg zich af of hij ooit zo blasé zou worden dat het hem niet meer zou interesseren en hij hen gewoon zou negeren. Maar hij vond het altijd zo leuk om hier te zijn en het allemaal te zien, dat hij het niet kon opbrengen om een andere kant op te kijken of te doen alsof het hem verveelde, zoals sommige vaste gasten deden. Hij moest gewoon naar de Arabische koning en zijn schare lieftallige echtgenotes kijken. De vrouwen praatten en lachten zachtjes met elkaar. De lijfwachten hielden hen goed in de gaten en lieten niemand in hun nabijheid komen. Ze omsingelden hen als een muur van strenge standbeelden, terwijl de koning, al pratend met een andere man, rustig verderliep. Peter schrok op toen hij vlak achter zich een stem hoorde.

'Goedemiddag, meneer Haskell. Welkom. Het doet ons veel genoegen u weer te zien.'

'Het doet mij genoegen weer terug te zijn.' Peter draaide zich om en glimlachte tegen de jonge receptionist die hem moest inschrijven. Ze gaven hem een kamer op de derde etage, maar volgens hem konden er geen slechte kamers zijn in de Ritz. Welke kamer ze hem ook gaven, hij vond alles prima. 'Het schijnt zoals gewoonlijk weer druk te zijn.' Hij doelde op de koning en het legertje lijfwachten, maar het hotel zat altijd vol met zulk soort mensen.

'Zoals gewoonlijk... *comme d'habitude...*' De jonge receptionist glimlachte en borg het formulier dat Peter had ingevuld op. 'Ik zal u uw kamer wijzen.' Hij had zijn paspoort bekeken, gaf het kamernummer aan een van de piccolo's en wenkte Peter hem te volgen, het trapje af en de lobby door.

Ze kwamen langs de bar en langs het restaurant dat vol zat met goedgeklede mensen die elkaar daar ontmoetten om wat te drinken, of voor de lunch, om zaken te bespreken of boeiender dingen. Peter ving een glimp op van de nog steeds mooie Catherine Deneuve, die aan een hoektafel zat te lachen en te praten met een vriend. Daar hield hij nou zo van in dit hotel, de gezichten, de mensen, de aanblik alleen al was opwindend. Terwijl ze door de lange, lange gang naar de lift achterin liepen, passeerden ze een eindeloze reeks vitrines met dure spullen van alle boetieks en juweliers in Parijs. Halverwege zag hij een armband die Katie vast mooi zou vinden en maakte een mentale aantekening om terug te komen en hem te kopen. Hij bracht altijd iets voor haar mee van zijn reizen. Het was haar troostprijs voor het niet meegaan, althans dat was het jaren geleden geweest, toen ze of in verwachting was, of nog zelf voedde, of gewoon niet weg kon omdat de jongens nog te klein waren. Tegenwoordig wilde ze helemaal niet met hem mee op reis en dat wist hij. Ze beleefde plezier aan haar commissievergaderingen en haar vrienden. Nu de twee oudste jongens op een internaat zaten en alleen de jongste nog thuis was, zou ze gemakkelijk mee kunnen, maar ze had altijd een excuus en Peter drong er niet meer op aan. Ze wilde gewoon niet. Maar hij bracht nog steeds cadeautjes voor haar mee en voor de jongens ook als ze thuis waren. Het was het laatste restje van hun kindertijd.

Eindelijk bereikten ze de lift. De Arabische koning was nergens meer te zien, ze waren even eerder naar boven gegaan naar hun stuk of tien kamers. Ze waren vaste gasten. De vrouwen brachten meestal de maanden mei en juni in Parijs door en bleven soms tot juli als de nieuwe collecties getoond werden. En in de winter kwamen ze om dezelfde reden weer terug.

'Het is warm dit jaar,' zei Peter opgewekt tegen de receptionist terwijl ze op de lift wachtten. Het was heerlijk buiten, zacht en warm, het deed je ernaar verlangen ergens onder een boom te liggen en de wolken in de lucht voorbij te zien trekken. Het was eigenlijk geen dag om zaken te doen. Maar Peter zou Paul-Louis in ieder geval bellen en vragen of hij eerder tijd vrij kon maken voor hun geplande bespreking van morgenochtend.

'Het is de hele week al warm,' zei de receptionist gemoedelijk. Iedereen kwam erdoor in een goede stemming en de kamers hadden airconditioning, dus er waren nooit klachten over de temperatuur. Ze glimlachten allebei toen een Amerikaanse dame met drie yorkshireterriërs langskwam. De honden waren zo donzig en zaten zo vol met strikjes dat de twee mannen een blik wisselden toen ze naar haar keken. En toen, bijna alsof het gedeelte waar ze stonden elektrisch geladen werd, voelde Peter plotseling een golf van activiteit achter zich. Hij vroeg zich af of het weer de Arabieren met hun lijfwachten waren, of de een of andere filmster, je voelde gewoon een toenemende spanning. Toen hij zich omdraaide om te zien wat er gebeurde, leek er een heel regiment mannen in donkere pakken en met oortelefoons op hem af te komen. Het waren er vier en het was onmogelijk te zien wie achter hen liep. Het was overduidelijk dat het lijfwachten waren vanwege de oortelefoons en de portofoons die ze bij zich hadden. En als het iets kouder was geweest zouden ze zeker regenjassen hebben gedragen.

Ze liepen, bijna synchroon, naar de plek waar Peter en de receptionist stonden en gingen toen iets opzij, waardoor een handjevol mannen dat vlak achter hen liep zichtbaar werd. Het waren mannen in lichtgewicht pakken, kennelijk Amerikanen. Een van hen was langer dan de anderen en aanmerkelijk blonder. Hij leek wel een filmster en hij scheen de anderen te fascineren. Ze hingen allemaal aan zijn lippen. De drie mannen die bij hem liepen zagen er buitengewoon ernstig en zeer geboeid uit en lachten toen plotseling om iets wat hij zei.

Peter bekeek hem vol interesse. Hij was er zeker van dat hij hem eerder had gezien maar kon zich niet herinneren waar. Toen wist hij het ineens. Hij was de controversiële en zeer dynamische jonge senator van Virginia, Anderson Thatcher. Hij was achtenveertig jaar en was meer dan eens zijdelings betrokken geweest bij schandaaltjes, maar elke keer waren de bedreigende nevelen opgetrokken. En meer dan eens, en dat was veel belangrijker, waren er tragische gebeurtenissen in zijn leven geweest. Zijn broer Tom was zes jaar geleden, vlak voor de verkiezingen, vermoord toen hij presidentskandidaat was. Hij was de grootste kanshebber geweest en er waren allerlei theorieën over wie de dader geweest kon zijn. Er waren zelfs twee slechte films over gemaakt. Maar alles wat ze uiteindelijk konden vinden was één enkele schutter. In de jaren daarna was Anderson Thatcher, 'Andy' voor zijn vrienden, serieus voorbereid op een politieke loopbaan. Hij was opgeklommen in de rangen van zijn politieke mede- en tegenstanders en werd nu beschouwd als een serieuze kandidaat voor de komende presidentsverkiezingen. Hij had zijn kandidatuur nog niet bekendgemaakt, maar mensen die het konden weten verwachtten dat hij dat binnenkort zou doen. Gedurende de laatste jaren had Peter hem met belangstelling gevolgd. Ondanks een paar minder aangename dingen die hij over zijn persoonlijke leven had gehoord, dacht hij dat hij een interessante figuur voor de volgende kandidatenlijst zou zijn. Zoals hij daar nu stond, omringd door campagneleiders en lijfwachten, had hij duidelijk iets charismatisch over zich en Peter stond gefascineerd te kijken. Het noodlot had voor de tweede keer toegeslagen toen

Thatchers tweejarig zoontje aan kanker overleed. Peter wist daar minder van, maar hij herinnerde zich een paar hartverscheurende foto's in *Time* toen het kind stierf. In het bijzonder een foto van zijn vrouw, die er gebroken uitzag toen ze, vreemd genoeg, alleen wegliep van het kerkhof, terwijl Thatcher zijn eigen moeder bij de arm nam en haar wegleidde. De vreselijke pijn die te lezen stond op het gezicht van de jonge moeder had Peter diep geraakt. Maar de tragedie had de Thatchers wel veel sympathie opgeleverd en het was boeiend hem nu te zien, volkomen verdiept in het gesprek met zijn helpers.

Even later, terwijl de lift nog steeds weigerde te komen, verplaatste de groep mannen zich een beetje en ving Peter een glimp op van nog een andere persoon achter hen. Eerst was het maar heel even, een vage indruk, maar toen zag hij haar daar plotseling staan, de vrouw die hij op de foto had gezien. Ze had haar ogen neergeslagen en ze maakte een ongelooflijk tere indruk; ze leek heel klein en frêle, bijna of ze ieder moment weg kon vliegen. Het was een piepklein vrouwtje en je kon je ogen niet van haar afhouden. Ze droeg een hemelsblauw linnen Chanel-pak en ze had iets heel voornaams en gereserveerds over zich toen ze achter de mannen in haar gezelschap aan liep. Niet een van hen scheen op haar te letten, zelfs de lijfwachten niet, terwijl ze rustig achter hen op de lift stond te wachten. Toen Peter op haar neerkeek, keek ze even omhoog naar hem. Ze had de grootste ogen die hij ooit had gezien en ook de droevigste, dacht hij, en toch was er niets meelijwekkends aan haar. Ze was gewoon teruggetrokken en toen ze haar zonnebril in haar tas stopte, zag hij dat haar handen fijn en sierlijk waren. Geen van de mannen sprak tegen haar of leek haar zelfs maar te zien toen de lift eindelijk kwam. Ze gingen allemaal voor haar de lift in en zij volgde rustig. Ze had een verbluffende waardigheid over zich, alsof ze in haar eigen wereld leefde, en ze was van top tot teen een dame. Het scheen voor haar van geen enkel belang te zijn of ze al dan niet wisten dat ze bestond. Terwijl Peter haar gefascineerd stond te bekijken, wist hij precies wie ze was. Hij had door de jaren heen veel foto's van haar in gelukkiger tijden gezien: toen ze trouwde, en zelfs daarvoor, met haar vader. Ze was Andy Thatchers vrouw, Olivia Douglas Thatcher. Net als Thatcher, kwam ze uit een belangrijke politieke familie. Haar vader was de zeer gewaardeerde gouverneur van Massachusetts en haar broer was een junior congreslid in Boston. Peter meende zich te herinneren dat ze ongeveer vierendertig was. Ze was een van die mensen die interessant zijn voor de pers, die haar dan ook niet met rust kon laten, hoewel ze daar weinig aanleiding toe gaf. Peter had uiteraard interviews met hèm gezien, maar kon zich niet herinneren ooit een met Olivia Thatcher gelezen of gezien te hebben. Ze scheen helemaal op de achtergrond te blijven en hij merkte dat hij gebiologeerd was door haar, toen hij vlak achter haar in de lift stapte. Ze stond met haar rug naar hem toe, maar zo dichtbij dat hij zonder enige moeite zijn armen om haar heen had kunnen slaan. De gedachte alleen al deed hem naar adem snakken, terwijl hij omlaag keek naar het prachtige donkere haar. Alsof ze voelde dat Peter aan haar dacht, draaide ze zich om en keek hem aan. Voor de tweede keer ontmoetten hun blikken elkaar en heel even was het of de tijd stilstond. Hij werd weer getroffen door de droefheid in haar ogen. Het was alsof ze zonder te spreken iets tegen hem zei. Ze had de meest expressieve ogen die hij ooit had gezien. Plotseling vroeg hij zich af of hij het zich alleen maar verbeeldde, of er echt méér in haar ogen was dan in die van een ander. Ze wendde zich net zo plotseling weer af als ze hem had aangekeken en keek niet meer naar hem toen hij, enigszins van de kook, de lift verliet. De piccolo had zijn koffer al naar boven gebracht, het kamermeisje had zijn kamer al voor hem gecontroleerd en alles in orde bevonden. Toen hij bij binnenkomst de kamer rondkeek, had Peter weer het gevoel dat hij was gestorven en in de hemel was terechtgekomen. Het brokaat op de wanden was van een warme perzikkleur, het meubilair antiek, de schouw van abrikooskleurig marmer en de gordijnen en de sprei waren van bij elkaar passende zijden en satijnen stoffen. De badkamer was in marmer uitgevoerd en van alle mogelijke gemakken voorzien. Het was als de verwezenlijking van een droom. Hij liet zich in een gemakkelijke, met satijn beklede stoel zakken en keek uit op de onberispelijk onderhouden tuin. Dit was perfectie. Hij gaf de receptionist een fooi, liep toen langzaam door de kamer, ging naar het balkon, bewonderde de bloemen daar beneden en dacht aan Olivia Thatcher. Er was iets gekwelds in haar gezicht, in haar ogen, dat had hij bij het zien van haar foto's ook al gedacht. Maar niets had ooit zo'n indruk op hem gemaakt als de blik in haar ogen toen ze naar hem opkeek. Hij had daar veel leed gezien, maar ook kracht. Het was alsof ze iets tegen hem had gezegd, of tegen wie dan ook die naar haar keek. Ze was op haar eigen manier veel indrukwekkender en fascinerender dan haar man. Peter vond niet dat ze eruitzag als iemand die het politieke spel zou meespelen. Voor zover hij wist had ze dat nooit gedaan en deed ze het ook nu niet, zelfs niet nu haar man zo dicht bij een kandidaatstelling was.

Hij vroeg zich af welke geheimen er achter die façade van haar verborgen lagen, of verbeeldde hij het zich allemaal? Misschien was ze helemaal niet treurig, maar gewoon erg stil. Tenslotte had er niemand tegen haar gesproken. Maar waarom had ze hem op die manier aangekeken? Wat waren haar gedachten geweest?

Hij was nog steeds een beetje afgeleid door zijn gedachten aan haar nadat hij z'n gezicht en zijn handen had gewassen en vijf minuten later Suchard belde. Hij kon geen moment meer wachten om hem te spreken. Maar het was zondag en Suchard klonk niet erg enthousiast over een onvoorbereide ontmoeting. Nochtans stemde hij ermee in om Peter een uur later te ontmoeten. Peter liep ongeduldig door zijn kamer en besloot Kate te bellen die, zoals gewoonlijk, niet thuis was. Het was voor haar pas negen uur in de ochtend, maar hij nam aan dat ze boodschappen was gaan doen of naar vrienden was gegaan. Kate was na negen uur zelden thuis en voor halfzes nooit. Ze was altijd bezig. Tegenwoordig kwam ze zelfs vaak later thuis, nu ze nog meer activiteiten had en in het schoolbestuur zat en nog maar een kind thuis had.

Toen Peter ten slotte zijn kamer verliet, was hij vreselijk opgewonden over zijn ontmoeting met Suchard. Dit was het moment waarop hij had gewacht. Het laatste groene licht voor ze door konden gaan met Vicotec. Het was maar een formaliteit, dat wist hij wel, maar wel een belangrijke in hun jacht op de 'snelle procedure' bij het CBG. Suchard genoot veel respect als hoofd van een van hun vele researchteams en -afdelingen en hij was de man met de meeste kennis. Zijn goedkeuring van Vicotec betekende meer dan die van iemand anders.

De lift kwam deze keer vlugger en Peter stapte er snel in. Hij droeg nog steeds hetzelfde donkere pak, maar had een schoon blauw overhemd met gesteven witte manchetten en boord aangetrokken en hij zag er fris en schoon uit toen hij even opzij keek naar een tengere gestalte in de hoek. Het was een vrouw in een zwartlinnen broek en een zwart

T-shirt en ze had een zonnebril op. Haar haar was achterover gekamd en ze droeg platte schoenen en toen ze zich omdraaide en hem aankeek, zag hij dat het Olivia Thatcher was.

Jarenlang had hij over haar gelezen en nu zag hij haar ineens twee keer in een uur. Deze keer zag ze er totaal anders uit, ze leek zelfs nog slanker en jonger dan in het Chanel-pakje. Ze nam haar bril even af en keek hem weer aan. Hij was er zeker van dat zij hem ook had herkend, maar geen van beiden zei iets, en hij deed zijn best niet naar haar te staren. Maar er was iets aan haar dat hem volkomen overweldigde. Hij kon niet bedenken wat het was dat hem zo intrigeerde aan haar. Haar ogen, zeker, maar het was meer dan dat. Het was iets in de manier waarop ze bewoog en keek, en in alles wat hij over haar had gehoord. Ze leek heel trots, heel zelfverzekerd, heel stil, en verbazend onafhankelijk. En terwijl hij naar haar stond te kijken wilde hij met haar in contact komen en haar duizend stomme vragen stellen. Net als al die verslaggevers. Waarom maakt u zo'n zelfverzekerde indruk? Zo afstandelijk...? Maar u ziet er ook zo droevig uit. Bent u bedroefd, mevrouw Thatcher? Hoe voelde u zich toen uw zoontje stierf? Bent u op het ogenblik depressief? Dat was het soort vragen dat iedereen altijd aan haar stelde en waar ze nooit antwoord op gaf. En toch, nu hij zo naar haar keek, wilde hij de antwoorden ook hebben, hij wilde zijn hand naar haar uitsteken, haar dicht tegen zich aan trekken, weten wat ze voelde, en waarom haar ogen in de zijne keken alsof ze haar handen naar hem uitstak. Hij wilde weten of hij gek was om haar zoveel toe te schrijven. Hij wilde weten hoe ze was, maar wist dat dat nooit zou gebeuren. Ze waren voorbestemd om vreemden voor elkaar te zijn, nooit een enkel woord met elkaar te wisselen.

Alleen al haar nabijheid benam hem de adem. Hij kon haar parfum naast zich ruiken, het licht op haar haar zien schijnen, de zachtheid van haar huid bijna voelen. En gelukkig, omdat hij zijn ogen echt niet van haar af kon houden, bereikten ze de parterre en ging de deur open. Er stond een lijfwacht op haar te wachten. Ze zei niets tegen hem, maar stapte de lobby in en begon te lopen. De lijfwacht volgde. Ze had zo'n vreemd leven, dacht Peter toen hij haar nakeek. Hij voelde zich tot haar aangetrokken als tot een magneet en moest zichzelf eraan herinneren dat hij zaken te doen had en geen tijd had voor kinderlijke fantasieën. Maar het was hem duidelijk dat er iets magisch aan haar was en dat het niet verwonderlijk was dat ze een soort legende was. Ze was bovenal een mysterie. Ze was de soort mens die je nooit leerde kennen, maar dat wilde hij juist wel. Toen hij buiten in het heldere zonlicht liep en de portier een taxi voor hem riep, vroeg hij zich af of er iemand was die haar kende. Toen de taxi wegreed zag hij haar de hoek omslaan en de Place Vendôme verlaten. Ze liep snel de rue de la Paix in, met gebogen hoofd, haar zonnebril op, de lijfwacht achter haar, en ondanks zichzelf vroeg Peter zich af waar ze heen ging. Hij dwong zichzelf zijn ogen en gedachten van haar af te laten, en terwijl de taxi zich voortspoedde keek hij recht voor zich uit naar de straten van Parijs die langs hem schoten.

2

Zoals Peter al had verwacht, was de bespreking met Suchard kort en zakelijk, maar hij was totaal niet voorbereid op wat Suchard over hun product te zeggen had. Hij had geen moment verwacht dat Suchards oordeel zo zou uitvallen. Ze hadden op één na alle tests uitgevoerd, en volgens hem kon Vicotec gevaarlijk en zelfs dodelijk zijn als het niet op de juiste manier werd gebruikt. En door de gebreken die het vertoonde zou het, áls het al bruikbaar was, nog jaren duren voor het in productie genomen, en uiteindelijk vrijgegeven kon worden. Het was ook nog niet klaar voor proeven op mensen zoals Peter zo graag wilde.

Peter zat naar hem te staren terwijl hij luisterde. Hij kon niet geloven wat hij zojuist had gehoord, kon zelfs die uitleg over hun product nauwelijks vatten. Hij had voldoende kennis vergaard over de betrokken scheikundige kenmerken om een paar gerichte en ingewikkelde technische vragen te stellen. Suchard kon maar op enkele daarvan een antwoord geven, maar alles bij elkaar genomen vond hij dat Vicotec gevaarlijk was en dat het product, om risico's uit te sluiten, teruggenomen zou moeten worden. Of als ze het risico wilden nemen het in de komende jaren verder te ontwikkelen, dan zouden de problemen misschien opgelost kunnen worden, maar er was absoluut geen garantie dat ze het onder controle zouden krijgen en het zowel nuttig als veilig konden maken. Als ze dat niet deden, zou het haast zeker dodelijk zijn. Peter voelde zich alsof er iemand met een baksteen op zijn hoofd had geslagen.

'Weet je heel zeker dat er geen fout in jullie procedure geslopen kan zijn, Paul-Louis?' vroeg Peter vertwijfeld, hopend dat de fout bij hun onderzoeksmethode zat en niet bij zijn 'troetelkind'.

'Er is vrijwel zeker geen vergissing mogelijk,' zei Paul-Louis met een zwaar accent in het Engels, en tot Peters ontzetting was het maar al te duidelijk wat hij net gezegd had. Paul-Louis zag er stuurs uit, maar zo zag hij er altijd uit. En hij was meestal degene die de zwakke punten in hun producten ontdekte. Hij was bijna altijd de boodschapper van slechte tijdingen. Dat was zijn taak. 'Er is één test die we nog niet afgerond hebben. Het is mogelijk dat die sommige van de andere resultaten iets verzacht, maar het zal ze niet geheel veranderen.' Hij legde verder uit dat het misschien een wat optimistischer kijk zou geven op de tijdsduur die ze nodig zouden hebben voor aanvullende tests, maar het ging nog steeds over jaren, geen maanden, en zeker geen weken zoals ze hadden gehoopt vanwege de hoorzitting van het CBG.

'Wanneer zijn deze tests afgerond?' vroeg Peter, zich ziek voelend. Het was niet te geloven. Naar zijn idee was dit de ergste dag van zijn leven, erger dan alles wat hij in Vietnam had meegemaakt, en zeker sindsdien. Dit betekende dat er vier jaar naar de knoppen waren, misschien niet helemaal, maar toch wel gedeeltelijk.

'We hebben nog een paar dagen nodig, maar ik denk dat die test niet meer dan een formaliteit is. Ik denk dat we al weten wat Vicotec wel en niet kan doen. We zijn compleet op de hoogte van de meeste zwakke punten en problemen.'

'Denk je dat het nog te redden valt?' vroeg Peter verontrust.

'Ik zelf denk van wel... maar sommigen van mijn team denken van niet. Volgens hen blijft het altijd gevaarlijk, te delicaat, een te groot risico in de handen van een ondeskundige. Maar het zal zeer beslist niet aan jouw verwachtingen voldoen. Nog niet. En misschien nooit.' Ze hadden een vorm van chemotherapie gewild die gemakkelijker uit te voeren was, zelfs voor leken in afgelegen gebieden waar goede medische hulp niet voorhanden was. Maar te oordelen naar wat Paul-Louis zei, zou dat allemaal niet mogelijk zijn. Zelfs hij had medelijden met Peter toen hij diens gezicht zag. Peter zag eruit of hij zojuist zijn hele familie en al zijn vrienden had verloren en hij begon nog maar pas over de consequenties na te denken. Die zouden eindeloos zijn. Het was een enorme teleurstelling en een hele schok voor hem toen hij luisterde naar wat Paul-Louis te zeggen had. 'Het spijt me heel erg,' voegde Paul-Louis Suchard er zacht aan toe. 'Ik denk dat je deze strijd op de lange duur zult winnen, maar je moet geduld hebben,' zei hij vriendelijk. Peter voelde tranen in zijn ogen prikken toen hij besefte hoe dichtbij ze waren geweest, en hoe ver ze nu nog van hun doel verwijderd waren. Dit waren niet de antwoorden die hij had verwacht. Hij had verwacht dat deze bespreking niet meer dan een formaliteit zou zijn, in plaats daarvan was het een nachtmerrie.

'Wanneer heb je de testresultaten voor ons, Paul-Louis?' Hij zag er vreselijk tegen op om terug te gaan naar New York en het Frank te vertellen, vooral met onvolledige informatie.

'Nog een dag of twee, drie, misschien vier. Dat kan ik nog niet met zekerheid zeggen. In ieder geval heb je aan het eind van de week je antwoorden.'

'En als de resultaten goed zijn, denk je dat dat iets aan je mening kan veranderen?' Hij smeekte, probeerde wanhopig iedere strohalm te grijpen. Hij wist hoe behoudend Suchard was, misschien was hij deze keer *te* voorzichtig. Het was moeilijk te begrijpen hoe zijn resultaten zo lijnrecht tegenover die van de anderen konden staan. Hij had zich echter nog nooit vergist en het was heel riskant hem niet te geloven. Het was duidelijk dat ze zijn uitspraken niet naast zich neer konden leggen.

'Het zou mijn mening enigszins kunnen beïnvloeden, niet helemaal. Als de komende resultaten optimaal zijn, heb je misschien aan een jaar van verder onderzoek genoeg.'

'En zes maanden? Als we er in al onze laboratoria aan werken en al onze onderzoekscapaciteiten op dit project concentreren?' Met het oog op de winst die ze zouden maken, was het wellicht de moeite waard. Winst was een woord dat Frank Donovan graag hoorde, testen niet.

'Misschien. Het is een enorme verplichting, als je die op je wilt nemen.'

'Het is uiteraard aan meneer Donovan om die beslissing te nemen. Ik zou het met hem moeten bespreken.' Er viel nu heel wat met hem te bespreken en dat deed hij liever niet over de telefoon. Hij wist dat het riskant was, maar hij wilde beslist op de uitslag van de laatste test wachten en pas als hij precies wist wat Suchard had ontdekt, met Frank praten. 'Ik wil graag wachten tot je die laatste test hebt gedaan, Paul-Louis. Vind je het erg om dit alles zolang nog even tussen ons te houden?'

'Helemaal niet.' Ze spraken af elkaar weer te ontmoeten zodra de laatste test was afgerond. Paul-Louis zou hem dan in zijn hotel bellen.

Hun bespreking eindigde enigszins mistroostig en Peter voelde zich helemaal leeg toen hij een taxi nam naar de

Ritz. Hij stapte onderweg uit en liep de laatste paar straten naar de Place Vendôme. Hij voelde zich buitengewoon ongelukkig. Ze hadden zo hard gewerkt en hij had er zo in geloofd, hoe had het zo mis kunnen gaan? Hoe was het mogelijk dat Vicotec dodelijk bleek te zijn? Waarom hadden ze dat niet eerder ontdekt? Waarom moest het op deze manier gebeuren? Hij had het als zijn grote kans gezien om de mensheid te helpen en in plaats daarvan had hij iets gesteund dat fataal kon zijn. De ironie ervan smaakte bitter, en toen hij het hotel binnenliep konden zelfs de bedrijvigheid van het cocktailuur en het komen en gaan van goed geklede gasten hem niet opvrolijken. De gebruikelijke verzameling Arabieren, Japanners, Franse filmsterren, modellen van over de hele wereld; ze werden niet door hem opgemerkt toen hij door de lobby beende en de trap opliep naar zijn kamer, denkend aan wat hem nu te doen stond. Hij wist dat hij zijn schoonvader zou moeten bellen, maar hij wilde wachten tot hij de rest van de informatie had. Hij had er graag met Kate over willen praten, maar hij wist dat alles wat hij tegen haar zei, voor de ochtend zijn schoonvaders oren bereikt zou hebben. Dat was een van de echte zwakke punten in hun relatie. Kate was niet in staat en niet genegen iets voor zich te houden, haar vader werd altijd deelgenoot gemaakt van alles wat er tussen man en vrouw besproken werd. Het was een overblijfsel uit de tijd dat ze opgroeide en altijd met hem alleen was. En wat hij door de jaren heen ook had geprobeerd, het was Peter niet gelukt daar verandering in te brengen. Hij had er uiteindelijk maar in berust, maar zorgde ervoor haar niets te vertellen waarvan hij niet wilde dat Frank het ook te horen kreeg en deze keer wilde hij dat heel beslist niet. Nog niet in ieder geval. Hij wilde wachten tot hij weer iets van Paul-Louis hoorde, en dan zou hij het, wat het ook mocht zijn, onder ogen zien. Peter zat die avond in zijn kamer, staarde uit het raam, voelde het warme briesje en was nog steeds niet in staat te vatten wat er was gebeurd. Het was onvoorstelbaar. Om tien uur stond hij op zijn balkon en probeerde niet te veel aan een mogelijke mislukking te denken. Maar het enige waar hij aan kon denken waren de dromen en hoe dichtbij ze waren geweest. De hoop om levens te redden was de bodem ingeslagen door wat Paul-Louis had gezegd en binnenkort misschien nog zou ontdekken. De kans dat de medicijn nu op korte termijn vrijgegeven zou kunnen worden was maar heel klein. En het zou zinloos zijn om in september bij de hoorzitting van het CBG te verschijnen. Ze zouden niet toestaan om met de tests op mensen te beginnen als er nog zoveel werk te doen was. Er was plotseling zoveel om over na te denken. Het was moeilijk om alles te overzien, en om elf uur besloot Peter ten slotte om Katie te bellen. Het zou prettig geweest zijn haar alles wat hem dwarszat te kunnen vertellen, maar misschien zou alleen het horen van haar stem hem al opvrolijken.

Hij toetste het nummer in, maar er werd niet opgenomen. Het was vijf uur 's middags en zelfs Patrick was niet thuis. Hij vroeg zich af of Katie misschien naar vrienden was gegaan voor het eten. Hij legde de hoorn neer en voelde zich buitengewoon neerslachtig. Vier jaren van hard werk vrijwel naar de knoppen in één enkele dag, en daarbij ook zo'n beetje alles waarvan hij ooit had gedroomd. En er was niemand met wie hij erover kon praten. Het was deprimerend.

Hij stond weer een poosje op het balkon en overwoog om een eindje te gaan wandelen, maar het trok hem nu zelfs niet aan om door Parijs te slenteren. In plaats daarvan besloot hij om wat lichaamsbeweging te nemen om zich van zijn persoonlijke kwelgeesten te verlossen. Hij keek even op het kaartje op zijn bureau en liep toen snel de trap af naar het zwembad dat twee verdiepingen lager lag en gelukkig nog open was. Hij had een donkerblauwe zwembroek bij zich, gewoon voor het geval dat hij de kans kreeg hem te gebruiken. Hij vond het meestal prettig om naar het zwembad van de Ritz te gaan, maar deze keer was hij er niet zeker van geweest of hij daar tijd genoeg voor zou hebben. Zoals het er nu uitzag zou hij echter tijd genoeg hebben om een heleboel dingen te doen terwijl hij wachtte tot Suchard zijn tests voltooid had. Hij was er alleen niet voor in de stemming.

De badmeester leek een beetje verbaasd te zijn toen hij binnenkwam. Het was inmiddels bijna twaalf uur en er was verder niemand. Het zwembad zag er verlaten uit en alles was stil. De badmeester, die rustig een boek had zitten lezen, wees Peter een kleedhokje en gaf hem de sleutel. Even later liep Peter door de bak met het desinfecterend middel naar het zwembad. Het was een groot, mooi bassin en ineens was hij blij dat hij gekomen was. Het was precies wat hij nodig had. Hij dacht dat na alles wat er was gebeurd zijn hoofd van het zwemmen weer helder zou worden.

Hij dook sierlijk in het diepe en zijn lange, slanke lichaam sneed door het water. Hij zwom een heel eind onder water, kwam ten slotte boven en zwom met lange regelmatige slagen naar de andere kant van het bassin. Toen hij daar aankwam, zag hij haar. Ze was rustig aan het zwemmen, meest onder water, kwam af en toe boven en dook dan weer onder. Ze was zo klein en sierlijk dat ze bijna verdween in het grote zwembad. Ze droeg een eenvoudig zwart badpak en toen ze aan de oppervlakte kwam leek haar donkerbruine haar wel zwart tegen haar hoofd. Haar enorme ogen keken geschrokken toen ze hem zag. Ze herkende hem onmiddellijk, maar gaf geen teken van herkenning. Ze dook gewoon weer onder water en ging door met zwemmen terwijl hij naar haar keek. Vreemd, zoals hij haar steeds zag, twee keer in de lift en nu hier. Ze was altijd zo verlokkend dichtbij en toch zo ver weg dat ze net zo goed op een andere planeet had kunnen zijn.

Ze zwommen een poosje zwijgend aan tegenovergestelde kanten van het bassin en passeerden elkaar toen enige malen terwijl ze alletwee baantjes trokken, ijverig bezig hun persoonlijke kwellingen te ontvluchten. En toen, alsof het afgesproken was, stopten ze beiden aan het verre einde van het zwembad. Ze waren alle twee buiten adem, en omdat hij niet wist wat hij anders moest doen en niet in staat was zijn ogen van haar af te houden, glimlachte Peter tegen haar, en zij beantwoordde zijn glimlach. En net zo plotseling zwom ze weer weg voordat hij iets tegen haar kon zeggen of haar vragen kon stellen. Dat was hij toch al niet van plan geweest, maar hij veronderstelde dat ze gewend was aan mensen die haar lastig vielen, of vragen stelden waartoe ze niet het recht hadden. Het verbaasde hem dat ze geen lijfwacht bij zich had en hij vroeg zich af of men wel wist dat ze hier beneden was. Het leek wel of ze geen aandacht aan haar schonken. Toen hij haar met de senator had gezien, hadden ze niet naar haar gekeken en niet tegen haar gesproken en ze scheen volmaakt tevreden om in haar eigen wereld te zijn, net zoals nu bij het zwemmen. Ze kwam nu aan de andere kant boven water. Hoewel hij dat niet echt van plan was, begon hij langzaam naar haar toe te zwemmen. Hij had geen idee wat hij gedaan zou hebben als zij hem had aangesproken. Maar hij kon zich dat toch niet voorstellen van haar. Ze was iemand naar wie je keek, of door wie je gefascineerd werd, een soort icoon, een mysterie. Ze was geen mens van vlees en bloed.

En als om te bewijzen wat hij dacht, stapte ze sierlijk uit het water en wikkelde zich met een snelle beweging in een badlaken, net toen hij naderbij kwam. Toen hij weer opkeek, was ze weg. Hij had toch gelijk gehad. Ze was geen vrouw, alleen een legende.

Kort daarna ging hij terug naar zijn kamer en dacht erover Katie nog eens te bellen. Het was inmiddels bijna zeven uur in Connecticut en ze zou nu wel thuis zitten te eten met Patrick, tenzij ze uit waren met vrienden.

Maar het vreemde was dat hij eigenlijk geen zin had om met haar te praten. Hij wilde tegenover haar niet huichelen en doen of alles in orde was en hij kon haar ook niet vertellen wat er echt bij Suchard was voorgevallen. Hij kon er niet op vertrouwen dat ze het niet tegen haar vader zou zeggen. Het feit dat hij haar niets kon vertellen gaf hem een vreemd, eenzaam gevoel daar op zijn bed in de Ritz in Parijs. Het was een bijzonder soort kwelling op een plaats die alleen maar heerlijk behoorde te zijn. Hij lag daar in de warme avondlucht en voelde zich beter dan voorheen, althans fysiek. Het zwemmen had geholpen en de aanblik van Olivia Thatcher had hem wederom gefascineerd. Ze was zo mooi en toch zo onwerkelijk. En alles aan haar gaf hem op de een of andere manier het gevoel dat ze wanhopig eenzaam was. Hij wist niet waarom hij dat dacht; of het kwam door wat hij over haar had gelezen, of om wat hij zag, of om wat zij had overgebracht met die bruine fluwelen ogen die zo vol geheimen leken. Het was niet te zeggen, hij wist alleen dat als hij haar zag, hij zijn hand wilde uitsteken en haar wilde aanraken, als een zeldzame vlinder, alleen om te zien of het kon en of ze het zou overleven. Maar hij vreesde dat haar vleugels tot poeder zouden worden als hij haar aanraakte, zoals bij de meeste zeldzame vlinders.

Hij droomde daarna van zeldzame vlinders en van een vrouw die van achter bomen in een welig tropisch woud steeds naar hem keek. Hij dacht steeds dat hij verdwaald was, en als hij in paniek raakte en begon te schreeuwen, was zij daar en bracht zij hem zwijgend in veiligheid. Hij wist niet helemaal zeker wie die vrouw was, maar hij dacht dat het Olivia Thatcher was.

Toen hij 's morgens wakker werd, dacht hij nog steeds aan haar. Het was een heel vreemde gewaarwording, meer een waanvoorstelling dan een droom. Ze was de hele nacht zo dicht bij hem geweest in zijn droom, dat hij het gevoel had haar te kennen.

Toen ging de telefoon. Het was vier uur in de morgen in New York en in Parijs was het tien uur. Het was Frank die wilde weten hoe het gesprek met Suchard was verlopen. 'Hoe wist je dat ik hem gisteren al zou spreken?' vroeg Peter die onderhand probeerde wakker te worden en zijn hersens bij elkaar te krijgen. Zijn schoonvader stond iedere ochtend om vier uur op en was dan om halfzeven, zeven uur op kantoor. Zelfs nu, een paar maanden voor hij met pensioen zou gaan zoals hij beweerde, had hij nog geen verandering in deze gewoonte gebracht, met nog geen minuut.

'Ik weet dat je om twaalf uur uit Genève bent vertrokken. Ik nam aan dat je geen tijd zou verspillen. Hoe luidt het goede nieuws?' Frank klonk opgewekt, en Peter herinnerde zich maar al te goed de schok van alles wat Paul-Louis Suchard hem had verteld.

'Ze hebben hun tests nog niet helemaal afgerond,' zei Peter vaag en hij wilde dat Frank hem niet gebeld had. 'Ik blijf de komende dagen hier wachten tot ze klaar zijn.'

Frank lachte toen hij naar hem luisterde en deze keer werkte het geluid daarvan Peter op z'n zenuwen. Wat moest hij hem in godsnaam vertellen? 'Je kunt je troetelkindje geen moment alleen laten, hè jongen?' Maar hij begreep het wel. Ze hadden allen zoveel in Vicotec geïnvesteerd, zowel tijd als geld, en in Peters geval was het zijn levensdroom die hun nieuwe product had ondersteund. Suchard had tenminste niet gezegd dat het kansloos was, dacht Peter terwijl hij rechtop ging zitten in bed. Hij had alleen gezegd dat er problemen waren. Weliswaar ernstige problemen, maar er was nog hoop voor zijn droomproduct. 'Nou, amuseer je de komende dagen in Parijs. Wij houden de boel hier wel in de gaten voor je. Er is niets bijzonders gaande op kantoor. En vanavond ga ik met Katie bij "21" eten. Zolang zij het niet erg vindt dat je een poosje daar blijft, denk ik het wel te redden zonder jou.'

'Dank je, Frank. Ik wil gewoon graag hier zijn om de resultaten met Suchard te bespreken als hij klaar is.' Het leek niet eerlijk om Frank niet op z'n minst een soort waarschuwing te geven. 'Er schijnen toch een paar probleempjes te zijn.'

'Dat zal vast niets ernstigs zijn,' zei Frank zonder er verder aandacht aan te besteden. De resultaten in Duitsland en in Zwitserland waren zo goed geweest dat hij zich totaal geen zorgen maakte. Zo had Peter er ook over gedacht, tot Paul-Louis hem waarschuwde dat Vicotec levensgevaarlijk kon zijn. Hij hoopte nu alleen maar dat ze zich vergist hadden en dat aan het eind van de week zou blijken dat het allemaal reuze meeviel. 'Wat ga je zoal doen terwijl je daar wacht?' Frank klonk meer geamuseerd dan wat anders. Hij mocht zijn schoonzoon, ze waren altijd goede vrienden geweest. Peter was verstandig en intelligent en hij was een uitstekende man voor Katie gebleken. Hij liet haar haar gang gaan en probeerde zich niet te bemoeien met hoe zij de dingen graag wilde. Hij liet haar wonen waar ze wilde, stuurde de jongens naar de juiste scholen, 'juist' was dus Andover en Princeton. Hij kwam ieder jaar een maand naar Martha's Vineyard en respecteerde de relatie die Frank en Katie al sinds haar kindertijd hadden. Bovendien was hij een briljant directeur voor Wilson-Donovan. Hij was ook een goede vader voor de kinderen. Er was eigenlijk maar heel weinig dat Frank niet leuk vond aan hem, behalve dat Peter een enkele keer nogal koppig kon zijn over bepaalde kwesties, zoals het internaat of familiezaken waarvan Frank soms nog steeds vond dat Peter daar eigenlijk niets mee te maken had.

Zijn ideeën over marketing hadden geschiedenis gemaakt en dankzij hem was Wilson-Donovan het meest succesvolle bedrijf op farmaceutisch gebied. Frank zelf was verantwoordelijk geweest voor de groei van een solide familiezaak naar een enorm bedrijf, maar Peter had geholpen het te laten uitgroeien tot een internationaal imperium. De *New York Times* schreef regelmatig over hem en de *Wall Street Journal* noemde hem het wonderkind van de farmaceutische wereld. Ze hadden zelfs nog kort geleden een interview met hem gewild over Vicotec, maar Peter had volgehouden dat ze daar nog niet aan toe waren. En het Congres had hem onlangs uitgenodigd voor een belangrijke subcommissie te verschijnen om over ethische en economische kwesties betreffende de prijs van geneesmiddelen te discussiëren. Maar hij had hun nog niet gezegd wanneer hij daar kon komen.

'Ik heb wat werk bij me,' zei Peter, terwijl hij naar het zonovergoten balkon keek en absoluut geen zin in werken had, als antwoord op de vraag van zijn schoonvader. 'Ik dacht wat op de computer te werken en het naar kantoor te sturen. Daarmee en met een wandeling hou ik me wel bezig,' zei hij en bedacht dat hij de hele dag voor zich had.

'Vergeet niet om champagne in te slaan,' zei Frank joviaal. 'Jij en Suchard hebben binnenkort iets te vieren. En we vieren verder zodra je terug bent op kantoor. Zal ik de *Times* vandaag bellen?' vroeg hij terloops. Peter schudde zenuwachtig zijn hoofd en stond op. Hij zag er heel lang en slank en naakt uit.

'Ik zou even wachten. Ik denk dat het belangrijk is om op de laatste tests te wachten, al was het alleen maar om onze geloofwaardigheid veilig te stellen,' zei hij kalm, zich onderhand afvragend of iemand hem door het open raam kon zien. Zijn donkere haar zat in de war en hij wikkelde een laken om zijn middel. De badjas van het hotel lag net buiten zijn bereik op een perzikkleurige brokaten stoel.

'Doe niet zo bangelijk,' zei Frank. 'Die tests zullen prima resultaten geven. Bel me zodra je wat hoort,' zei hij, plotseling verlangend om zelf weer aan de slag te gaan op kantoor.

'Zal ik doen. Bedankt voor het bellen, Frank. Doe de groeten aan Katie in het geval dat ik haar niet bereik voor jij haar ziet. Ze was gisteren de hele dag niet thuis en het is nu te vroeg om te bellen,' zei hij bij wijze van verklaring. 'Het is een bedrijvig meisje,' zei haar vader trots. Voor hem was ze nog steeds een meisje en in sommige opzichten was ze ook niet erg veranderd sinds de universiteit. Ze zag er nog bijna net zo uit als vierentwintig jaar geleden toen Peter haar had leren kennen. Ze was beweeglijk en blond, 'een beeldje' vonden haar vriendinnen, en zeer atletisch. Ze had kort haar en net als hij blauwe ogen en ze had iets van een elfje over zich, behalve als ze haar zin niet kreeg. Ze was een goede moeder, een goede vrouw voor Peter en een uitzonderlijk goede dochter voor Frank. Dat wisten ze alle twee. 'Ik zal haar de groeten van je doen,' stelde Frank hem gerust en hing toen op, terwijl Peter in het laken gewikkeld uit het raam zat te staren. Wat moest hij tegen hem zeggen als alles als een zeepbel uiteenspatte? Hoe moesten ze de miljoenen die ze hadden uitgegeven rechtvaardigen? De miljarden die ze niet zouden verdienen, althans niet voor ze er nog meer geld instopten om de problemen op te lossen? Peter vroeg zich af of Frank daartoe bereid zou zijn. Zou hij zover doorgaan als nodig was om Vicotec perfect te maken, of zou hij het project willen laten varen? Als voorzitter van de raad van bestuur lag de beslissing nog steeds bij hem, maar Peter zou alles op alles zetten om ervoor te vechten. Hij vond het nooit erg om op lange termijn de overwinning te behalen. Frank hield meer van de snelle, spectaculaire overwinningen. Het was al moeilijk genoeg geweest hem zover te krijgen dat hij instemde met de afgelopen vier jaar onderzoek. Nog een jaar of twee zou net iets te veel voor hem kunnen zijn, vooral met het oog op de kosten die daaraan verbonden waren. Hij bestelde koffie en croissants op zijn kamer en nam toen de telefoon op. Hij wist dat hij eigenlijk op Suchards telefoontje moest wachten, maar hij kon het gewoon niet laten. Hij belde Paul-Louis en kreeg te horen dat doktor Suchard in het laboratorium was en niet gestoord kon worden. Ze hadden een heel belangrijke vergadering. En Peter kon zich alleen maar verontschuldigen. Dat wachten was een ellende en leek een eeuwigheid te duren. Het was nog geen vierentwintig uur geleden sinds hun bespreking van gisteren en Peter sprong nu al bijna uit z'n vel van de ondraaglijke spanning.

Hij deed z'n badjas aan voordat het ontbijt kwam en overwoog nog even te gaan zwemmen, maar dat leek zo decadent tijdens werkuren. In plaats daarvan pakte hij zijn computer en ging aan het werk, onderhand een croissantje kauwend en zijn koffie nippend, maar hij kon zich met geen mogelijkheid concentreren. Tegen het middaguur nam hij een douche, kleedde zich aan en gaf elke hoop op werken op.

Het duurde even voor hij een besluit nam over wat hij zou gaan doen. Hij wilde iets frivools doen, iets echt Parijs'. Een wandeling langs de Seine, of in het *septième* door de rue du Bac, of gewoon in het *quartier latin* iets gaan drinken en de voorbijgangers bekijken. Hij wilde van alles doen, als hij maar niet aan werk of aan Vicotec hoefde te denken. Hij wilde z'n kamer uit en een deel van de stad worden.

Hij trok een donker zakenpak aan en een van z'n perfect gemaakte witte overhemden. Hij had met niemand een afspraak, maar hij had niets anders bij zich. Toen hij buitenkwam op de Place Vendôme, in de stralende junizon, riep hij een taxi aan en vroeg de chauffeur hem naar het Bois de Boulogne te brengen. Hij was vergeten hoe heerlijk het daar was en hij zat urenlang op een bankje in de warme zon, at een ijsje en keek naar de kinderen. Laboratoria die met Vicotec worstelden leken niet meer zo belangrijk en Greenwich, Connecticut, nog minder. En terwijl hij daar zat te mijmeren in de Parijse zon, vervaagden zelfs zijn gedachten aan de mysterieuze jonge vrouw van senator Thatcher.

Toen Peter die middag het Bois de Boulogne verliet nam hij een taxi naar het Louvre en dwaalde daar kort doorheen. De opstelling was prachtig en de beelden in de tuin waren zo geweldig dat hij er lange tijd gefascineerd naar stond te staren en een soort verwantschap met hen voelde. Hij stoorde zich zelfs niet aan de glazen piramide die pal voor het Louvre was gezet en veel opwinding had veroorzaakt bij zowel buitenlanders als Parijzenaars. Hij liep nog een poosje rond en nam ten slotte een taxi naar het hotel. Hij was urenlang weggeweest, voelde zich weer mens en was ineens ook weer wat hoopvoller gestemd. Zelfs als de tests niet goed uitvielen, zouden ze dat wat ze al wisten bewaren en dan doordrukken. Hij was niet van plan een belangrijk project als dit verloren te laten gaan vanwege een paar problemen. De hoorzittingen van het CBG betekenden niet het einde van de wereld. Hij had daar in de loop der jaren al meer mee te maken gehad. En als het vijf jaar moest duren in plaats van vier, of zelfs zes, dan moest dat maar.

Hij voelde zich ontspannen en kalm toen hij de Ritz weer binnenkwam. Het was laat in de middag en er waren geen boodschappen voor hem. Hij kocht een krant, ging naar het meisje dat over de vitrines ging en kocht de gouden armband voor Katie. Het was een mooie, zware schakelarmband waaraan een enkel groot gouden hart hing. Ze hield van harten en hij wist dat ze hem dragen zou. Haar vader kocht echt dure dingen voor haar, zoals diamanten kettingen en ringen, en aangezien hij toch niet met hem kon concurreren, gaf Peter haar meestal dingen waarvan hij zeker wist dat ze ze zou dragen of die een bepaalde betekenis hadden.

Toen hij boven kwam, keek hij de lege kamer rond en voelde plots weer die bezorgdheid. De verleiding om Suchard te bellen was groot, maar ditmaal beheerste hij zich. In plaats daarvan belde hij Katie, maar kreeg het antwoordapparaat weer. Het was twaalf uur 's middags in Connecticut en hij nam aan dat ze uit lunchen was, en God wist waar de jongens waren.

Mike en Paul hoorden inmiddels thuis te zijn van school, Patrick was niet weg geweest en over een paar weken zou Katie met het hele spul naar Martha's Vineyard gaan. Peter zou aan het werk blijven in de stad en in de weekends naar hen toe gaan zoals hij altijd deed. De vier weken vakantie die hij in augustus had zou hij ook daar met hen doorbrengen. Frank nam dit jaar de maanden juli en augustus vrij en Katie was van plan om op Onafhankelijkheidsdag, de vierde juli, een grote barbecue te geven als opening van het seizoen.

'Jammer dat ik je niet tref,' zei hij tegen het apparaat en voelde zich nogal dwaas. Hij vond het heel vervelend om tegen elektronica te praten. 'Het tijdsverschil maakt het wat moeilijk. Ik bel je nog wel... dag... o... met Peter.' Hij grinnikte en hing op. Hij wilde dat hij niet zo stom had geklonken. Hij voelde zich altijd behoorlijk opgelaten met het antwoordapparaat. 'Topman in het bedrijfsleven en niet in staat om tegen een antwoordapparaat te praten,' zei hij, zichzelf bespottend. Hij liet zich onderuitzakken op de bank in de perzikkleurige, satijnen kamer, keek om zich heen en probeerde te bedenken wat hij met het diner zou doen. Hij kon naar een bistro in de buurt gaan, hij kon in het hotel blijven en in de eetzaal gaan eten of *roomservice* bellen en naar CNN kijken of op z'n computer werken. Ten slotte koos hij voor het laatste. Dat was het gemakkelijkste.

Hij trok z'n jasje uit, deed z'n das af en rolde z'n smetteloze hemdsmouwen op. Hij was een van die mensen die er aan het eind van de dag nog net zo netjes uitzien als aan het begin. Zijn zoons plaagden hem ermee en beweerden dat hij met een stropdas om geboren was, wat hij altijd nogal grappig vond als hij aan zijn jeugd in Wisconsin dacht. Een beetje meer daarvan en een beetje minder Greenwich, Connecticut en Martha's Vineyard had hij voor zijn kinderen wel gewild. Maar Wisconsin lag ver, heel ver achter hem. Zijn ouders en zijn zuster waren er al zolang niet meer, dus had hij geen reden om daarheen te gaan. Hij dacht nog wel eens aan Muriels kinderen in Montana, maar op de een of andere manier leek het nu te laat om contact met hen op te nemen. Ze waren bijna volwassen en zouden hem nu zeker niet meer kennen. Katie had gelijk. Het was nu te laat.

Er was niets interessants op het nieuws en terwijl de avond voortkroop raakte hij helemaal verdiept in zijn werk. Het eten was uitstekend, maar tot groot ongenoegen van de ober besteedde hij er weinig aandacht aan. Ze hadden de tafel mooi gedekt, maar hij zette de computer op het tafeltje naast hem en ging gewoon door met werken.

'*Vous devriez sortir, monsieur*,' zei de ober. 'U zou uit moeten gaan.' Het was een heerlijke avond en de stad zag er prachtig uit in het schijnsel van de volle maan, maar Peter deed zijn best daar niet op te letten. Hij beloofde zichzelf als beloning nog een late zwempartij als hij klaar was. Om elf uur, net toen hij overwoog naar het zwembad te gaan, hoorde hij een aanhoudende fluittoon. Hij vroeg zich af of het de radio was, of de televisie, of dat er misschien iets mis was met de computer. Het was een irritant belsignaal en een schel geloei en omdat hij niet begreep wat dat kon zijn, opende hij de deur naar de gang en merkte meteen dat het geluid sterker werd. Ook andere gasten keken de gang in, sommigen zagen er verontrust en bang uit.

'*Feu?*' 'Brand?' vroeg hij aan de piccolo die langs kwam hollen, maar die keek Peter onzeker aan en stopte amper om te antwoorden.

'*C'est peut-être un incendie, monsieur,*' waaruit Peter opmaakte dat het inderdaad brand kon zijn. Niemand scheen het zeker te weten, maar het was beslist een of ander alarm, en steeds meer mensen verschenen in de gangen. Plotseling leek het wel of het voltallige personeel van het hotel in actie kwam. Piccolo's, chefs, obers, kamermeisjes, het hoofd van de huishouding en allerlei huishoudelijk personeel liepen beheerst maar snel over alle verdiepingen, ze klopten op deuren, belden, en verzochten iedereen zo snel mogelijk naar buiten te komen, en non, non, madame, kleedt u zich niet om, zo is het prima. Het hoofd van de huishouding deelde badjassen uit, de piccolo's droegen koffertjes en hielpen vrouwen met hun honden. Enige opheldering was nog niet gegeven, maar er werd wel gezegd dat iedereen het hotel onmiddellijk moest verlaten.

Peter aarzelde en vroeg zich af of hij zijn computer mee moest nemen, maar besloot toen hem achter te laten. Er zaten geen bedrijfsgeheimen in, alleen maar aantekeningen en informatie en correspondentie waar hij nog iets mee moest doen. Het was haast een opluchting om hem achter te laten. Hij nam niet eens de moeite zijn jasje weer aan te trekken. Hij stopte alleen z'n portefeuille en z'n pas in zijn broekzak, pakte de kamersleutel en haastte zich vervolgens naar beneden tussen Japanse dames in haastig aangetrokken Gucci- en Dior-creaties, een enorme Amerikaanse familie die 'ontsnapte' uit de tweede verdieping, verscheidene Arabische vrouwen met opmerkelijke juwelen, een stel struise Duitsers dat voor iedereen uit de trap afliep en een zwerm miniatuur yorkshireterriërs en poedeltjes.

Het geheel had iets buitengewoon komisch en Peter moest er inwendig om lachen toen hij rustig de trap afliep en niet aan een vergelijking met de *Titanic* probeerde te denken. De Ritz was niet bepaald zinkende.

Langs de hele route stond hotelpersoneel om waar nodig te helpen en gerust te stellen. Ze groetten iedereen en boden excuus aan voor het ongemak. Maar nog steeds had niemand gezegd wat er nu eigenlijk aan de hand was, of er brand was of een andere ernstige bedreiging voor de hotelgasten. Maar toen ze eenmaal langs de goedgevulde vitrines en door de lobby op straat kwamen, zag Peter dat de CRS in vol ornaat aanwezig was. Dat was zoiets als de Explosieven Opruimingsdienst en toen hij zag dat koning Khaled en zijn gezelschap razendsnel in regeringsauto's werden weggereden, wist Peter helemaal dat er sprake moest zijn van een bommelding. Er waren ook twee bekende Franse actrices met 'vrienden', een verbazingwekkend assortiment oudere heren met jonge meisjes en Clint Eastwood die, gekleed in jeans en T-shirt, net van de opnames kwam. Tegen de tijd dat het hele hotel ontruimd was, liep het tegen middernacht. Maar het was indrukwekkend te zien hoe snel, verstandig en veilig het allemaal geregeld was. Het hotelpersoneel had een meesterlijk stukje werk verricht met het naar buiten loodsen van de gasten, en nu werden op veilige afstand tafels met gebakjes en koffie op de Place Vendôme gezet. Voor diegenen die daar behoefte aan hadden was er ook iets sterkers. Als het niet zo laat was geweest, het niet zo ongelegen was gekomen en er niet een vage sfeer van gevaar had gehangen, zou het bijna leuk zijn geweest.

'Daar gaat m'n duik in het zwembad,' zei Peter tegen Clint Eastwood toen ze naast elkaar naar het hotel stonden te kijken op zoek naar rook die er niet was. De CRS was tien minuten eerder naar binnen gegaan, op zoek naar een bom. De manager had blijkbaar een telefoontje gehad dat er een geplaatst was.

'Daar gaat mijn slaap,' zei de acteur somber. 'Ik moet om vier uur weer op. Dit kan wel een tijdje duren als ze naar een bom zoeken.' Hij dacht erover om op de set te gaan slapen, maar de andere gasten hadden dat alternatief niet. Die stonden op straat, nog wat verbluft terwijl ze zich aan hun hondjes, hun vrienden en hun leren juwelenkoffertjes vastklampten.

Peter zag een tweede groep van de CRS naar binnen gaan en terwijl hij zich omdraaide om de order op te volgen nog verder achteruit te gaan, zag hij haar ineens. Hij zag Andy Thatcher die, uiteraard omgeven door volgelingen en lijfwachten, zich totaal niets leek aan te trekken van de opschudding. Hij was in een levendig gesprek gewikkeld met de mensen om hem heen, allen mannen, behalve een, en die ene vrouw in de groep zag eruit als een politieke vuurvreter. Ze stond driftig te roken en Thatcher leek geheel in beslag genomen door wat zij te zeggen had. Maar Peter merkte op dat Olivia net achter de groep stond en dat niemand tegen haar praatte. Ze letten helemaal niet op haar terwijl Peter haar met zijn gebruikelijk fascinatie bekeek. Ze stond een beetje opzij aan een kopje koffie te nippen en zelfs de lijfwachten negeerden haar. Ze droeg een wit T-shirt en jeans en platte schoenen. Hij vond dat ze er zo uitzag als een kind. De ogen die hem zo biologeerden leken de hele scène in zich op te nemen, toen haar man en zijn groep langzaam verderliepen. Thatcher en een van zijn mensen spraken tegen een paar van de CRS-mannen, maar die schudden alleen het hoofd. Ze hadden nog niet gevonden waar ze voor gekomen waren. Iemand bracht klapstoelen naar buiten en de obers zetten ze neer voor de gasten. Er werd nu ook wijn gebracht en de stemming was verbazingwekkend goed ondanks het ongemak. Het werd langzamerhand een nachtelijk straatfeest op de Place Vendôme. En Peter bleef maar naar Olivia Thatcher kijken.

Na een poosje leek ze nog verder van haar gezelschap afgedwaald te zijn, en aangezien de lijfwachten geen aandacht aan haar besteedden, viel het niemand op. Vanaf het moment dat ze uit het hotel waren gekomen had de senator met zijn rug naar haar toe gestaan en had hij niet eenmaal met haar gesproken. Toen hij en zijn aanhang op de stoelen gingen zitten ging Olivia naar de achterkant van de vele honderden gasten op de Place Vendôme om nog een kop koffie te halen. Ze leek heel tevreden daar te staan en het scheen haar niet in het minst te storen dat haar man en zijn complete aanhang haar totaal negeerden. Peter bleef haar met zijn ogen volgen.

Ze bood een oudere Amerikaanse een stoel aan, aaide een hondje en zette haar kopje op een tafel. Een ober bood haar nog een kopje aan, maar ze glimlachte en schudde vriendelijk haar hoofd toen ze het afsloeg. Er was iets geweldig zachtaardigs en stralends aan haar, alsof ze zojuist op aarde was neergedaald en eigenlijk een engel was. Het was voor Peter moeilijk te aanvaarden dat ze een vrouw van vlees en bloed was. Ze zag er te vredig, te hoogstaand, te perfect, te mysterieus uit en, als mensen te dicht bij haar kwamen, te bang. Ze voelde zich duidelijk niet op haar gemak als ze geobserveerd werd en vond het kennelijk prettig als niemand op haar lette, wat nu ook niemand deed. Ze was zo eenvoudig gekleed en stelde zich zo bescheiden op dat zelfs niemand van de vele Amerikanen haar herkende, hoewel ze haar talloze malen in iedere krant en ieder tijdschrift van het land hadden gezien. Ze was al jaren de droom van alle paparazzi die haar voortdurend belaagden en foto's van haar maakten als ze er niet op bedacht was, vooral in de periode dat haar kind ziek was en stierf. Maar zelfs nu intrigeerde ze hen nog, als een soort legende en martelares.

Peter bleef haar constant gadeslaan en merkte dat ze zich steeds verder achter de andere gasten terugtrok en hij moest zich inspannen om haar nog te zien. Hij vroeg zich af of er een reden voor was, of dat ze gewoon zonder erbij na te denken zo afdwaalde. Ze was nu ver van haar man en zijn aanhang en uit hun gezichtsveld verdwenen. Er waren nog meer gasten bij het hotel aangekomen van restaurants of nachtclubs zoals Chez Castel, of gewoon van dineetjes met vrienden, of van het theater. En er kwamen mensen die wilden zien wat er aan de hand was. In de menigte werd gefluisterd dat het allemaal aan koning Khaled te danken was. Er logeerde ook een belangrijke Britse minister in het hotel en er gingen geruchten dat de IRA verantwoordelijk was, maar iemand had schijnbaar een bom geplaatst, dat werd althans beweerd, en op bevel van de politie mocht niemand het hotel binnengaan tot de CRS die bom gevonden had.

Het was ver na middernacht en Eastwood was allang weg om in z'n trailer op de set te gaan slapen. Hij was niet van plan de paar uurtjes tot de ochtend te verspillen door op de Place Vendôme te gaan staan wachten. Toen Peter om zich heen keek zag hij dat Olivia Thatcher zich langzaam helemaal van de hotelgasten verwijderde, nonchalant naar de andere kant van het plein slenterde en plotseling snel naar de hoek liep. Hij vroeg zich af wat ze ging doen. Hij keek of er misschien een lijfwacht in haar kielzog liep, want hij was ervan overtuigd dat als iemand wist wat ze aan het doen was, er een achter haar aan gestuurd zou worden. Maar ze was duidelijk in haar eentje toen ze haar pas versnelde en niet eenmaal over haar schouder keek. Hij kon zijn ogen niet van haar afhouden, en zonder zich te bedenken verwijderde hij zich ook uit de drukte en begon haar te volgen naar de hoek van de Place Vendôme. Er was zoveel activiteit en heen en weer geloop dat kennelijk niemand een van hen beiden had zien vertrekken. Wat Peter niet besefte was dat een man hem heel even volgde, maar bij het geluid van opwinding op het plein verloor die zijn belangstelling en haastte zich terug naar het middelpunt van de activiteiten, waar twee bekende mannequins een CD-speler hadden aangezet en samen waren gaan dansen, vlak voor de nerveus kijkende CRS. CNN was inmiddels gearriveerd en ze waren bezig senator Thatcher te interviewen over zijn kijk op terroristen in het buitenland en thuis. Hij vertelde hun in niet mis te verstane termen hoe hij daarover dacht. Met het oog op wat er bijna zes jaar geleden met zijn broer was gebeurd, kon hij helemaal geen begrip opbrengen voor dit soort nonsens. Hij hield een kleine, krachtige toespraak en de mensen die daarnaar luisterden applaudisseerden toen hij klaar was. CNN ging verder om nog wat anderen te interviewen. Interessant was dat ze helemaal niet om een interview met zijn vrouw vroegen, ze namen aan dat de senator voor beide Thatchers had gesproken, en de ploeg haastte zich naar de dansende mannequins, die ze meteen na Andy interviewden. Ze zeiden dat ze het een reuze gezellige avond vonden en dat het wat vaker moest gebeuren in de Ritz. Ze logeerden in het hotel voor een fotosessie van drie dagen voor *Harper's Bazaar* en ze zeiden alle twee dat ze dol waren op Parijs. Toen zongen ze een liedje en deden een wonderlijk dansje op de Place Vendôme. Het was een levendig groepje, en ondanks het mogelijke gevaar vanwege de nog niet gevonden bom, was het een feestelijke nacht.

Maar Peter was inmiddels ver van dat alles verwijderd terwijl hij de vrouw van de senator volgde toen ze de hoek omsloeg en van de Place Vendôme afliep. Ze scheen te weten waar ze heenging en aarzelde geen moment. Ze bleef gewoon doorlopen. Ze liep in een flink tempo en Peter moest lange stappen nemen om haar bij te houden, maar hij liet haar voor blijven. Hij had geen idee wat hij tegen haar zou zeggen als ze zich ineens omdraaide en hem zou vragen wat hij aan het doen was. Hij wist het zelf niet eens, en ook niet waarom. Hij wist alleen dat hij daar moest zijn. Hij was haar in een opwelling gevolgd vanaf de Place Vendôme en hield zichzelf voor dat hij er zeker van wilde zijn dat ze veilig was op dit uur van de nacht. Maar hij had geen flauw idee waarom hij vond dat hij degene was die dat moest doen.

Het verwonderde hem dat ze helemaal naar de Place de la Concorde liep en daar vervolgens glimlachend bleef staan terwijl ze naar de fonteinen keek met in de verte de Eiffeltoren die oplichtte. Er zat een oude zwerver, er liep een jonge man voorbij en er zaten twee kussende paartjes, maar niemand lette op haar en ze zag er zo gelukkig uit zoals ze daar stond. Hij zou het liefst naar haar toe gaan, een arm om haar heen slaan en samen met haar naar de fonteinen

kijken. In plaats daarvan bleef hij op gepaste afstand glimlachend naar haar staan kijken. Ineens draaide ze zich om
en keek hem onderzoekend aan. Het leek wel of ze ineens
geweten had dat hij er was, en waarom, maar nog steeds
vond dat hij haar een verklaring schuldig was. Het was
duidelijk dat hij haar gevolgd was, maar ze leek boos noch
angstig te zijn en tot zijn grote verwarring liep ze langzaam
op hem af. Ze wist wie hij was, ze had hem herkend als
de man van het zwembad de vorige avond, maar hij bloos-
de in de duisternis toen ze hem aansprak.

Ze keek naar hem op en vroeg zachtjes: 'Bent u een foto-
graaf?' Ze zag er heel kwetsbaar uit en plotseling ook heel
droevig. Het was haar eerder overkomen, duizend keer,
een miljoen keer, *ad nauseum en infinitum*. Fotografen
volgden haar overal en voelden het als een overwinning
als ze weer een privémoment van haar hadden gestolen.
Ze was er nu aan gewend, ze vond het niet prettig maar
accepteerde het als een deel van haar leven.

Hij schudde zijn hoofd. Hij begreep hoe ze zich voelde en
het speet hem dat hij zich aan haar had opgedrongen.
'Nee, dat ben ik niet... Het spijt me... ik... ik wilde er alleen maar zeker van zijn dat u... Het is heel laat.' En plotseling, toen hij op haar neerkeek, voelde hij zich minder
opgelaten en meer de beschermer. Ze was zo bijzonder en
zo teer. Hij had nog nooit zo iemand als zij ontmoet. 'U
moet niet zo laat alleen rondlopen, dat is gevaarlijk.' Ze
keek even naar de jonge man en naar de zwerver en haalde haar schouders op. Toen keek ze met belangstelling
naar hem op.

'Waarom volgt u mij?' vroeg ze op de man af, en de bruine fluwelen ogen waren zo zacht toen ze hem aankeek dat
hij wilde dat hij z'n hand kon uitsteken en haar gezicht
aanraken.

'Ik... ik weet het niet,' zei hij eerlijk. 'Nieuwsgierigheid... ridderlijkheid... fascinatie... dwaasheid... domheid...' Hij wilde haar vertellen dat hij overweldigd was door haar schoonheid, maar kon het niet. 'Ik wilde er zeker van zijn dat alles in orde was met u.' En toen besloot hij er niet omheen te draaien. De omstandigheden waren ongewoon en zij leek hem iemand tegen wie je openhartig kon zijn. 'U bent gewoon weggelopen, is het niet? Ze weten niet dat u weg bent, hè?' Of misschien wisten ze het nu wel en waren ze driftig op zoek naar haar, maar het kon haar niet schelen en dat was haar aan te zien. Ze zag eruit als een ondeugend kind toen ze naar hem opkeek. Ze wist dat hij had gezien wat ze gedaan had.

'Ze zullen het verschil waarschijnlijk niet eens merken,' zei ze eerlijk. Ze zag er niet erg berouwvol uit, maar verbazend ondeugend. Zelfs van wat hij ervan had gezien was ze werkelijk de vergeten vrouw. Niemand in haar gezelschap lette ooit op haar, of praatte met haar, zelfs haar man niet. 'Ik moest gewoon weg. Soms is het heel drukkend om... in mijn schoenen te staan.' Ze keek naar hem op, wist niet zeker of hij haar had herkend, en als dat niet zo was, wilde ze het niet bederven.

'Alle schoenen knellen weleens,' zei hij filosofisch. Die van hem deden dat ook bij tijden, maar hij wist dat de hare erger waren. Hij keek vriendelijk op haar neer. Nu hij haar al zover gevolgd was, stak er geen kwaad in nog iets verder te gaan. 'Mag ik u een kop koffie aanbieden?' Het was een veelgebruikte openingszin waar ze beiden om moesten lachen. Ze aarzelde even terwijl ze probeerde uit te maken of hij het meende of dat het als grapje was bedoeld. Hij zag haar aarzeling en glimlachte vriendelijk. 'Het was een gemeend aanbod. Ik ben een tamelijk welopgevoed man en voor een kopje koffie ben ik wel te vertrouwen. Ik zou mijn hotel voorstellen, maar daar schijnen ze een pro-bleempje te hebben.'

Ze lachte om die uitspraak en leek zich te ontspannen toen ze hem aankeek. Ze kende hem van het hotel, in de lift en bij het zwembad. Hij droeg een duur overhemd dat er schoon uitzag, een broek die bij een pak hoorde en goede schoenen. En iets in zijn ogen vertelde haar dat hij zowel fatsoenlijk als aardig was, en ze knikte. 'Ik wil wel een kopje koffie, maar niet in uw hotel,' zei ze nuffig, 'daar is het me vanavond een beetje te druk. Wat vindt u van Mont-martre?' zei ze voorzichtig, en hij grijnsde. Hij vond het een uitstekend voorstel.

'Dat is een prima idee. Zullen we een taxi nemen?' Ze knik-te en ze liepen naar de dichtstbijzijnde taxistandplaats. Hij hielp haar met instappen en zij gaf het adres van een bi-stro waarvan ze wist dat die tot heel laat openbleef en die een terras had. De nacht was nog steeds warm en geen van beiden had er behoefte aan om terug te gaan naar het ho-tel, hoewel ze een beetje verlegen met elkaar leken te zijn. Zij was de eerste die het ijs brak terwijl ze hem plagerig aankeek.

'Doe je dat vaak? Vrouwen achtervolgen, bedoel ik.' Het hele gedoe amuseerde haar ineens, en hij had het fatsoen om een kleur te krijgen terwijl hij zijn hoofd schudde.

'Dat heb ik in feite nog nooit gedaan. Het is absoluut de eerste keer en ik weet nog steeds niet helemaal zeker waar-om ik het deed.' Behalve dat ze er zo kwetsbaar en zo teer uitzag, dat hij om een of andere krankzinnige reden vond dat hij haar moest beschermen, maar dat zei hij niet.

'Ik ben eigenlijk blij dat je het gedaan hebt,' zei ze en ze zag er oprecht geamuseerd uit en leek zich reuze op haar gemak te voelen met hem. Even later waren ze bij het res-taurant en zaten met twee dampende koppen koffie aan een terrastafeltje. 'Wat een geweldig idee.' Ze glimlachte tegen hem. 'Vertel eens wat over jezelf,' zei ze en legde haar kin op haar handen. Ze leek zo verbluffend veel op Audrey Hepburn.

'Er valt niet veel te vertellen.' Hij zag er nog steeds enigszins verlegen uit maar was wel heel blij daar te zijn.

'O, vast wel. Waar kom je vandaan? New York?' raadde ze tamelijk nauwkeurig. Althans, daar werkte hij.

'Min of meer. Ik werk in New York en woon in Greenwich.'

'En je bent getrouwd en hebt twee kinderen,' vulde ze voor hem aan en glimlachte weemoedig. Zijn leven was waarschijnlijk normaal en gelukkig, zo anders dan het hare met al z'n tragedies en teleurstellingen.

'Drie zoons,' verbeterde hij haar. 'En ja, ik ben getrouwd.' En toen hij aan zijn weelde aan zonen dacht, voelde hij zich schuldig ten opzichte van haar en het jongetje dat ze aan kanker had verloren. Hij was haar enig kind geweest en Peter wist, net als de rest van de wereld, dat ze daarna geen kinderen meer had gekregen.

'Ik woon het grootste deel van de tijd in Washington,' zei ze zacht. Ze vertelde niet uit zichzelf of ze kinderen had of niet, en wetende wat hij wist over haar, vroeg hij er ook niet naar.

'Hou je van Washington?' vroeg hij vriendelijk. Ze haalde haar schouders op terwijl ze aan haar koffie nipte.

'Niet echt. Toen ik jong was had ik er een hekel aan. Ik denk dat als ik er goed over nadenk, ik er nu een nog grotere hekel aan heb. Niet aan de stad, maar aan de mensen, en wat ze daar met hun leven doen. Met hun leven en dat van ieder ander. Ik haat de politiek en alles wat daarmee te maken heeft.' En toen ze dat zei kon hij zien hoe vurig ze het meende. Maar met een broer, een vader en een man die daar stevig in verankerd zaten, was er weinig hoop voor haar om aan de klauwen van de politiek te ontsnappen. Ze keek hem eens aan. Ze had zich nog niet aan hem voorgesteld en ze had graag willen denken dat hij geen idee had wie ze was, dat ze gewoon een vrouw in jeans en t-shirt, op platte schoenen was. Maar ze zag aan zijn ogen dat hij haar geheim kende. Misschien was het niet de reden waarom hij hier om twee uur in de morgen koffie met haar zat te drinken, maar het was ook niet zo dat hij het niet wist. 'Ik neem aan dat het nogal onrealistisch zou zijn om te denken dat je mijn naam niet kent... of niet?' vroeg ze met wijd open ogen en hij had weer medelijden met haar en knikte. De anonimiteit zou prettig geweest zijn voor haar, maar die was niet voor haar bestemd, niet in dit leven.

'Ja, ik ken je naam, en ja, het zou onrealistisch zijn te denken dat er mensen zijn die niet weten wie je bent. Maar dat hoeft niets te veranderen. Je hebt het recht om de politiek te haten, of wat dan ook, of om op de Place de la Concorde te gaan wandelen, of om openhartig tegen een vriend te praten. Dat heeft iedereen nodig.' Hij voelde goed aan hoezeer zij daar behoefte aan had.

'Dank je,' zei ze zacht. 'Je zei daarstraks dat ieders schoenen wel eens knellen. Die van jou ook?'

'Soms,' zei hij oprecht. 'We hebben allemaal weleens problemen. Ik sta aan het hoofd van een groot bedrijf en soms zou ik willen dat niemand dat wist en dat ik kon doen wat ik wilde.' Zoals op dit ogenblik. Voor een moment met haar zou hij graag vrij willen zijn en vergeten dat hij getrouwd was. Maar hij wist dat hij dat Katie nooit zou kunnen aandoen. Hij had haar nog nooit bedrogen en was niet van plan daar nu mee te beginnen, zelfs niet met Olivia Thatcher. Maar dat was ook het laatste waar zij aan dacht. 'Ik denk dat we allemaal weleens genoeg hebben van ons leven en van de daarbij behorende verantwoordelijkheden. Misschien niet zo erg als jij,' zei hij meevoelend, 'maar ik denk dat we allemaal op onze eigen manier weleens wensen van de Place Vendôme te kunnen weglopen en voor een tijdje te verdwijnen. Net als Agatha Christie.'

'Dat verhaal heeft me altijd geïntrigeerd,' zei Olivia met een glimlach, 'en dat heb ik altijd willen doen.' Het maakte indruk op haar dat hij dat wist. Het feit dat Agatha Christie op een dag gewoonweg verdween, had haar altijd geweldig geboeid. Haar auto, die tegen een boom was geknald hadden ze gevonden, maar de beroemde schrijfster was verdwenen en kwam pas dagen later weer te voorschijn. En toen ze er weer was, gaf ze geen enkele uitleg over haar afwezigheid. Het had indertijd een hele heisa veroorzaakt en in heel Engeland stonden de kranten bol van haar verdwijning. Over de hele wereld eigenlijk.

'Nou, dat heb je dan nu gedaan, voor een paar uur in elk geval. Je bent zo uit je leven gestapt, net als zij heeft gedaan.' Het idee beviel haar wel en ze lachte ondeugend.

'Maar zij bleef dagen weg. Dit is maar voor een paar uur.' Ze zag er een beetje teleurgesteld uit toen ze dat zei.

'Ze lopen nu vermoedelijk als gekken overal naar je te zoeken. Ze denken waarschijnlijk dat je gekidnapt bent door koning Khaled.' Daar moest ze nog harder om lachen en ze zag eruit als een kind. Een paar minuten later bestelde Peter sandwiches voor hen beiden en toen die gebracht werden vielen ze er alle twee op aan. Ze waren uitgehongerd.

'Weet je dat ik niet eens geloof dat ze naar me zoeken? Ik ben er zelfs niet zeker van dat het iemand op zou vallen als ik echt verdween, tenzij er die dag een bijeenkomst zou zijn of dat er een campagne-speech in een vrouwenclub gehouden moest worden. Verder ben ik niet erg belangrijk. Ik ben net zoiets als een van die kunstbomen die ze gebruiken om het toneel te versieren. Je hoeft ze geen voedsel of water te geven, je haalt ze gewoon te voorschijn als mooi etalagemateriaal om het echte pronkstuk beter tot z'n recht te laten komen.'

'Dat is nogal een uitspraak,' berispte Peter haar, hoewel hij het niet helemaal oneens was met haar na wat hij had gezien. 'Denk je echt zo over je leven?'

'Min of meer,' zei ze, en wist dat ze een grote gok nam. Als hij toch een verslaggever bleek te zijn, of nog erger, iemand van de roddelpers, zou er geen stukje van haar heel gelaten worden morgenochtend. Maar op de een of andere manier kon het haar niet eens meer zoveel schelen. Ze moest soms iemand kunnen vertrouwen en Peter had iets ongelooflijk vriendelijks en innemends over zich. Ze had nog nooit tegen iemand gepraat zoals ze nu tegen hem deed en ze wilde er niet mee ophouden, of teruggaan naar haar leven, of zelfs maar naar het Ritz Hotel. Ze wilde voor altijd hier met hem in Montmartre blijven.

'Waarom ben je met hem getrouwd?' waagde hij te vragen toen ze haar sandwich weer neerlegde. Ze keek even nadenkend voor zich uit en toen in Peters ogen.

'Hij was toen anders. Maar alles veranderde heel snel. Er is ons heel wat ellende overkomen. Alles leek goed in het begin. We hielden van elkaar en hij beloofde me plechtig dat hij nooit in de politiek zou gaan. Ik zag wat mijn vaders carrière ons en voornamelijk mijn moeder aandeed en Andy zou gewoon advocaat worden. We zouden kinderen hebben, en paarden en honden en op een boerderij in Virginia gaan wonen. Dat hebben we ook gedaan, gedurende ongeveer zes maanden, en toen was het allemaal voorbij. Zijn broer was de politicus in de familie, niet Andy. Tom zou uiteindelijk president zijn geworden, en ik zou heel tevreden zijn geweest als ik het Witte Huis nooit had hoeven zien, behalve met Kerstmis als ze de boom ver- lichtten. Maar Tom werd vermoord toen we zes maanden getrouwd waren en die campagne-figuren zaten meteen achter Andy aan. Ik weet niet wat er met hem is gebeurd. Misschien voelde hij zich verplicht zijn broer na diens dood op te volgen en 'iets belangrijks voor zijn land' te doen. Die zin heb ik zo vaak gehoord dat ik er akelig van word. En ik denk dat hij het ten slotte heerlijk ging vinden. Po- litieke ambitie werkt blijkbaar bedwelmend. Ik ben gaan begrijpen dat het meer van je eist dan welk kind ook, en meer opwinding en passie schijnt te bieden dan welke vrouw ook. Het verslindt iedereen die er mee te maken krijgt. Je kunt niet van de politiek houden en overleven. Dat gaat niet. Ik weet dat. Uiteindelijk verslindt het alles wat je in je hebt, alle liefde en goedheid en fatsoen, het verslindt degene die je eens was en zet daar een politicus voor in de plaats. Het is niet zo'n beste ruil. Hoe dan ook, dat is wat er is gebeurd. Andy ging in de politiek. Ter com- pensatie voor mij en omdat hij dat beloofd had, kregen we een kindje. Maar hij wilde het niet echt. Alex werd tijdens een van zijn campagnereizen geboren en Andy was er dus niet eens bij. Ook niet toen hij stierf.' Haar gezicht ver- starde toen ze dat zei. 'Zulke dingen veranderen alles... Tom... Alex... de politiek. De meeste mensen overleven dat niet. Wij niet. Ik weet niet waarom ik dacht dat we het wel konden. Het was te veel gevraagd, en ik denk dat Tom toen hij stierf een groot deel van Andy met zich meenam. Hetzelfde is met mij gebeurd toen Alex stierf. Het leven deelt soms harde klappen uit. Soms kun je gewoon niet winnen, hoe je ook je best doet of hoeveel geld je ook hebt. Ik heb heel wat in dit spel geïnvesteerd, ik zit er al heel lang in. We zijn zes jaar getrouwd en het is allemaal niet gemakkelijk geweest.'

'Waarom blijf je?' Het was een wonderlijk gesprek om met een vreemde te hebben en ze waren beiden verrast door de directheid van zijn vragen en de openhartigheid van haar antwoorden.

'Wat moet je dan? Wat zeg je dan? Het spijt me dat je broer dood is en dat je leven verpest is... het spijt me dat ons enig kind...' Ze wilde de woorden zeggen maar kon het niet. Hij nam haar hand in de zijne en zij trok hem niet terug. De vorige avond waren ze vreemden voor elkaar geweest in een zwembad en plotseling, een dag later, zaten ze in een café in Montmartre en waren bijna vrienden.

'Zou je nog een kind kunnen krijgen?' vroeg Peter omzichtig, je wist tenslotte nooit wat er gebeurd was met mensen en wat ze wel en niet konden, maar hij wilde het haar vragen en het antwoord weten.

Maar ze schudde treurig haar hoofd. 'Wel kunnen, niet willen. Niet nu. Niet weer. Ik wil zelfs niet meer zoveel van een ander menselijk wezen houden. Maar ik wil ook geen kind in het leven dat ik nu leid. Niet met hem. Niet in de politiek. Dat verwoestte bijna mijn leven en dat van mijn broer toen we jong waren... en wat belangrijker is, het verwoestte mijn moeders leven. Ze is al bijna veertig jaar lang heel loyaal, en ze haat ieder moment ervan. Ze heeft het nooit gezegd en ze zou het ook nooit toegeven, maar de politiek heeft haar leven geruïneerd. Ze leeft in constante angst over hoe men haar handel en wandel zal beoordelen, ze is bang om iets te doen of te denken of te zeggen. Zo wil Andy mij graag hebben, maar dat kan ik niet.' Terwijl ze dat zei, kwam er oprechte paniek in haar ogen en hij wist meteen waaraan ze dacht.

'Ik zal je heus geen schade berokkenen, Olivia. Ik zal niets van dit alles ooit doorvertellen. Aan niemand. Dit is tussen ons, en Agatha Christie.' Hij glimlachte en zij keek hem onderzoekend aan, probeerde te bepalen of ze hem al dan niet moest geloven. Maar het vreemde was dat ze hem vertrouwde. Als ze hem aankeek, wist ze eigenlijk al dat hij haar niet zou verraden. 'Deze nacht is nooit gebeurd,' zei hij vriendelijk. 'We zullen afzonderlijk naar het hotel teruggaan en niemand zal ooit weten waar we geweest zijn, of dat we samen waren. Ik heb je nooit ontmoet.'

'Dat stelt me gerust,' zei ze opgelucht en dankbaar. Ze geloofde hem.

'Je schreef vroeger toch?' vroeg hij. Hij meende zich te herinneren dat hij dat jaren geleden over haar gelezen had en vroeg zich af of ze het nog steeds deed.

'Ja, dat is zo. Mijn moeder ook. Ze was heel erg getalenteerd. Aan het begin van mijn vaders carrière schreef ze een roman over Washington die de hele stad op z'n kop zette. Het werd uitgegeven, maar ze mocht van hem niet meer publiceren en dat had ze wel moeten doen. Ik heb niet zoveel talent en er is nog nooit iets van mij uitgegeven, maar ik wil al heel lang een boek schrijven, over mensen en compromissen, en wat er gebeurt als je te veel en te vaak compromissen sluit.'

'Waarom doe je het niet?' Hij meende wat hij zei, maar zij lachte alleen en schudde haar hoofd.

'Wat denk je dat er zou gebeuren als ik dat deed? De pers zou dol worden. Andy zou zeggen dat ik zijn carrière op het spel zette. Het boek zou het daglicht nooit zien. Het zou door een van zijn trawanten in een of ander pakhuis verbrand worden.' Ze was de spreekwoordelijke vogel in de gouden kooi, niet in staat te doen wat ze zelf wilde uit angst haar man te schaden. En toch was ze van hem weggelopen, was verdwenen om in een café in Montmartre te zitten en haar hart te luchten tegen een onbekende. Het was een vreemd leven dat ze leidde en hij wist dat ze dicht bij een uitbraak was toen hij naar haar keek. Haar afkeer van de politiek en het leed dat die haar had gebracht was duidelijk heel groot. 'En jij?' Ze richtte haar donkerbruine ogen op Peter, vroeg zich af hoe het met hem zat. Alles wat ze wist was dat hij getrouwd was, drie zoons had, in zaken was en in Greenwich woonde. Maar ze wist ook dat hij goed kon luisteren en toen hij haar hand pakte en haar aankeek, voelde ze diep in haar binnenste iets ontwaken, een deel van haar dat ze dood had gewaand, en plotseling kon ze het voelen ademen. 'Waarom ben je hier in Parijs, Peter?'

Hij aarzelde even terwijl hij nog steeds haar hand vasthield en haar in de ogen keek. Hij had het aan niemand verteld, maar zij had hem vertrouwd en hij voelde de behoefte om het haar nu te vertellen. Hij wist dat hij het aan iemand kwijt moest.

'Ik ben hier voor het farmaceutisch bedrijf dat ik leid. We werken al vier jaar aan een heel ingewikkeld product, wat op dit gebied eigenlijk niet eens zo lang is, maar voor ons lijkt het een hele tijd en we hebben er enorm veel geld ingestopt. Het is een product dat een radicale verandering in de chemotherapie teweeg kan brengen, en het is heel belangrijk voor mij. Het leek me míjn bijdrage aan de wereld, iets belangrijks dat alle frivole, egoïstische dingen die ik heb gedaan compenseert. Het betekent alles voor me en het heeft in ieder land waar we werken alle tests met vlag en wimpel doorstaan. De laatste tests worden hier uitgevoerd en ik kwam om de zaak af te ronden. Uitgaande van onze proefnemingen vragen we het CBG toestemming om het spoedig op mensen te mogen testen. Onze laboratoria hier zijn nu met de allerlaatste proeven bezig en tot nu toe gaven de tests een perfect resultaat. Maar de proeven hier tonen iets heel anders aan. Ze zijn nog niet afgerond, maar toen ik hier gisteren aankwam, vertelde het hoofd van onze laboratoria me dat er ernstige problemen door het geneesmiddel kunnen ontstaan. Het komt hier op neer dat het in plaats van een buitenkans om de mensheid te helpen, dodelijk zou kunnen zijn. Ik zal tot het eind van de week moeten wachten om het hele verhaal te kennen, maar het zou het einde van een droom kunnen zijn, of het begin van nog vele jaren van onderzoek. En als dat zo is, zal ik naar huis moeten en de president van het bedrijf, die toevallig ook nog mijn schoonvader is, moeten vertellen dat ons product ofwel voorlopig op de plank blijft, of helemaal afgeschreven is. Die mededeling zal me niet in dank afgenomen worden.'

Ze leek onder de indruk te zijn toen ze hem aankeek en knikte. 'Dat denk ik ook niet. Heb je hem verteld wat ze gisteren gezegd hebben?' Ze was er van overtuigd dat hij dat gedaan had en het was eigenlijk een retorische vraag. Ze was dan ook heel verbaasd toen hij zijn hoofd schudde en enigszins schuldig keek.

'Ik wil niets zeggen voor ik alle informatie heb,' zei hij, de vraag ontwijkend. Haar ogen keken diep in de zijne.

'Dit zal geen gemakkelijke week voor je zijn, met dat moeten afwachten,' zei ze meevoelend. Aan zijn ogen zag ze hoe belangrijk het voor hem was. 'Wat zei je vrouw ervan?' Ze vroeg het in de veronderstelling dat andere mensen het soort relatie hadden dat zij niet had. Ze kon niet weten dat hij niets tegen Katie kon zeggen zonder dat ze het aan haar vader doorvertelde.

Maar hij verbaasde haar opnieuw, deze keer zelfs nog meer. 'Ik heb het haar niet verteld,' zei hij zacht en Olivia keek hem verbluft aan.

'Nee? Waarom niet?' Ze kon zich niet voorstellen wat daar de reden van kon zijn.

'Dat is een lang verhaal.' Hij glimlachte schaapachtig naar Olivia. Iets in zijn ogen sprak van eenzaamheid en teleurstelling, maar het was nauwelijks merkbaar en ze vroeg zich af of hij het zelf wel wist. 'Ze heeft een ontzettend sterke band met haar vader,' zei hij langzaam, zijn woorden voorzichtig kiezend. 'Haar moeder is gestorven toen ze klein was en ze is alleen bij hem opgegroeid. Er is absoluut niets dat ze hem niet vertelt.' Hij keek Olivia weer aan en zag dat ze hem begreep.

'Zelfs als je haar iets in vertrouwen vertelt?' Olivia leek zeer verontwaardigd over zo'n onbehoorlijk gedrag.

'Zelfs dan,' zei hij glimlachend. 'Kate heeft geen geheimen voor haar vader.' Zijn hart deed pijn toen hij het zei. Hij wist niet waarom, maar het stoorde hem meer dan het in jaren had gedaan toen hij het vertelde.

'Dat moet heel erg vervelend voor je zijn,' zei Olivia, terwijl ze in zijn ogen keek om te zien of hij ongelukkig was en of hij dat dan zelf wist. Hij zei het op een manier alsof Kates loyaliteit ten opzichte van haar vader, zelfs in die mate, voor hem niet alleen acceptabel, maar ook normaal was. Toch zeiden zijn ogen iets anders. Ze vroeg zich af of hij dat had bedoeld toen hij zei dat ieders schoenen wel eens knellen. Olivia, voor wie privacy, discretie en loyaliteit ontzettend belangrijk waren, zou van Peters schoenen eelt op haar voeten krijgen.

'Zo is het nu eenmaal,' zei hij gewoon. 'Ik heb het lang geleden al geaccepteerd. Ik geloof niet dat ze het vervelend bedoelen. Maar het betekent dat ik haar soms bepaalde dingen niet kan vertellen. Ze zijn ongelooflijk aan elkaar gehecht.' Olivia besloot om het onderwerp te laten vallen, voor hem. Ze was niet van plan om de beschermende laag eraf te peuteren, of hem te kwetsen door te zeggen hoe ongepast het gedrag van zijn vrouw was. Ten slotte kende

Olivia hem nauwelijks en ze had daar het recht niet toe.
'Je zult je wel alleen gevoeld hebben vandaag, je zorgen gemaakt hebben over de uitslag van de tests en dan niemand om mee te praten.' Ze keek hem medelevend aan. Haar woorden raakten precies de kern van de zaak. Ze wisselden een warme, begripvolle glimlach. Ze hadden beiden zware lasten op hun schouders.

'Aangezien ik het aan niemand kwijt kon, heb ik geprobeerd om bezig te blijven,' zei hij zacht. 'Ik ben naar het Bois de Boulogne gegaan en heb naar de spelende kinderen gekeken. Ik heb een lange wandeling langs de Seine gemaakt, vervolgens ben ik naar het Louvre geweest en ten slotte ben ik teruggegaan naar het hotel. Ik heb wat gewerkt en toen ging het alarm af.' Hij grijnsde. 'En vanaf dat moment is het een heel prettige dag geworden.' En het zou gauw een nieuwe dag zijn. Het was bijna vijf uur in de ochtend en beiden wisten dat ze zo langzamerhand terug moesten naar het hotel. Ze praatten nog een halfuurtje en om halfzes verlieten ze met tegenzin het café om op zoek te gaan naar een taxi. Ze liepen langzaam door de straten van Montmartre, zij in haar t-shirt, hij in zijn hemdsmouwen, hand in hand als twee tieners op hun eerste afspraakje en zo te zien buitengewoon op hun gemak met elkaar.

'Het leven kan soms vreemd zijn, vind je niet?' Ze keek vergenoegd naar hem op, terwijl ze aan Agatha Christie dacht en zich afvroeg of die tijdens haar verdwijning ook zoiets had gedaan of dat ze nog verder was gegaan. 'Je denkt dat je alleen bent en dan verschijnt er iemand, volkomen onverwacht, uit het niet en je bent niet langer alleen,' zei Olivia zacht. Ze had nooit van haar leven ook maar gedroomd dat ze iemand als hij zou ontmoeten. Hij gaf haar wat ze nu zo nodig had. Ze hongerde naar vriendschap.

'Het is goed om daaraan te denken als het allemaal een beetje te veel wordt, vind je niet? Je weet maar nooit wat er op je afkomt,' zei Peter met een glimlach naar haar.

'Wat mij betreft, ik vrees dat wat er nu op mij afkomt een presidentsverkiezing zal zijn. Of nog erger, een kogel van weer zo'n gek.' Het was een afschuwelijke gedachte die de akelige herinnering aan de moord op haar zwager terugbracht. Het was duidelijk dat ze eens heel veel van Andy Thatcher had gehouden en het maakte haar nog steeds verdrietig dat het leven zo moeilijk voor hen was geweest en hen zo vaak op het verkeerde been had gezet. In sommige opzichten had Peter medelijden met alle twee, maar toch voornamelijk met Olivia. Hij had nog nooit iemand een ander mens zo zien negeren als Andy Thatcher zijn vrouw negeerde. Ze leek hem totaal onverschillig te laten, hij leek haar niet eens te zien, net alsof ze niet bestond. Zijn gebrek aan interesse was kennelijk overgegaan op zijn adviseurs. Misschien had ze gelijk, misschien was zij voor hen niet meer dan decoratie. 'En jij?' vroeg ze met hernieuwde bezorgdheid over hem. 'Is het heel erg voor je als de resultaten uitwijzen dat je product een ramp blijkt te zijn? Wat zullen ze met je doen in New York?'

'Aan m'n voeten ophangen en villen,' zei hij met een spottende grijns, maar hij werd meteen weer ernstig. 'Het zal niet gemakkelijk zijn. Mijn schoonvader was van plan dit jaar met pensioen te gaan, volgens mij deels als motie van vertrouwen in mij, maar ik denk niet dat hij het doet als we het product kwijtraken. Het zal heel moeilijk zijn, maar daar zal ik me bij neer moeten leggen.' Maar dat was het niet alleen voor hem. Door Vicotec op de markt te brengen had hij mensen willen redden die aan dezelfde ziekte leden als waaraan zijn moeder en zuster jaren geleden waren gestorven. En dat betekende alles voor Peter. Meer dan gewin of Frank Donovans reactie. En nu raakten ze misschien het hele product kwijt. Hij werd bijna gek als hij daaraan dacht.

'Ik wou dat ik jouw moed had,' zei ze triest en de blik in haar ogen was dezelfde als hij de eerste keer bij haar had gezien, een blik van grenzeloos verdriet.

'Je kunt de dingen niet ontlopen, Olivia.' Maar dat wist ze al. Haar tweejarig zoontje was in haar armen gestorven. Hoeveel meer moed kon je hebben in het leven? Hij hoefde haar niet te vertellen wat moed was.

'En als je overleving daarvan afhangt?' vroeg ze. Ze keek hem ernstig aan en hij sloeg een arm om haar schouders. 'Je moet wel heel zeker van je zaak zijn voor je dat doet,' zei hij ernstig en wilde dat hij haar kon helpen. Ze was een vrouw met een wanhopige behoefte aan een vriend. Die vriend had hij dolgraag willen zijn en niet alleen maar voor een paar uur. Maar hij wist ook dat als ze bij het hotel uit elkaar gingen, hij haar nooit meer zou kunnen bellen en met haar praten, laat staan haar ontmoeten.

'Ik geloof dat ik behoorlijk zeker begin te worden,' zei ze zacht. 'Maar ik ben er nog niet helemaal.' Het was een pijnlijk eerlijke uitspraak. Hoe vreselijk ongelukkig ze ook was, de beslissing moest ze nog nemen.

'En waar zou je heen gaan? vroeg hij toen ze eindelijk een taxi gevonden hadden en de chauffeur de rue Castiglione opgaven. Hij wilde haar niet rechtstreeks naar het hotel brengen, ze wisten niet of iedereen al naar binnen was of dat ze nog steeds op het plein stonden te wachten.

Maar Peters laatste vraag was voor Olivia gemakkelijk te beantwoorden. Ze was er eerder geweest en had toen al geweten dat het altijd haar toevluchtsoord zou zijn. 'Er is een plek waar ik lang geleden wel heenging, toen ik hier een jaar heb gestudeerd. Het is een klein vissersdorp in het

zuiden van Frankrijk. Ik vond het toen ik hier net was en ging er vaak heen in de weekends. Het is niet chic of in, het is heel eenvoudig, maar het was de plek waar ik altijd heen kon gaan om na te denken als het nodig was mezelf weer te vinden. Ik ben er een week geweest nadat Alex was gestorven, maar ik was bang dat de pers me uiteindelijk zou vinden, dus ben ik voordien vertrokken. Ik wil dat plekje niet verliezen. Ik zou daar op een dag dolgraag weer heengaan, misschien zelfs eindelijk het boek schrijven dat ik steeds in mijn hoofd heb, zien of het me lukt. Het is er fantastisch, Peter. Ik wou dat ik het je kon laten zien.'
'Misschien gebeurt dat nog wel eens,' zei hij, bijna zonder erbij na te denken, en trok haar dichter tegen zich aan. Het was een gebaar van troost en steun. Hij probeerde geen avances te maken, of haar te kussen. Er was niets ter wereld dat hij liever zou willen, maar uit respect voor Olivia, en voor zijn vrouw, zou hij dat absoluut niet doen. Op een bepaalde manier was Olivia een droom voor hem en alleen al het feit dat hij de hele nacht met haar had gepraat, was een geschenk dat hij voor altijd zou koesteren. Het was als iets uit een film. 'Hoe heet dat dorpje trouwens?' vroeg hij. Ze glimlachte tegen hem en gaf hem de naam als een geschenk. Het was als een wachtwoord tussen hen. 'La Favière. Het ligt in het zuiden, dicht bij Cap Benat. Je zou er echt eens heen moeten gaan als je daar behoefte aan hebt. Het is het beste dat ik iemand kan geven,' fluisterde ze terwijl ze haar hoofd tegen zijn schouder legde. Tijdens de hele terugrit hield hij haar zo vast, voelde dat dit was wat ze nodig had. Hij wilde haar vertellen dat hij altijd haar vriend zou zijn, dat hij er voor haar zou zijn als ze hem nodig had, dat ze nooit moest aarzelen hem te bellen, maar hij wist niet goed hoe hij dat allemaal moest zeggen, dus hield hij haar alleen maar vast. Eén idioot moment zei

hij zelfs bijna dat hij van haar hield. Hij vroeg zich af hoe lang het geleden was dat iemand dat tegen haar had gezegd, dat iemand tegen haar had gepraat alsof hij om haar gaf en enige belangstelling voor haar gevoelens had. 'Je bent een gelukkig mens,' zei ze zachtjes tegen hem toen de taxi in de rue Castiglione, een straat vóór de Place Vendôme, stopte zoals ze de chauffeur opgedragen hadden.

'Waarom vind je dat ik gelukkig ben?' vroeg Peter nieuwsgierig. Het enige dat hem op dat moment gelukkig leek, was dat hij de hele nacht met haar had doorgebracht en dat ze hun ziel voor elkaar hadden blootgelegd en hun geheimen aan elkaar hadden toevertrouwd.

'Omdat je tevreden bent met je leven, gelooft in wat je doet en nog vertrouwen hebt in het fatsoen van het menselijk ras. Ik wou dat ik dat nog had, maar dat heb ik allang niet meer.' Zij had niet zoveel geluk gehad. Voor hem was het leven voor het grootste deel goed geweest, voor Olivia Thatcher bijzonder moeilijk. Ze zei niet dat ze vermoedde dat zijn huwelijk minder bevredigend was dan hij zichzelf voorhield, omdat ze dacht dat hij dat zelf niet wist. Misschien was dat zijn geluk, dat hij het nog niet zag, maar hij was oprecht en attent en hij had hard gewerkt. Hij was bereid zijn ogen te sluiten voor de onverschilligheid van zijn vrouw ten opzichte van hem, voor het feit dat ze opging in haar eigen leven en voor de schandelijke inbreuk van zijn schoonvader op wat hun leven had moeten zijn. In Olivia's ogen was hij gelukkig omdat hij niets zag van de leegte om hem heen. Hij was zich er misschien vaag van bewust, maar hij zag het niet echt. En hij was van nature zo'n aardige, fatsoenlijke en liefdevolle man. Ze had vannacht zoveel hartelijkheid van hem ondervonden dat ze hem zelfs nu, bij het aanbreken van de dag, eigenlijk niet wilde verlaten.

'Ik wil helemaal niet terug,' fluisterde ze slaperig tegen zijn witte hemd terwijl ze achter in de taxi tegen zijn schouder lag genesteld. Na al hun gepraat waren ze beiden uitgeput en zij begon nu af te knappen.

'Ik wil je ook niet laten gaan,' zei hij eerlijk en deed zijn best om aan Kate te denken, maar het was deze vrouw en niet Kate bij wie hij wilde zijn. Hij had nog nooit met iemand gepraat zoals met Olivia vannacht, ze was zo toegewijd en zo vol begrip. Ze was zo eenzaam en gekwetst en ze snakte zo naar vriendschap. Hoe kon hij haar verlaten? Het was moeilijk nu te bedenken waarom dat moest. 'Ik weet dat ik eigenlijk terug moet gaan, maar ik kan me niet herinneren waarom.' Ze glimlachte schaapachtig en bedacht dat het voor de paparazzi het toppunt zou zijn geweest als ze hen de laatste zes uur hadden kunnen zien. Het was bijna niet te geloven dat ze zo lang waren weggeweest. Ze hadden uren zitten praten in Montmartre en nu was het een kwelling om terug te gaan naar waar ze hoorden, maar ze beseften dat het niet anders kon. Peter was zich er ineens van bewust dat hij met Kate nooit zo had gepraat als vannacht met Olivia. Erger nog, hij begon verliefd op haar te worden en had haar nog niet eens gekust.

'We moeten alle twee terug,' zei hij triest. 'Ze zullen inmiddels wel gek van ongerustheid over je zijn. En ik moet wachten op de uitslag van Vicotec.' Als dat niet zo was geweest zou hij er het liefst met haar vandoor zijn gegaan.

'En dan?' Ze doelde op Vicotec. 'Onze werelden storten, afzonderlijk van elkaar, ineen en we blijven maar doorgaan. Waarom moeten wij de dapperen zijn?' Ze keek en klonk als een nukkig kind. Hij glimlachte toen hij haar zo zag.

'Ik denk omdat we daarvoor zijn uitgekozen. Op een keer

heeft iemand ergens gezegd: "Hé, jij daar, ga in deze rij staan, jij bent een van de dapperen." Maar eigenlijk ben je veel sterker dan ik, Olivia.' Dat had hij vannacht wel gemerkt en hij had dan ook een groot respect voor haar. 'Nee, dat ben ik niet,' zei ze eenvoudig. 'Ik heb nooit om dit alles gevraagd. Het was geen multiple choice waar ik uit gekozen heb. Het gebeurde gewoon. Dat is niet dapper, dat is gewoon het noodlot.' Ze keek zwijgend naar hem op en wenste dat hij van haar was, maar ze wist dat hij dat nooit zou zijn. 'Dank je wel dat je me gevolgd bent vannacht... en voor de koffie.' Ze glimlachte en hij beroerde haar lippen met z'n vingers.

'Ik zal er voor je zijn, Olivia... onthou dat. Als je een kop koffie wilt, om het even wanneer, zal ik er zijn... in New York... Washington... Parijs...' Het was zijn manier om haar zijn vriendschap aan te bieden, en zij begreep dat. Jammer genoeg voor hen beiden was dat alles wat hij haar kon bieden.

'Veel succes met Vicotec,' zei ze toen ze uit de taxi stapten en keek hem toen aan. 'Als het voor jou is weggelegd om al die mensen te helpen, zal dat ook gebeuren. Ik geloof dat.'

'Ik ook,' zei hij somber. Hij miste haar nu al. 'Pas goed op jezelf, Olivia.' Hij wilde zoveel zeggen, wilde haar geluk toewensen, wilde haar niet loslaten, wilde er met haar vandoor gaan naar haar vissersdorpje bij Cap Benat. Waarom was het leven soms zo onrechtvaardig? Waarom was het niet wat grootmoediger? Waarom konden ze niet gewoon verdwijnen zoals Agatha Christie?

Ze leken al heel lang op de hoek te staan. Nadat hij haar voor de laatste keer een kneepje in haar hand had gegeven, liep ze de hoek om en toen snel over het plein. Een klein, tenger figuurtje in een wit t-shirt en jeans. En terwijl hij haar nakeek, vroeg hij zich af of hij haar ooit nog zou zien, zelfs in het hotel. Toen hij haar volgde, bleef zij bij de deur van de Ritz staan en wuifde voor de laatste keer. Hij kon zichzelf wel slaan dat hij haar niet had gekust.

4

Tot zijn verbazing sliep Peter die dag tot het middaguur. Hij was bekaf geweest toen hij om zes uur in de morgen thuiskwam. En toen hij wakker werd dacht hij meteen weer aan Olivia. Hij voelde zich alleen en ongelukkig zonder haar en hij zag door het raam dat het nog regende ook. Bij de croissants en koffie zat hij lang over Olivia na te denken en hij was benieuwd naar wat er gebeurd was toen ze vanmorgen vroeg terug was gegaan naar haar kamer. Zou haar man kwaad geweest zijn, of doodsbang en vreselijk ongerust, of alleen maar bezorgd. Hij kon zich niet voorstellen dat Katie zoiets zou doen. Maar twee dagen geleden had hij zich dat ook niet van zichzelf kunnen voorstellen. Hij had wel de hele nacht met Olivia willen blijven praten. Ze was zo eerlijk en zo open. Toen hij z'n koffie op had dacht hij aan sommige dingen die ze had gezegd, over haar eigen leven en over het zijne. Als hij door haar ogen naar zijn huwelijk keek, zag hij het ineens in een heel ander perspectief en voelde hij zich ongemakkelijk over Katie's relatie met haar vader. Ze stonden elkaar zo na dat hij zich eigenlijk buitengesloten voelde. En het zat hem behoorlijk dwars dat hij Katie niet over Suchard en over de reden van het oponthoud in Parijs kon vertellen. Zelfs al wilde hij het nog niet tegen Frank zeggen, hij had het graag aan zijn vrouw verteld, maar hij wist absoluut zeker dat dat niet kon.

Het was een vreemde gedachte dat het gisteravond gemakkelijker was geweest, er met een totaal vreemde over te praten. Olivia was zo meevoelend en aardig voor hem geweest en had meteen begrepen dat dat wachten een kwelling voor hem moest zijn. Hij wilde dat hij weer met haar kon praten en tijdens het douchen en aankleden merkte hij dat hij constant aan haar dacht... aan haar ogen... haar gezicht... die weemoedige blik toen ze wegliep en de pijn die hij voelde toen hij haar nakeek. Het was allemaal zo onwerkelijk. Het was bijna een opluchting toen een uur later de telefoon ging. Het was Katie. Hij had plotseling behoefte aan contact met haar, haar nader tot zich te brengen, voor zichzelf te bevestigen dat ze echt van hem hield.

'Hallo,' zei ze, 'hoe is het in Parijs?' Het was zeven uur in de ochtend voor haar, ze klonk opgewekt en monter en alweer gehaast.

Heel even aarzelde hij, wist niet wat hij haar kon vertellen. 'Prima. Ik mis je,' zei hij en ineens voelde hij het wachten op Suchard als een zware last op zijn schouders en de vorige avond als een droom. Of was Olivia nu de werkelijkheid en Katie de droom? Hij was nog steeds moe van de vorige nacht en het was allemaal zo verwarrend.

'Wanneer kom je naar huis?' vroeg ze terwijl ze aan haar koffie nipte en haar ontbijt beëindigde in Greenwich. Ze wilde de trein van acht uur naar New York pakken en was gehaast.

'Ik hoop over een paar dagen thuis te zijn,' zei hij nadenkend. 'In ieder geval aan het eind van de week. Suchard had wat vertraging met de tests en ik heb besloten om hier op de uitslag te wachten. Ik dacht dat hij er dan wat meer haast achter zou zetten.'

'Is die vertraging door iets belangrijks veroorzaakt, of gewoon door technische details?' vroeg ze en hij kon bijna Frank naast haar op het antwoord zien wachten. Hij wist zeker dat Frank haar al alles had verteld wat hij gisteren tegen hem had gezegd. En zoals altijd, moest hij op zijn woorden passen. Het zou linea recta naar haar vader gaan. 'Alleen wat kleinigheden. Je weet hoe pietepeuterig Suchard is,' zei Peter nonchalant.

'Het is een muggenzifter, als je het mij vraagt. Hij vindt problemen waar ze niet zijn. Pap zegt dat het in Genève geweldig goed ging.' Ze klonk trots op hem, maar een beetje koel. Door de jaren heen had hun relatie een paar vreemde wendingen genomen. Ze was minder teder tegen hem dan vroeger en ze uitte dat ook minder, tenzij ze een speelse bui had en met hem alleen was. Ze maakte deze ochtend geen bijzonder hartelijke indruk.

'Het ging inderdaad geweldig in Genève.' Hij glimlachte en probeerde zich haar voor de geest te halen, maar plotseling zag hij alleen maar Olivia's gezicht, Olivia die in de keuken in Greenwich zat. Het was een vreemd soort hallucinatie en hij zat er echt over in. Kate was zijn leven, niet Olivia Thatcher. Hij sperde zijn ogen verder open en staarde naar de regen achter zijn raam, probeerde zich daarop te concentreren. 'Hoe was het eten met je vader gisteravond?' Hij probeerde van onderwerp te veranderen. Hij wilde Vicotec niet met haar bespreken. Ze zouden in het weekend genoeg hebben om over te praten.

'Heel gezellig. We hebben massa's plannen gemaakt voor Martha's Vineyard. Pap gaat proberen daar dit jaar de volle twee maanden te blijven.' Ze klonk blij en Peter dwong zichzelf niet te denken aan wat Olivia had gezegd over geven en nemen. Zo was zijn leven al bijna twintig jaar en hij moest het nog steeds leven.

'Ik weet dat hij daar de hele twee maanden blijft, jullie laten me allemaal in de steek in de stad.' Hij glimlachte om de gedachte en dacht toen aan zijn zoons. 'Hoe is het met de jongens?' Je kon duidelijk aan de klank van zijn stem horen hoeveel hij van hen hield.

'Ze hebben het druk. Ik zie ze haast nooit. Pat is van school, Paul en Mike kwamen op de dag dat jij wegging thuis en dit huis ziet er weer uit als een stal. Ik ben voortdurend bezig sokken en jeans op te rapen en paren gympen bij elkaar te zoeken.' Ze wisten beiden dat ze gezegend waren, het waren alle drie prima kinderen. Peter vond het fijn om met hen op te trekken, dat had hij altijd gedaan. Nu hij Kate over hen hoorde praten, miste hij de jongens ineens. 'Wat ga je vandaag doen?' vroeg hij mistroostig. Voor hem werd het weer een dag van wachten op Suchard, met niet veel meer te doen dan in zijn kamer zitten en op de computer werken.

'Ik heb een commissievergadering in de stad. Ik denk met pap te gaan lunchen en ik wil nog wat dingen ophalen voor de Vineyard. De jongens hebben vorig jaar onze lakens gesloopt en we kunnen ook nog wat handdoeken en andere spullen gebruiken.' Ze klonk gejaagd en verstrooid en het was hem niet ontgaan dat ze haar vader weer zou ontmoeten.

'Ik dacht dat je gisteravond al met Frank had gegeten,' zei Peter, zijn wenkbrauwen fronsend. Hij keek er plotseling een beetje anders tegenaan.

'Heb ik ook. Maar toen ik hem vertelde dat ik vandaag in de stad zou zijn, nodigde hij me uit voor een snelle lunch in zijn directiekamer.' Wat kon ze hem in vredesnaam te vertellen hebben? vroeg Peter zich af terwijl hij luisterde. 'En jij? Wat ga jij doen?' Ze bracht het gesprek weer op hem en hij keek weer naar buiten, naar de regen die op de daken van Parijs viel. Hij was dol op Parijs, zelfs in de regen. Hij was dol op alles aan Parijs.

'Ik dacht wat te gaan werken in mijn kamer vandaag. Ik heb een hoop kleine dingetjes te doen op de computer.'

'Wat een lol. Ga dan tenminste met Suchard ergens eten.' Hij wilde heel wat meer van hem dan een diner. Bovendien wilde hij hem niet afleiden van wat hij moest doen.

'Ik denk dat hij het nogal druk heeft,' zei Peter vaag.

'Ik ook. Ik moest maar eens opschieten anders mis ik m'n trein. Is er nog iets dat ik moet doorgeven aan pap?' Peter schudde zijn hoofd en dacht dat als er iets door te geven viel hij hem zelf wel zou bellen of faxen. Hij zond geen berichten aan Frank via Katie.

'Amuseer je maar. Ik zie je over een paar dagen,' zei Peter en niets in zijn stem duidde erop dat hij de nacht had doorgebracht met het blootleggen van zijn ziel aan een andere vrouw.

'Werk niet te hard,' zei ze kalm en hing op. Hij zat nog een hele tijd aan haar te denken. Het gesprek was onbevredigend, maar typerend voor haar. Ze was geïnteresseerd in wat hij deed en heel erg betrokken bij alles wat met het bedrijf te maken had. Maar verder had ze helemaal geen tijd voor hem en ze praatten nooit meer over hun diepste gedachten en gevoelens. Soms vroeg hij zich af of ze bang was om behalve met haar vader, vertrouwelijk met iemand te zijn. Als klein meisje had ze haar moeder verloren en daaraan had ze de angst voor verlies, voor in de steek gelaten worden, overgehouden. Ze was bang zich te veel aan iemand anders dan Frank te hechten. Haar vader had zich allang voor Katie bewezen en hij was er altijd geweest. Peter was er ook altijd voor haar geweest, maar bij haar ging haar vader voor. En hij verwachtte veel van Katie. Hij was heel veeleisend wat betreft haar tijd, haar interesse en haar aandacht. Maar hij gaf ook veel en hij verwachtte beloond te worden voor de overvloed aan geschenken met eenzelfde overvloed aan tijd en liefde. Katie had ook nog meer nodig in haar leven, ze had haar man en haar zoons nodig. Maar Peter vermoedde toch dat ze nooit zoveel van iemand gehouden had als van Frank, zelfs niet van hem of hun zoons, hoewel ze dat nooit zou toegeven. En als ze dacht dat iemand Frank bedreigde, vocht ze als een leeuwin om hem te beschermen. Die reactie zou ze voor haar eigen gezin moeten hebben en niet voor haar vader. Dat was het onnatuurlijke in hun relatie dat Peter altijd had dwarsgezeten. Haar gehechtheid aan haar vader ging alle perken te buiten.

Peter werkte die hele middag op zijn computer, besloot ten slotte om vier uur Suchard te bellen en voelde zich een dwaas toen hij het deed. Ditmaal nam Paul-Louis zelf de telefoon op in het laboratorium, maar hij was kortaf en zei tegen Peter dat hij nog geen verder nieuws had. Hij had al beloofd dat hij zou bellen zodra de tests afgerond waren.

'Ik weet het... ik dacht alleen...' Peter voelde zich belachelijk dat hij zo ongeduldig was geweest. Maar Vicotec betekende zo veel voor hem, meer dan wat ook en het was constant in zijn gedachten. Dat, en Olivia Thatcher. Het werd uiteindelijk onmogelijk om nog te werken en om vijf uur besloot hij naar het zwembad te gaan om te proberen wat van de spanning kwijt te raken.

Hij zocht Olivia in de lift en in het zwembad. Hij zocht overal naar haar, maar zag haar niet. Hij vroeg zich af waar ze vandaag was, wat ze over de vorige nacht dacht. Of het een ongebruikelijk incident voor haar was, of een soort keerpunt. Hij merkte dat hij geobsedeerd werd door alles wat ze hadden gezegd, door de manier waarop ze gekeken had, door de diepere betekenis van alles wat ze hem had verteld. Hij bleef alles maar voor zich zien: die enorme bruine ogen, dat onschuldige gezicht, haar ernstige uitdrukking en het tengere figuurtje in het witte T-shirt toen ze bij hem vandaan liep. Zelfs het zwemmen verdreef haar niet uit zijn gedachten en hij voelde zich niet veel beter toen hij weer naar boven ging en de televisie aanzette. Hij moest iets hebben, wat dan ook, dat hem zou afleiden van de stemmen in zijn hoofd, het beeld van een vrouw die hij amper kende en de angst dat Vicotec verloren zou zijn na de tests van Suchard.

Hij keek naar CNN, maar er was niet veel nieuws onder de zon. Er waren problemen in het Midden-Oosten, een kleine aardbeving in Japan en een bommelding in het Empire State Building in New York, die duizenden doodsbange mensen de straat op had gedreven. Dit herinnerde hem weer aan gisteravond, toen hij Olivia vanaf de Place Vendôme was gevolgd. En terwijl hij daaraan zat te denken, vroeg hij zich ineens af of hij bezig was gek te worden. De nieuwslezer van CNN had net haar naam genoemd en er werd een wazige foto van haar getoond. De foto toonde haar op de rug, in haar witte T-shirt terwijl ze wegliep en een nog waziger foto van een man die een flink eind achter haar liep. Maar je kon alleen maar de achterkant van zijn hoofd zien en niets herkenbaars.

'Tijdens een bommelding in het Parijse Ritz Hotel gisteravond, is de vrouw van senator Thatcher verdwenen. Men heeft haar met haastige stap de Place Vendôme zien verlaten en deze man werd gefotografeerd terwijl hij haar volgde. Er is geen verdere informatie over de man beschikbaar. Men weet niet of hij haar met kwade bedoelingen volgde, of het afgesproken was of gewoon toeval. Hij was niet een van haar lijfwachten en niemand schijnt iets over hem te weten.' Peter besefte meteen dat het een foto was van hem toen hij haar op het plein volgde, maar gelukkig had niemand hem herkend en het was onmogelijk hem van de foto te herkennen. 'Mevrouw Thatcher is na ongeveer middernacht niet meer gezien en er zijn geen verdere berichten over haar. Een nachtwaker meent haar vanochtend vroeg te hebben gezien toen ze het hotel binnenkwam, maar volgens andere berichten is ze nadat deze foto werd genomen niet meer in het hotel teruggekeerd. Het is op dit moment onmogelijk te zeggen of er sprake is van een misdrijf, of dat mevrouw Thatcher om even alle politieke druk te ontlopen, gewoon een paar uur naar vrienden in de buurt is gegaan, hoewel dat steeds minder waarschijnlijk wordt naarmate de tijd verstrijkt. Het enige dat we zeker weten is dat Olivia Douglas Thatcher verdwenen is. Dit is CNN, Parijs.' Peter staarde ongelovig naar het scherm. Er werd een montage getoond van foto's van haar en terwijl hij naar de tv bleef kijken, zag hij haar man die door een lokale verslaggever werd geïnterviewd voor het Engelstalige kanaal waar Peter naar keek. De verslaggever suggereerde dat ze de afgelopen twee jaar, sinds de dood van hun zoontje Alex, depressief was geweest, maar Andy Thatcher ontkende dat. Hij zei dat hij ervan overtuigd was dat zijn vrouw springlevend ergens was en dat, als ze ontvoerd zou zijn, ze binnenkort iets van de daarvoor verantwoordelijke groep zouden horen. Hij maakte een heel oprechte en verbazingwekkend kalme indruk. Hij had droge ogen en hij vertoonde geen spoor van paniek. De verslaggever zei dat de politie de hele middag in het hotel bij hem en zijn staf was geweest, de telefoon had bewaakt en op bericht van haar had gewacht. Maar iets in het uiterlijk van Andy Thatcher gaf Peter de indruk dat hij zijn tijd besteedde aan zijn campagne en niet aan verwoede pogingen om achter de verblijfplaats van zijn vrouw te komen, zoals ieder ander zou doen. Maar Peter was ineens doodsbang toen hij probeerde te bedenken wat er met haar gebeurd kon zijn nadat ze hem had verlaten.

Ze waren kort na zes uur uit elkaar gegaan bij het hotel en hij had haar naar binnen zien gaan. Wat zou haar overkomen kunnen zijn? Hij voelde zich toch wel verantwoordelijk en vroeg zich af of het om een misdrijf ging, of ze gegrepen was op weg naar haar kamer. Maar toen hij alles nog eens overdacht, bleef hij steeds bij hetzelfde steken. De gedachte aan ontvoering maakte hem vreselijk ongerust, maar het klopte niet voor zijn gevoel. En de naam *Agatha Christie* bleef maar door zijn hoofd spoken. De gedachte dat er iets vreselijks met haar gebeurd kon zijn was onverdraaglijk, maar hoe meer hij erover nadacht, hoe meer hij vermoedde dat dat niet zo was. Ze was de vorige avond ook weggelopen. Ze kon het gemakkelijk weer gedaan hebben. Misschien kon ze er echt niet meer tegen naar haar leven terug te gaan, hoewel hij wist dat ze dat als haar plicht zag. Maar gisteravond had ze ook gezegd dat ze niet dacht het nog lang vol te kunnen houden.

Peter begon door zijn kamer te ijsberen en een paar minuten later wist hij wat hem te doen stond. Het was gênant, zeker, maar als haar veiligheid ervan afhing, dan moest het maar. Hij moest de senator vertellen dat hij met haar samen was geweest, waar ze geweest waren en dat hij haar vanochtend teruggebracht had naar het hotel. Hij wilde hem ook over La Favière vertellen omdat hij er steeds meer van overtuigd raakte dat ze daar heen was gegaan. Het was de plaats waar ze haar toevlucht zou zoeken, wist hij instinctmatig. Andy Thatcher wist natuurlijk hoeveel La Favière voor haar betekende, maar hij had het misschien over het hoofd gezien. Peter wilde het hem meteen vertellen en voorstellen de politie daar onmiddellijk naar haar te laten zoeken. En als ze daar niet was, dan wist hij zeker dat ze in moeilijkheden verkeerde.

Peter verspilde geen tijd door op de lift te wachten. Hij liep meteen naar de trap en rende twee trappen op naar de verdieping waar ze, zo wist hij, logeerden. Ze had gisternacht haar kamernummer genoemd en hij zag meteen dat er politie en mensen van de geheime dienst in de gangen met elkaar stonden te praten. Ze maakten een rustige maar niet bijzonder sombere indruk. Zelfs pal buiten haar suite leek niemand bijzonder bezorgd. Ze bekeken hem toen hij naderde. Hij zag er respectabel uit en hij had z'n jasje aangetrokken voor hij zijn kamer verliet. Zijn das had hij in z'n hand en hij vroeg zich ineens af of Anderson Thatcher hem zou ontvangen. Hij wilde dit niet met iemand anders bespreken. Het was nogal vervelend hem te moeten vertellen dat hij zes uur lang in Montmartre koffie had zitten drinken met zijn vrouw, maar het leek Peter belangrijk om open kaart met hem te spelen.

Toen hij bij de deur kwam vroeg Peter de senator te spreken. De dienstdoende lijfwacht vroeg of hij een kennis van hem was en Peter moest toegeven van niet. Peter vertelde hem wie hij was en vond het stom van zichzelf dat hij niet eerst had gebeld. Hij was zo gehaast geweest toen hij hoorde dat ze weg was, dat hij zo snel mogelijk wilde vertellen waar hij dacht dat ze kon zijn.

Toen de lijfwacht de suite binnenging, kwamen daar gelach en rumoer vandaan, en rook, en Peter hoorde een hoop gepraat. Het klonk bijna als een feestje. Hij vroeg zich af of het te maken had met pogingen om Olivia te vinden, of dat ze, zoals hij al eerder vermoedde, besprekingen voerden over de campagne of andere politieke kwesties.

De lijfwacht kwam meteen weer naar buiten en excuseerde senator Thatcher op beleefde toon. Hij was kennelijk in vergadering. Als meneer Haskell zo goed zou willen zijn om even te bellen, zouden ze hun zaken via de telefoon kunnen bespreken. Meneer Haskell zou dat zeker wel begrijpen in het licht van wat zojuist gebeurd was. En dat begreep meneer Haskell inderdaad. Wat hij niet begreep was wat er te lachen viel in die kamer, waarom de mensen niet gejaagd rondliepen, waarom ze niet in paniek waren haar kwijt te zijn. Deed ze dit vaker? Of kon het gewoon niemand wat schelen? Of vermoedden ze net als hij dat ze er gewoon even genoeg van had en er voor een paar dagen tussenuit was gegaan om weer tot zichzelf te komen?

Hij kwam in de verleiding om te zeggen dat wat hij te vertellen had ging over de verblijfplaats van de vrouw van de senator, maar hij wist dat hij zich kon vergissen. Bovendien, nu hij erover nadacht, besefte hij pas goed hoe vreemd het zou klinken als hij hun nachtelijk rendez-vous op de Place de la Concorde moest uitleggen. En waarom precies had hij haar gevolgd? In het ongunstigste geval zou het een enorm schandaal hebben kunnen veroorzaken, voor haar zowel als voor hem. Hij besefte nu dat het verkeerd was geweest om te komen. Hij had moeten bellen en ging terug naar zijn kamer om dat te doen. Maar zodra hij de telefoon oppakte zag hij weer haar foto op CNN. Deze verslaggever onderzocht meer de mogelijkheid van zelfmoord in plaats van die van ontvoering. Ze lieten oude foto's zien van haar overleden kind, en toen foto's van haar, huilend op de begrafenis. En de gepijnigde ogen die hem vanaf het scherm aanstaarden, smeekten hem haar niet te verraden. Daarna werd een expert op het gebied van depressies geïnterviewd en ze spraken over de krankzinnige dingen die mensen soms deden als ze alle hoop verloren hadden. Ze dachten dat dat met Olivia Thatcher was gebeurd toen haar zoontje stierf. Peter kon ze wel iets doen. Wat wisten ze van haar pijn, haar leven, haar verdriet? Waar haalden ze het recht vandaan om haar leven uit elkaar te rafelen? Ze gingen helemaal terug naar foto's van haar bruiloft en van de begrafenis van haar zwager, een halfjaar nadat ze met Andy was getrouwd.

Peter had de telefoon in zijn hand toen ze begonnen over de tragedies die de familie Thatcher hadden getroffen: de moord op Tom Thatcher, zes jaar geleden, het zoontje dat overleden was en nu de tragische verdwijning van Olivia Thatcher. Ze noemden het al tragisch. De telefoniste kwam aan de lijn en vroeg wat ze voor Peter kon doen. Hij stond op het punt haar het nummer van de kamer van Thatcher te geven toen hij ineens bedacht dat hij het niet kon doen. Nog niet. Hij zou eerst zelf gaan kijken. Als ze er niet was, dan zou hij weten dat haar iets overkomen was en zou hij Andy zo snel mogelijk bellen. In werkelijkheid had hij geen verplichtingen aan haar, maar na de afgelopen nacht vond hij dat hij haar zijn stilzwijgen schuldig was. Hij hoopte alleen dat hij door het uitstel haar leven niet in gevaar bracht.

Toen hij de hoorn neerlegde, zei de nieuwslezer op CNN dat haar ouders, gouverneur Douglas en zijn vrouw, tot nu toe niet beschikbaar waren voor commentaar over de myste-rieuze verdwijning van hun dochter in Parijs. De stem zeur-de maar door en Peter pakte een trui uit de kast. Hij wens-te dat hij een spijkerbroek had meegenomen, maar hij had niet kunnen voorzien dat hij die had kunnen gebruiken. Het was niet bepaald het soort kleren dat hij bij vergade-ringen droeg.

Toen belde hij de balie, en nadat hem was verteld dat er

op dit uur van de avond geen vluchten naar Nice meer waren en dat de laatste trein over vijf minuten vertrok, vroeg hij om een auto en een kaart waarmee hij van Parijs naar Zuid-Frankrijk kon komen. Ze boden hem een chauffeur aan, maar hij zei dat hij zelf wilde rijden, hoewel het zeker sneller en gemakkelijker zou gaan met een chauffeur. Maar het zou ook heel wat minder privé zijn. Ze zeiden dat ze alles over een uur voor hem klaar zouden hebben en dat hij de auto voor het hotel zou vinden met de kaarten erin. Het was op dat moment iets na zevenen en toen hij om acht uur naar beneden ging stond er een nieuwe Renault op hem te wachten met op de voorbank een stapel kaarten. De portier vertelde hem heel behulpzaam hoe hij Parijs uit moest rijden. Hij had geen koffers bij zich, helemaal geen bagage. Alles wat hij bij zich had was een appel, een fles mineraalwater en een tandenborstel in z'n zak. Toen hij achter het stuur ging zitten had hij een beetje het gevoel aan een hopeloze onderneming te beginnen. Hij had bij de balie al vastgesteld dat hij, indien nodig, de auto in Nice of in Marseille achter kon laten en terug kon vliegen naar Parijs. Maar dat was alleen als hij haar niet kon vinden. Hij vroeg zich af of ze met hem mee terug zou rijden als hij haar vond. Ze konden in ieder geval op de terugweg praten. Er was blijkbaar heel veel waar ze over piekerde en misschien kon hij haar onderweg naar Parijs helpen met zichzelf in het reine te komen.

De Autoroute du Soleil was op dat uur van de avond nog redelijk druk. Pas na Orly werd het wat rustiger en hij kon de daaropvolgende uren zijn snelheid wat verhogen. Tegen de tijd dat hij Pouilly bereikte, voelde Peter zich merkwaardig kalm. Hij wist niet precies waarom, maar hij had het gevoel dat hij de juiste beslissing had genomen voor haar. En voor de eerste keer in dagen voelde hij zich bevrijd van al zijn lasten en zorgen. Met een auto hard door de avond rijden had iets bevrijdends, iets waardoor hij het gevoel had dat hij al zijn zorgen achter zich had gelaten. Het was gisternacht heerlijk geweest om met haar te praten, alsof je een vriend vond op een onverwachte plaats. En terwijl hij reed zag hij alleen haar gezicht, haar ogen die hem obsedeerden, net als toen hij haar voor het eerst zag. Hij dacht aan haar zoals hij haar in het zwembad had gezien, van hem wegzwemmend als een kleine, sierlijke zwarte vis... en bijna hollend over de Place Vendôme de vorige avond, naar de vrijheid... de hopeloze blik in haar ogen toen ze terugging... de vredige uitstraling die ze had als ze over het kleine vissersdorpje sprak. Het was idioot om haar door Frankrijk achterna te gaan, daar was hij zich van bewust. Hij kende haar nauwelijks. En toch, net zoals hij gevoeld had haar te moeten volgen vanaf het plein gisteravond, wist hij nu dat hij dit moest doen. Op dat moment wist hij nog niet waarom, maar hij moest haar vinden.

De weg naar La Favière was lang en saai, maar omdat hij ongehinderd door kon rijden ging het sneller dan verwacht en deed hij er precies tien uur over. Om zes uur, net toen de zon opkwam, reed hij langzaam het dorp binnen. De appel was allang op en de fles water naast hem was vrijwel leeg. Hij was een paar keer gestopt voor koffie en om wakker te blijven had hij tijdens de rit de radio aan- en de ramen opengezet. Nu hij zijn bestemming bereikt had, was hij werkelijk doodop. Het was zijn tweede doorwaakte nacht in twee dagen. Zowel de opwinding over het feit dat hij er nu was en de adrenaline die hem had aangespoord begonnen af te zakken en hij besefte dat hij een uurtje moest slapen voor hij aan zijn speurtocht naar haar begon. Het was trouwens toch te vroeg om haar te zoeken. Iedereen in La Favière sliep nog, behalve de vissers die naar de haven begonnen te komen. Peter zette de auto aan de kant van de weg en klom op de achterbank. Het was nogal krap, maar het was precies wat hij nodig had.

Het was negen uur toen hij wakker werd en kinderen in de buurt van de auto hoorde spelen. Hun stemmen werden luider toen ze langs de auto renden en boven zich hoorde Peter zeemeeuwen krijsen. Er was een verscheidenheid aan klanken en geluiden toen hij rechtop ging zitten en zich ontzettend duf voelde. Het was een lange nacht geweest en een lange rit, maar als hij haar vond zou het de moeite waard zijn geweest. Hij rekte zich uit en moest lachen toen hij een glimp van zichzelf in de achteruitkijkspiegel opving. Hij zag er echt niet uit, kleine kinderen zouden vast bang van hem worden.

Hij kamde zijn haar en poetste z'n tanden met het laatste beetje mineraalwater en zag er zo netjes uit als maar mogelijk was toen hij uit de auto stapte en aan zijn zoektocht begon. Hij had geen idee waar hij moest beginnen en hij liep langzaam achter de kinderen die hij gehoord had aan. Bij de bakker kocht hij een *pain au chocolat*, en weer buiten, liep hij naar de waterkant en keek naar de zee. De vissersboten waren al uitgevaren, in de haven lagen nog kleine sleepboten en wat zeilscheepjes. Oude mensen stonden in groepjes de dingen van de dag te bespreken, terwijl de jongere mannen doorgingen met vissen. De zon stond inmiddels hoog aan de hemel en terwijl hij om zich heen keek, vond Peter dat ze gelijk had gehad. Het was de perfecte plaats om er je toevlucht te zoeken, vredig en mooi, en er ging iets buitengewoon vriendelijks van uit, als de omarming van een oude vriend. Dicht bij de haven was een lang zandstrand. Hij at zijn chocolade-croissant op en begon langzaam over het zand te wandelen, wensend dat hij een kop koffie had. Hij voelde zich gebiologeerd door de zon en de zee en probeerde te bedenken hoe hij haar moest vinden. Hij liep bijna het hele strand af, ging op een rots zitten en dacht aan haar. Hij vroeg zich af of ze boos zou zijn als hij haar vond, of ze hier wel was. Toen hij opkeek zag hij een meisje de bocht omkomen van een ander strand dat er net achter lag. Ze was op blote voeten en in een T-shirt en shorts, ze was klein en tenger en haar donkere haar wapperde in de wind, ze keek naar hem op en glimlachte. Hij kon alleen maar staren. Het was alsof het voorbestemd was. Zo moeiteloos, zo eenvoudig. Ze was er, glimlachte tegen hem vanaf de andere kant van het strand, of ze op hem had gewacht. En met die glimlach, die alleen voor hem bedoeld was, liep Olivia Thatcher langzaam op hem af.

'Ik neem aan dat dit geen toeval is,' zei ze zacht toen ze naast hem op de rots ging zitten. Hij was nog steeds enigszins verbluft en had nog niet bewogen vanaf het moment dat hij haar zag. Hij was te veel van zijn stuk gebracht door haar plotselinge aanwezigheid.

'Je zei dat je terug zou gaan,' zei hij en keek haar doordringend aan. Hij zei het niet boos, hij was niet meer verbaasd, hij was er gewoon, en volkomen op zijn gemak met haar.

'Dat ging ik ook. Dat was ik van plan. Maar toen ik er was merkte ik dat ik het niet kon.' Ze zag er triest uit toen ze dat zei. 'Hoe wist je waar ik was?' vroeg ze vriendelijk. 'Ik zag het op CNN.' Hij glimlachte en zij keek geschokt. 'Dat ik hier ben?'

Hij moest lachen om die vraag. 'Nee, meisje. Ze zeiden alleen dat je verdwenen was. Ik was de hele dag in de veronderstelling dat je terug was in je leven van senatorsvrouw, zij het met tegenzin, en toen ik om zes uur het nieuws aanzette, zag ik jou ineens. Ontvoerd, naar het zich liet aanzien. En ze hebben een foto van mij, als mogelijke ontvoerder, terwijl ik achter je loop op de Place Vendôme, maar gelukkig kun je er niet veel op zien.' Hij lachte. Het was allemaal zo ongerijmd en nogal bespottelijk. Hij zei niets over de berichten over haar depressie.

'Lieve hemel, daar had ik geen idee van.' Ze zag er somber uit toen ze in zich opnam wat hij haar zojuist had verteld. 'Ik was van plan een briefje achter te laten voor Andy dat ik over een paar dagen weer terug zou zijn. Maar uiteindelijk deed ik het toch maar niet. Ik ben gewoon gegaan. Ik heb de trein genomen,' zei ze bij wijze van uitleg en hij knikte. Hij probeerde nog steeds alles wat hem hier had gebracht te begrijpen. Hij was haar nu twee keer achternagegaan, gedreven door een kracht die hij niet kon verklaren, maar waar hij ook geen weerstand aan kon bieden. Haar ogen blikten diep in de zijne en geen van beiden bewoog. Zijn ogen streelden haar, maar ze maakten geen van beiden aanstalten elkaar aan te raken. 'Ik ben blij dat je gekomen bent,' zei ze zacht.

'Ik ook...' En ineens zag hij er weer uit als een jongen, met zijn verwaaide haar dat door de wind voor zijn ogen geblazen werd. Zijn ogen hadden de kleur van de zomerhemel toen hij haar aankeek. 'Ik was er niet zeker van dat je niet boos zou zijn als ik je vond.' Daar had hij zich de hele weg vanaf Parijs zorgen over gemaakt. Ze had het als een onvergeeflijke opdringerigheid kunnen beschouwen dat hij haar gevolgd was.

'Hoe zou ik dat kunnen? Je bent zo aardig voor me geweest... je hebt naar me geluisterd... het onthouden.' Het maakte een diepe indruk op haar dat hij haar had gevonden, dat hij genoeg om haar gaf om die moeite te nemen. Het was een lange reis vanaf Parijs. Plotseling sprong ze op, terwijl ze er meer dan ooit als een klein meisje uitzag, en stak haar hand naar hem uit. 'Kom, laten we gaan ontbijten. Je zult wel uitgehongerd zijn na de hele nacht gereden te hebben.' Ze schoof haar hand onder zijn arm toen ze langzaam naar de haven liepen. Ze liep met smalle, sierlijke voeten over het hete zand, maar dat scheen haar niet te deren. 'Ben je erg moe?'

Hij lachte en dacht eraan hoe uitgeput hij bij aankomst was geweest. 'Ik ben oké. Ik heb een uur of drie geslapen toen ik hier aankwam. Ik krijg niet bepaald veel nachtrust als jij in de buurt bent.' Maar het leven was ook niet saai met haar in de buurt. Dat was zeker.

'Dat spijt me echt,' zei ze en even later ging ze met hem een piepklein restaurantje binnen, waar ze alle twee een omelet, croissants en koffie bestelden. Peter verslond het heerlijk geurende en overvloedige maal. Zij at nauwelijks. Ze zat naar hem te kijken en dronk de sterke zwarte koffie.

'Ik kan nog steeds niet geloven dat je hier bent,' zei ze zacht. Ze zag er blij maar enigszins weemoedig uit. Andy zou zoiets nooit gedaan hebben. Zelfs niet in de begintijd.

'Ik heb nog geprobeerd om je man over dit plaatsje te vertellen,' zei hij eerlijk. Ze keek plotseling heel erg geschrokken.

'Wat heb je gezegd? Heb je hem verteld waar je dacht dat ik heen was gegaan?' Ze wilde niet dat Andy hierheen kwam. Ze vond het niet erg dat Peter hier nu was, eigenlijk was ze blij dat hij was gekomen, maar ze was er nog niet aan toe om Andy te zien. Hij was de voornaamste reden voor haar vertrek uit Parijs.

'Ik heb hem uiteindelijk helemaal niets verteld,' stelde Peter haar gerust. 'Ik was het van plan, maar ik werd afgescheept toen ik hem in jullie suite wilde opzoeken. De politie was er, de geheime dienst, lijfwachten, en het klonk alsof hij in een vergadering zat.'

'Het had beslist niets met mij te maken. Hij voelt loepzuiver aan wanneer hij zich ongerust moet maken en wanneer niet. Daarom heb ik ook geen briefje achtergelaten. Dat zal wel verkeerd zijn geweest, maar hij kent me goed genoeg om te weten dat er niets aan de hand is met mij. Ik denk niet dat hij echt gelooft dat ik ontvoerd ben.'

'Die indruk kreeg ik ook toen ik naar de suite ging,' zei Peter langzaam. Er had geen hevige panieksfeer gehangen zoals je zou verwachten als hij echt gedacht had dat ze in gevaar was. Hij had niet de indruk dat Anderson Thatcher ongerust was, daarom had hij zich vrij gevoeld om zelf hierheen te gaan en hem later te bellen. 'Ga je hem nu bellen, Olivia?' vroeg Peter bezorgd. Hij vond dat ze dat in ieder geval moest doen.

'Ja, dat doe ik nog wel. Ik weet nog niet wat ik zeggen wil. Ik weet niet zeker of ik terugga, hoewel ik denk dat ik wel zal moeten, tenminste voor even. Ik ben hem een soort verklaring schuldig.' Maar wat viel er uit te leggen? Dat ze niet meer met hem wilde leven, dat ze eens van hem had gehouden maar dat haar liefde nu verdwenen was, dat hij verraad had gepleegd tegenover iedere hoop, ieder greintje fatsoen, alles waar zij ooit om gegeven had of wat zij van hem had verwacht? Voor haar gevoel was er niets meer om naar terug te gaan. Dat had ze de vorige nacht ontdekt toen ze de sleutel in het slot van hun suite had gestoken en merkte dat ze die gewoon niet kon omdraaien. Ze kon niet naar binnen. Ze zou alles gedaan hebben wat nodig was om aan hem te ontsnappen. En zij betekende ook niets meer voor hem. Dat wist ze. Dat was al jaren zo. Het grootste deel van de tijd was hij zich niet eens van haar bestaan bewust.

'Olivia, ga je bij hem weg?' vroeg Peter vriendelijk toen ze hun ontbijt op hadden. Het ging hem niets aan, maar hij had tien uur gereden om te kijken of alles in orde was met haar en of haar niets was overkomen. Dat gaf hem enig recht op tenminste een minimum aan informatie, vond ze. 'Ik denk het wel.'

'Weet je het zeker? In jullie wereldje zal dat waarschijnlijk een enorme opschudding veroorzaken.'

'Minder dan wanneer ze jou hier bij mij vinden,' lachte ze en hij grinnikte. Daar kon ze wel eens gelijk in hebben.

Toen werd ze weer ernstig. 'De opschudding schrikt me niet af. Het is allemaal een hoop lawaai, zoals vuurwerk op oudejaarsavond. Dat is het probleem niet. Ik kan gewoon niet meer leven met de leugens, met het gehuichel, met het onwaarachtige van het leven in de politiek. Ik heb mijn portie daarvan gehad, genoeg voor tien mensenlevens. En ik weet dat ik nog een verkiezing gewoon niet meer aankan.'

'Denk je dat hij zich volgend jaar kandidaat stelt voor het presidentschap?'

'Mogelijk. Zeer waarschijnlijk,' zei ze, erover nadenkend. 'Maar als hij dat doet, doe ik niet mee. Ik ben hem iets verschuldigd, maar dat niet. Dat is te veel gevraagd. We zijn met de beste bedoelingen begonnen en ik weet dat Alex veel voor hem betekende, hoewel hij er nooit was als hij er wel had moeten zijn. Maar meestal begreep ik dat. Ik denk dat hij veranderd is toen zijn broer stierf. Ik denk dat toen ook iets in Andy gestorven is. Hij heeft alles wat hij ooit was, of waar hij om gaf aan de kant gezet voor de politiek. Ik kan dat gewoon niet. Ik zie ook niet in waarom ik dat zou moeten doen. Ik wil niet zo worden als mijn moeder. Ze drinkt te veel, heeft last van migraine en nachtmerries, leeft in constante angst voor de pers en haar handen trillen. Bovendien is ze altijd als de dood iets te doen dat mijn vader in verlegenheid kan brengen. Niemand kan onder zo'n druk leven. Ze zit volkomen in de knoei en dat is al jaren zo. Maar ze ziet er geweldig uit. Ze heeft een facelift genomen, en ze verbergt haar angst. En papa sleept haar mee naar iedere vergadering, lezing, verkiezingsrede en bijeenkomst. Als ze eerlijk was zou ze toegeven dat ze hem erom haat, maar zoiets doet ze niet. Hij heeft haar leven verpest. Ze had jaren geleden bij hem weg moeten gaan, dan zou ze nu een ongeschonden mens zijn. Volgens mij is ze alleen maar bij hem gebleven om hem geen verkiezing te laten verliezen.' Peter luisterde met een ernstig gezicht naar haar, diep onder de indruk van wat ze zei. 'Als ik geweten had dat Andy in de politiek zou gaan, was ik nooit met hem getrouwd. Ik had het waarschijnlijk kunnen weten,' zei Olivia met een droevig gezicht.

'Je kon niet weten dat zijn broer vermoord zou worden, of dat hij zo meegesleept zou worden,' zei Peter redelijk.

'Misschien is het alleen maar een excuus, misschien zou alles toch ingestort zijn. Wie zal het zeggen.' Ze haalde haar schouders op en wendde zich af, keek uit het raam. De vissersboten zagen eruit als speelgoed aan de horizon. 'Het is hier zo mooi... ik wou dat ik hier voor altijd kon blijven.' Het klonk alsof ze het meende.

'Is dat zo?' vroeg hij vriendelijk. 'Als je bij hem weggaat, kom je dan hier terug?' Hij wilde weten waar hij zich haar moest voorstellen in zijn gedachten tijdens lange, koude winteravonden in Greenwich.

'Misschien,' antwoordde ze, nog steeds onzeker over heel veel dingen. Ze besefte dat ze terug moest naar Parijs om met Andy te praten, hoewel ze daar enorm tegenop zag. Nu ze het fabeltje van de ontvoering twee dagen lang had laten voortduren, kon ze zich voorstellen wat voor circus hij ervan zou maken als ze terugkwam in Parijs.

'Ik heb gisteren met mijn vrouw gesproken,' zei Peter bedaard, terwijl Olivia in stilte aan haar man zat te denken. 'Het was vreemd met haar te praten na alles wat wij laatst besproken hebben. Ik heb altijd alles wat ze deed verdedigd... ook de relatie met haar vader, hoewel ik daar niet echt blij mee was. Maar nadat ik met jou gepraat heb, irriteert het me plotseling allemaal.' Hij kon zo eerlijk met haar praten, kon alles tegen haar zeggen wat hij voelde. Zij was zo open, zo intens, toch paste ze ervoor op hem niet te kwetsen en dat voelde hij. 'Ze had de vorige dag met haar vader gedineerd, gisteren heeft ze met hem geluncht en van de zomer brengt ze twee maanden met hem door, dag en nacht. Soms heb ik het gevoel dat ze met hem is getrouwd en niet met mij. Ik denk dat ik het altijd zo gevoeld heb. Het enige waarmee ik mezelf troostte, is dat we een goed leven en geweldige zoons hebben en dat haar vader me de vrije hand geeft in het bedrijf.' Vreemd genoeg had dit hem altijd heel veel geleken, maar nu ineens niet meer.

'Laat hij je doen wat je wilt?' Ze oefende nu druk op hem uit, iets wat ze in Parijs niet had gedurfd. Maar deze keer was hij er zelf over begonnen. Ze kenden elkaar nu beter. Dat hij naar La Favière gekomen was had hen nog dichter bij elkaar gebracht.

'Frank laat me aardig mijn gang gaan. Meestal.' Hij ging niet verder. Ze kwamen op gevaarlijk terrein. Zij stond op het punt om Andy te verlaten, daar had ze haar eigen redenen voor, maar hij was niet van plan zijn huwelijksbootje met Katie aan het wankelen te brengen. Daar was hij zeker van.

'En als Vicotec slecht te voorschijn komt uit de tests die ze nu doen? Wat doet hij dan?'

'Erachter blijven staan, naar ik hoop. We zullen dan nog meer onderzoek moeten doen, hoewel dat beslist duur zal zijn.' Dat was het understatement van de eeuw, maar hij kon zich niet voorstellen dat Frank zich nu terug zou trekken. Hij vond Vicotec grandioos. Ze zouden het CBG gewoon moeten vertellen dat ze nog niet klaar waren.

'We sluiten allemaal compromissen,' zei Olivia zacht. 'Het wordt alleen een probleem als we gaan vinden dat we er te veel gesloten hebben. Misschien heb je dat, of misschien doet het er niet toe zolang je gelukkig bent. Ben je dat?'

vroeg ze, terwijl ze hem met haar enorme ogen aankeek. Ze vroeg het nu niet als vrouw, maar als vriendin.

'Ik denk het.' Hij zag er plotseling onzeker uit. 'Dat heb ik altijd gedacht, maar om eerlijk te zijn, Olivia, als ik zo naar jou luister, begin ik het me af te vragen. Ik heb in zoveel dingen toegegeven. Waar we wonen, waar de jongens nu naar school gaan, waar we onze zomers doorbrengen. En dan denk ik, nou en, wat doet het ertoe? De moeilijkheid is dat het er voor mij misschien wel toe doet. En misschien zou het me geen barst kunnen schelen als Katie er voor me was, maar plotseling, als ik naar haar luister besef ik dat ze er niet voor me is. Ze is of ergens naar een commissievergadering, of iets aan het doen voor de kinderen of voor zichzelf, of bij haar vader. Zo gaat het al een hele tijd, zeker sinds de jongens naar kostschool zijn, of misschien zelfs al daarvoor. Maar ik heb het zo druk gehad, ik heb mezelf niet de kans gegeven het op te merken. Maar ineens, na achttien jaar, is er niemand met wie ik kan praten. Ik zit hier met jou te praten, in een vissersdorpje in Frankrijk, en ik vertel je dingen die ik nooit tegen haar zou zeggen... omdat ik haar niet kan vertrouwen. Dat is een heel ernstige uitspraak,' zei hij triest, 'en toch...' Hij keek haar recht aan en pakte over de tafel heen Olivia's hand. 'Ik wil niet bij haar weg. Daar heb ik zelfs nog nooit aan gedacht. Ik kan me niet voorstellen bij haar weg te gaan, of een ander leven te leiden dan dat wat ik met haar heb, en onze jongens... maar plotseling ben ik me bewust van iets dat ik nooit geweten heb of onder ogen durfde te zien. Ik ben nu helemaal alleen.' Olivia knikte zwijgend. Dat gevoel kende ze maar al te goed, en dit had ze al vermoed vanaf de eerste keer dat ze met elkaar praatten in Parijs. Maar ze was ervan overtuigd dat hij het niet besefte. De dingen waren gewoon voortgerold tot hij zichzelf tegenkwam op een plaats die hij niet verwacht had. Toen keek hij haar met grote oprechtheid aan. Er was nog iets dat hij in de laatste twee dagen over zichzelf te weten was gekomen. 'Hoe ik me ook voel, of hoe ze me ook in de steek heeft gelaten, ik denk niet dat ik ooit het lef zal hebben haar te verlaten. Er zou zoveel opgelost moeten worden.' Alleen al de gedachte zijn leven weer helemaal opnieuw te moeten beginnen deprimeerde hem in hoge mate.

'Het zou niet gemakkelijk zijn,' zei Olivia zacht, terwijl ze aan zichzelf dacht en nog steeds zijn hand vasthield. Hij daalde niet in haar achting door wat hij tegen haar zei. Integendeel, ze waardeerde hem nog meer omdat hij in staat was het te zeggen. 'Ik ben er ook doodsbenauwd voor. Maar jij hebt in ieder geval een leven met haar, ook al zitten er barstjes in. Ze is er, ze praat met je, ze geeft om je op haar eigen manier, ook al is ze wat beperkt of heeft ze een te sterke binding met haar vader. Maar ze heeft vast ook een band met jou en met je kinderen. Je hebt een leven samen, Peter, zelfs al is het niet bepaald perfect. Andy en ik hebben niets samen. Al jaren niet meer. Hij is er niet meer, al bijna vanaf het begin niet.' Peter vermoedde dat het maar al te waar was en probeerde niet hem te verdedigen.

'Dan kun je misschien inderdaad beter weggaan.' Hij maakte zich nu echter zorgen om haar, ze leek zo kwetsbaar en zo broos. Hij zag niet graag dat ze alleen was, zelfs niet hier, in haar schilderachtige dorpje. Hij dacht er steeds aan hoe vreselijk het zou zijn haar nooit meer te zien. Na nauwelijks twee dagen was ze al belangrijk voor hem en hij kon zich niet voorstellen hoe het zou zijn niet meer met haar te kunnen praten. De legende die hij vluchtig in de lift had gezien, was een vrouw geworden.

'Kun je niet een poosje naar je ouders gaan tot alles weer een beetje gekalmeerd is en dan hier terugkomen?' Hij probeerde haar te helpen om tot een oplossing te komen en ze glimlachte tegen hem. Ze waren echte vrienden, medeplichtigen nu.

'Misschien. Ik weet niet of mijn moeder sterk genoeg is om dat aan te kunnen, vooral als mijn vader tegen mij ingaat en Andy's kant kiest.'

'Wat aardig,' zei Peter afkeurend. 'Denk je dat hij zoiets zou doen?'

'Zou kunnen. Politici nemen het meestal voor elkaar op. Mijn broer is het eens met alles wat Andy doet, gewoon uit principe. En mijn vader verdedigt hem altijd. Het is prettig voor hen, maar ellendig voor ons. Mijn vader vindt dat Andy zich kandidaat moet stellen voor het presidentschap. Ik denk niet dat mijn desertie hun goedkeuring zou wegdragen. Het zal zeker een nadelige invloed hebben op zijn kansen, of hem helemaal uitschakelen voor de race. Een gescheiden president is ondenkbaar. Persoonlijk denk ik dat ik hem een dienst zou bewijzen. Ik denk dat die baan een nachtmerrie is. Een hel. Daar twijfel ik geen moment aan. Het zou mij kapotmaken.' Hij knikte, verbaasd dat hij dit überhaupt met haar zat te bespreken. Hoe gecompliceerd zijn eigen leven ook was, helemaal nu Vicotec misschien wel in rook op zou gaan, het was beslist eenvoudiger dan het hare. Zijn leven was tenminste niet openbaar. Maar van haar werd iedere stap kritisch bekeken. In zijn familie had niemand in de verste verte de intentie zich kandidaat te stellen voor een overheidsfunctie, behalve dan Kate voor het schoolbestuur. Olivia daarentegen had in haar familie een gouverneur, een senator, een congreslid en, vooropgesteld dat ze hem niet verliet, wellicht een president in de nabije toekomst. Het was verbazingwekkend.

'Denk je dat je zou kunnen blijven, als hij besluit zich kandidaat te stellen, bedoel ik?'

'Ik zou niet weten hoe. Dat zou het ultieme verraad zijn. Maar ik veronderstel dat alles mogelijk is. Als ik mijn verstand verlies, of als hij me geboeid en gekneveld in een kast opsluit. Hij zou de mensen kunnen vertellen dat ik sliep.' Peter glimlachte. Nadat hij voor hun ontbijt had betaald, liepen ze langzaam gearmd het restaurant uit. Het verbaasde hem hoe goedkoop het eten was.

'Als hij dat zou doen, zou ik je weer moeten komen redden,' zei hij met een grijns toen ze op de kade gingen zitten en hun voeten boven het water lieten bungelen. Hij droeg nog steeds een wit overhemd en de broek van zijn pak en zij was nog steeds blootsvoets. Ze vormden een boeiend contrast.

'Is dat wat je hier kwam doen?' vroeg ze met een brede grijns, terwijl ze ongedwongen tegen hem aanleunde. 'Mij redden?' Ze keek vergenoegd bij de omschrijving. Al jarenlang had niemand haar gered en het was een aangenaam gebaar.

'Dat dacht ik... je weet wel, uit de handen van ontvoerders, of terroristen, of wie die vent in het witte overhemd ook geweest mag zijn die jou volgde vanaf de Place Vendôme. Het leek me een behoorlijk louche type. Ik dacht heus dat een reddingsactie op z'n plaats was.' Hij glimlachte tegen haar, terwijl ze daar in de zon zaten en hun benen lieten wiebelen als kinderen.

'Mooi is dat,' zei ze en stelde toen voor om terug te gaan naar het strand. 'We kunnen naar mijn hotel gaan en van daaruit gaan zwemmen.' Daar moest hij om lachen. Hij was bepaald niet gekleed om te gaan zwemmen. 'We kunnen een short voor je kopen of een zwembroek. Het is zonde om niet van dit weer te profiteren.'

Hij keek haar weemoedig aan. Het was zonde om niet van dit alles te profiteren, maar er waren grenzen aan wat ze konden doen. 'Ik moet eigenlijk terug naar Parijs. Het heeft me bijna tien uur gekost om hierheen te rijden.'

'Doe niet zo idioot. Je kunt toch niet dat hele eind rijden alleen voor een ontbijt. Bovendien heb je daar niets te doen behalve op een telefoontje van Suchard te wachten en misschien belt hij niet eens. Je kunt het hotel bellen of er boodschappen voor je zijn en hem hiervandaan bellen als dat nodig is.'

'Zo, dat is dan ook weer geregeld,' zei hij en lachte om haar snelle afhandeling van zijn verplichtingen.

'Je kunt een kamer in mijn hotel nemen en dan kunnen we morgen samen terugrijden,' zei ze op zakelijke toon. Ze stelde daarmee hun vertrek een dag uit, maar Peter was er helemaal niet zo zeker van dat het een goed idee was, hoewel de uitnodiging meer dan verleidelijk was.

'Vind je niet dat je hem op z'n minst moet bellen?' stelde Peter rustig voor, terwijl ze hand in hand in de brandende zon over het strand liepen. Toen hij naar haar keek, zo stralend naast hem, besefte hij dat hij in zijn hele leven nog nooit zo'n gevoel van vrijheid had gekend.

'Dat hoeft niet per se,' zei Olivia, die er allesbehalve schuldbewust uitzag. 'Denk eens aan de publiciteit die hij hier uitsleept, aan de sympathie en de aandacht die hij krijgt. Het zou ontzettend jammer zijn om dat voor hem te verpesten.'

'Je hebt te lang in de politiek gezeten,' lachte Peter, ondanks zichzelf en ging naast haar op het zand zitten toen ze hem naar beneden trok. Z'n schoenen en sokken had hij inmiddels uitgetrokken en hij voelde zich als een soort strandzwerver. 'Je begint hun manier van denken over te nemen.'

'Geen sprake van. Zelfs op m'n allerergst ben ik niet verdorven genoeg. Ik zou het niet kunnen. Er is niets dat ik daarvoor heftig genoeg begeer. Het enige in mijn leven dat ik ooit wilde, heb ik verloren. Nu heb ik niets meer om te verliezen.' Het was de meest trieste uitspraak die hij ooit had gehoord. Hij wist dat ze het over haar kindje had.

'Misschien krijg je te zijner tijd nog meer kinderen, Olivia,' zei hij vriendelijk. Ze lag met gesloten ogen naast hem op het zand, alsof ze de smart buiten kon sluiten als ze weigerde die te zien. Maar hij zag de tranen in haar ooghoeken en hij veegde ze voorzichtig weg. 'Het moet vreselijk geweest zijn... ik vind het zo erg voor je...' Hij zou het liefst samen met haar een potje huilen, haar in zijn armen nemen, alle leed die ze de laatste zes jaar had gehad van haar wegnemen. Maar hij voelde zich ommachtig om iets te doen terwijl hij naar haar keek.

'Het was afschuwelijk,' fluisterde ze, nog steeds met gesloten ogen. 'Dank je, Peter... voor je vriendschap... en voor het feit dat je hier bent.' Ze opende haar ogen en keek hem aan. Hun ogen ontmoetten elkaar en lieten elkaar een hele tijd niet meer los. Hij had een lange weg afgelegd voor haar en plotseling, in dit kleine Franse plaatsje, verborgen voor iedereen die hen kende, wisten ze beiden dat ze er voor elkaar waren zolang dat mogelijk was, zolang ze dat durfden. Hij steunde op een elleboog en keek op haar neer en wist met absolute zekerheid dat hij nog nooit voor iemand deze gevoelens had gehad en nog nooit iemand had gekend zoals zij. Hij kon op dit moment aan niets of niemand anders denken.

'Ik wil er voor je zijn,' zei hij zachtjes, terwijl hij met zijn vingers haar gezicht en haar lippen beroerde.

'... En daar heb ik het recht niet toe. Ik heb nog nooit zoiets gedaan.' Hij werd gekweld door haar en toch was ze als een balsem op al zijn wonden. Bij haar te zijn was het beste dat hem ooit overkomen was en ook het meest verwarrende.

'Dat weet ik,' zei ze zacht. In haar binnenste, in haar hart en haar ziel kende ze hem door en door. 'Ik verwacht niets van je,' verklaarde ze, 'je bent er al meer voor me geweest dan wie ook in de laatste tien jaar. Meer dan dat mag ik niet vragen... en ik wil je niet ongelukkig maken.' Ze keek verdrietig naar hem op. In sommige opzichten wist ze zoveel meer van het leven dan hij, meer over verdriet, over verlies, over pijn, maar nog meer over verraad.

'Sst...' zei hij en legde een vinger op haar lippen. Zonder nog iets te zeggen lag hij dicht naast haar, nam haar in zijn armen en kuste haar. Er was niemand die hen kon zien, of die zich druk maakte over wat ze deden, niemand die foto's maakte of hen tegenhield. Ze hadden alleen hun geweten en de belemmeringen die ze met zich hadden meegebracht en die als aangespoelde wrakstukken uit zee om hen heen lagen. Hun kinderen, hun partners, hun herinneringen, hun levens. Maar niets van dat alles leek van belang toen hij haar kuste met alle hartstocht die zich door de jaren heen had opgekropt en allang vergeten leek. Ze lagen een hele poos in elkaars armen en haar kussen waren net zo hunkerend als de zijne, haar ziel was nog verlangender. Het duurde een hele poos voor ze zich herinnerden waar ze waren en zich dwongen elkaar los te laten. Ze lagen daar en glimlachten tegen elkaar.

Hij trok haar nog dichter tegen zich aan en zei ademloos: 'Ik hou van je, Olivia. Dat zal je wel idioot in de oren klinken na twee dagen, maar ik heb het gevoel dat ik je al mijn hele leven ken. Ik heb het recht niet om zoiets te zeggen... maar ik hou van je.' Hij keek op haar neer met een blik in zijn ogen die daar nog nooit was geweest. Ze glimlachte.

'Ik hou ook van jou. Alleen God weet wat het ons zal opleveren, waarschijnlijk niet veel, maar ik ben nog nooit in mijn leven zo gelukkig geweest. Misschien moeten we er alle twee vandoor gaan. Andy en Vicotec kunnen barsten.'

Ze moesten beiden lachen om de hooghartige manier waarop ze dat zei. Het was raar als je bedacht dat op dat moment geen levende ziel wist waar ze waren. Van haar werd gedacht dat ze ontvoerd was of erger en hij was gewoon verdwenen in een gehuurde auto, met een fles mineraalwater en een appel. Het was een spannend idee dat niemand ter wereld hen kon vinden.

En toen bedacht Peter iets. Misschien was Interpol op dit moment wel onderweg hierheen. 'Hoe komt het dat je man er niet aan heeft gedacht dat je misschien hierheen was gegaan?' Voor hem was het zo voor de hand liggend geweest, dus zou Andy dat ook wel bedacht hebben.

'Ik heb hem hier nooit iets over verteld. Ik heb het altijd als mijn geheim bewaard.'

'Echt waar?' Peter stond versteld toen hij dat hoorde. Hem had ze het de eerste avond dat ze met elkaar praatten al verteld. En tegen Andy had ze niets gezegd? Hij voelde zich gevleid. Ze scheen een enorm vertrouwen in hem te hebben, maar dat was wederzijds. Er bestond niets in de wereld dat hij haar niet verteld zou hebben, of al verteld had. 'Dan denk ik dat we hier wel veilig zijn. Voor een uur of wat tenminste.' Hij was nog steeds vastbesloten om laat in de middag terug te rijden, maar nadat ze een zwembroek voor hem hadden gekocht en naast elkaar in zee hadden gezwommen, begon zijn vastberadenheid te verslappen. Dit was heel wat spannender dan het in het zwembad van de Ritz was geweest. Hij kende haar toen nog niet eens, maar had haar wel zeer verleidelijk gevonden als ze langs hem zwom. Maar hier zwom ze heel vlak bij hem en hij kon zich nauwelijks beheersen.

Ze zei dat ze zwemmen in zee een beetje eng vond, daarom had ze nooit van zeilen gehouden. Ze was bang voor stromingen en getijden en voor allerlei vissen die om haar heen zwommen. Maar met hem voelde ze zich veilig en ze zwommen naar een bootje dat aan een boei lag. Ze klommen erin en rustten een poosje uit. Toen ze in het bootje lagen had hij al zijn wilskracht nodig om niet ter plekke de liefde met haar te bedrijven. Maar ze hadden al een afspraak gemaakt. Peter was er absoluut van overtuigd dat het alles zou bederven als er iets tussen hen gebeurde. Ze zouden alle twee verteerd worden door schuldgevoelens en bovendien wisten ze dat wat er ook zo plotseling tussen hen was opgebloeid, het geen andere toekomst kon hebben dan vriendschap. Ze konden zich niet veroorloven dat verloren te laten gaan door iets stoms te doen. En hoewel Olivia's huwelijk heel wat minder solide was dan dat van hem, en meer beschadigd, was ze het met hem eens. Als ze een verhouding met hem begon zou dat de zaken alleen maar ingewikkelder maken als ze terugging naar Parijs om met Andy te praten. Maar het was heel moeilijk om hun relatie zo platonisch mogelijk te houden en niet verder te gaan dan kussen. Toen ze terugkwamen op het strand praatten ze er weer over en deden hun best zich niet al te veel mee te laten slepen, maar het was verre van gemakkelijk. Hun lichamen waren nat en glad toen ze heel dicht bij elkaar lagen te praten over alle dingen die belangrijk waren voor hen. Ze hadden het over hun jeugd, die van haar in Washington, die van hem in Wisconsin. Hij vertelde haar dat hij zich altijd misplaatst had gevoeld bij hem thuis, dat hij zoveel meer had gewild en hoe gelukkig hij was geweest toen hij Kate ontmoette.

Ze vroeg hem naar zijn familie. Hij vertelde dat zijn moeder en zijn zuster aan kanker overleden waren en dat Vicotec daarom zoveel voor hem betekende.

'Als iets dergelijks voor hen beschikbaar was geweest, had het misschien verschil gemaakt,' zei hij triest.

'Misschien,' zei ze filosofisch. 'Maar soms kun je niet winnen, hoeveel wondermiddelen je ook tot je beschikking hebt.' Ze hadden van alles geprobeerd en waren toch niet in staat geweest om Alex te redden.

Toen vroeg ze, denkend aan zijn zuster: 'Had ze kinderen?' Hij knikte en er kwamen tranen in zijn ogen terwijl hij in de verte staarde. 'Komen ze wel eens op bezoek?'

Hij schaamde zich voor zijn antwoord. Hij keek Olivia in de ogen en wist hoe fout hij was geweest. Plotseling wilde hij daar verandering in brengen. Dat kwam door haar. Hij wilde ineens veel dingen veranderen, waarvan sommige gemakkelijker waren dan andere.

'Mijn zwager is binnen een jaar hertrouwd en verhuisd. Ik hoorde een hele tijd niets van hem. Ik weet niet waarom, misschien wilde hij het verleden achter zich laten. Hij heeft me niet gebeld om te zeggen waar ze waren, tot hij en zijn vrouw geld nodig hadden. Ik geloof dat er inmiddels een paar kinderen bijgekomen waren. En ik liet me door Katie vertellen dat het te lang geleden was, dat het ze waarschijnlijk geen spat kon schelen en dat de kinderen me niet meer zouden kennen. Ik heb het daarbij gelaten en ik heb al heel lang niets meer van hen gehoord. De laatste keer dat ik hem sprak, woonden ze op een boerderij in Montana. Soms vraag ik me af of Katie het prettig vindt dat ik behalve haar, de jongens en Frank, geen familie heb. Zij en mijn zuster konden het niet zo best met elkaar vinden en ze was hels toen bleek dat Muriel de boerderij had geërfd, en niet ik. Maar mijn vader had gelijk om die aan hen te geven. Ik wilde en hoefde de boerderij niet en dat wist mijn vader.' Hij keek Olivia weer aan, wetende wat hij al jaren wist, maar had geweigerd te erkennen ter verdediging van Katie. 'Het was verkeerd van me om die kinderen uit mijn leven te laten verdwijnen. Ik had naar Montana moeten gaan om hen op te zoeken.' Dat was hij zijn zuster verschuldigd. Maar het zou moeilijk zijn geweest, en het was zoveel gemakkelijker om naar Katie te luisteren.

'Dat zou je nog steeds kunnen doen,' zei Olivia op milde toon.

'Dat zou ik graag willen. Als ik ze nog kan vinden.'

'Dat lukt je vast wel als je je best doet.'

Hij knikte, wist nu wat hem te doen stond. Toen schrok hij op van haar volgende vraag.

'Wat zou er gebeurd zijn als je niet met haar was getrouwd?' vroeg Olivia nieuwgierig. Ze vond het heerlijk om een spelletje met hem te spelen en hem vragen te stellen die moeilijk te beantwoorden waren.

'Dan had ik nooit de carrière gehad die ik nu heb,' zei hij eenvoudig. Maar Olivia schudde meteen van nee.

'Je hebt het helemaal mis. En dat is je hele probleem,' zei ze zonder een ogenblik te aarzelen. 'Jij denkt dat je alles aan haar te danken hebt. Je werk, je succes, je carrière en zelfs je huis in Greenwich. Dat is belachelijk. Je zou toch wel een briljante carrière gehad hebben. Zij heeft dat niet gedaan, maar jíj. Je zou overal een geweldige carrière gehad hebben, misschien zelfs in Wisconsin. Jij bent zo iemand die kansen ziet en ze weet te grijpen, daar heb je volgens mij een talent voor. Kijk nou eens wat je gedaan hebt met Vicotec. Je zei zelf dat het helemaal jouw geesteskind was.'

'Maar ik heb het nog niet af,' zei hij bescheiden.

'Toch zul je het afmaken. Wat Suchard ook zegt. Een jaar,

twee, tien, wat kan het schelen. Je zult het doen,' zei ze met absolute overtuiging. 'En als dit niet werkt, zal er iets anders komen dat wel werkt. En met wie je getrouwd bent heeft er niets mee te maken.' Ze had geen ongelijk, hij wist het alleen niet. 'Ik wil niet ontkennen dat de Donovans je de kans hebben gegeven, maar dat zouden anderen ook hebben gedaan. En wat heb je ze niet allemaal gegeven. Peter, jij denkt dat zij het allemaal voor jou hebben gedaan en daar voel je je nog steeds door beschaamd. Je hebt het allemaal zelf gedaan en je weet het niet eens.' Zo had hij het nog nooit bekeken en haar redenatie gaf hem zelfvertrouwen. Ze was een bijzondere vrouw. Ze gaf hem iets dat niemand hem ooit gegeven had en zeker niet Katie. Maar hij gaf ook iets aan haar, een soort warmte en zorgzaamheid en tederheid waar ze naar had gesnakt. Ze vormden een bijzondere combinatie en ze was er dankbaar voor. Aan het eind van de middag gingen ze terug naar het hotel en bestelden op het terras een salade niçoise, brood en kaas. Om zes uur keek hij op z'n horloge en besefte dat hij terug moest naar Parijs. Maar na een dag van zwemmen en zon, en het onderdrukken van zijn passie voor haar, vond hij het bijna te vermoeiend om te bewegen, laat staan om nog tien uur in een auto te zitten.

'Ik vind het niet verstandig van je,' zei ze. Ze zag er heel aantrekkelijk, jong en gebruind uit, en ook een beetje bezorgd. Hij was het liefst voor altijd bij haar gebleven. 'Je hebt al twee dagen geen behoorlijke nachtrust gehad, en al zou je in de komende tien minuten weggaan, je komt daar niet voor vier uur in de ochtend aan.'

'Ik moet toegeven,' zei hij, en zag er prettig vermoeid uit, 'dat het me niet erg aantrekt. Maar ik moet terug.' Hij had de Ritz gebeld en er waren tenminste geen boodschappen voor hem, maar hij moest toch terug naar Parijs. Uiteindelijk zou Suchard hem bellen. Hij was wel opgelucht dat Frank noch Katie vanochtend gebeld had.

'Waarom blijf je vannacht niet hier en ga je morgen rijden?' zei ze verstandig. Hij keek haar aan en overwoog het.

'Ga je met me mee als ik morgen pas ga?'

'Misschien,' zei ze vaag terwijl ze naar de zee keek.

'Dat vind ik nou zo fijn aan jou, die passie voor verplichtingen.' Maar ze had een passie voor andere dingen en het weinige dat hij daarvan had ondervonden, had hem al bijna krankzinnig gemaakt. 'Oké, oké,' zei hij ten slotte. Hij was werkelijk te moe om die nacht nog te gaan rijden en ging inderdaad liever de volgende ochtend, als hij een goede nachtrust had gehad.

Maar toen ze de enige vrije andere eenpersoonskamer van het hotel wilden huren, bleek die al bezet te zijn. Er waren in totaal maar vier kamers en zij had de beste. Het was een kleine tweepersoonskamer met uitzicht op zee en ze stonden elkaar secondenlang aan te kijken.

'Je mag op de grond slapen,' zei ze eindelijk met een plagerige grijns, waarmee ze probeerde zich te houden aan hun afspraak niets te doen waar ze later spijt van zouden krijgen. Maar het was af en toe heel moeilijk om daaraan te denken.

'Het is deprimerend te moeten toegeven dat dit het beste aanbod is dat ik in tijden heb gehad,' grinnikte hij. 'Ik neem het aan.'

'Oké. Ik beloof dat ik me zal gedragen. Erewoord.' Ze stak twee vingers omhoog en hij deed of hij teleurgesteld was.

'Dat is zelfs nog deprimerender.' Lachend gingen ze gearmd op pad om een schoon T-shirt, een scheermes en een spijkerbroek voor hem te kopen. Ze vonden alles in de plaatselijke winkel. Het T-shirt had een Fanta-opdruk en de spijkerbroek paste perfect. Hij stond erop zich voor het eten in haar mini-badkamer te scheren en toen hij te voorschijn kwam, zag hij er beter uit dan ooit. Zij droeg een katoenen kanten rok, een haltertopje en espadrilles die ze onderweg had gekocht, en met haar glanzend zwarte haar en haar gebruinde huid zag ze er werkelijk beeldschoon uit. Het was moeilijk te vatten dat dit de vrouw was over wie hij gelezen had en die hem zo boeide. Ze leek niet meer dezelfde. Ze was zijn vriendin, en de vrouw van wie hij begon te houden. Er was iets heel liefs in wat ze voor elkaar voelden, fysiek en emotioneel, en dat ze ondanks de gelegenheid die ze hadden, weigerden daaraan toe te geven. Het was heerlijk romantisch en ouderwets.

Om middernacht maakten ze, hand in hand, een lange strandwandeling. Toen ze in de verte muziek hoorden, dansten ze op het zand, heel dicht bij elkaar en hij kuste haar weer.

'Wat moeten we doen als we teruggaan?' zei hij ten slotte, toen ze naast elkaar zaten en nog steeds de muziek in de verte hoorden. 'Wat moet ik zonder jou?' Het was een vraag die hij zichzelf keer op keer had gesteld.

'Wat je altijd gedaan hebt,' zei ze zacht. Ze was niet van plan zijn huwelijk kapot te maken, of zelfs maar om hem aan te moedigen dat te overwegen. Daar had ze het recht niet toe, wat er ook tussen haar en Andy gebeurde. En bovendien, ondanks hun wederzijdse aantrekkingskracht, in sommige opzichten kende ze hem amper.

'En wat heb ik altijd gedaan?' hij klonk plotseling ongelukkig. 'Ik kan het me niet meer herinneren. Alles van toen lijkt me nu zo onwezenlijk. Ik weet niet eens of ik gelukkig was.' Maar het ergste was dat hij begon te vermoeden dat dat niet het geval was. En dat was een nieuw denkbeeld voor Peter.

'Misschien doet het er niet toe. Misschien hoef je je dat

niet af te vragen,' zei ze wijs. 'We hebben dit alles nu... we zullen de herinnering aan vandaag hebben. Daar kan ik een hele tijd op teren,' zei ze treurig en keek toen naar hem op. Ze kenden beiden de waarheid over zijn leven en dat hij zich, zonder het te beseffen, had laten omkopen, maar dat zou ze nooit zeggen. Hij had excuses voor zichzelf bedacht en had Kate en Frank alles laten runnen, van zijn huis tot zijn bedrijf. Het was geleidelijk aan gebeurd. En als hij er nu op terugkeek door Olivia's ogen, begreep hij niet dat hij dat nooit eerder had gezien. Maar het was zo veel gemakkelijker geweest op die manier.

'Wat moet ik zonder jou beginnen?' zei Peter verdrietig terwijl hij haar dicht tegen zich aan hield. Hij had vierenveertig jaar zonder haar overleefd en nu kon hij het idee, ook maar een ogenblik van haar gescheiden te zijn niet verdragen.

'Denk er maar niet aan,' zei ze en deze keer kuste zij hem. Ze hadden al hun krachten nodig om elkaar weer los te laten en liepen langzaam, met hun armen om elkaar heen, terug naar het hotel. Toen ze naar boven gingen, naar haar kamertje, glimlachte Peter en zei met een quasi zielig gezicht: 'Het is niet uitgesloten dat je de hele nacht op moet blijven om koud water over me heen te gooien.' Hij zou er alles voor geven als hij nu een toverstokje te voorschijn kon halen en hun situatie kon veranderen, maar ze wisten dat ze het recht niet hadden om te doen wat ze wilden. Hun integriteit werd nu echt op de proef gesteld.

'Dat zal ik doen,' beloofde Olivia grinnikend. Ze had Andy nog steeds niet gebeld en scheen ook niet van plan te zijn dat nu te doen. Peter sprak er niet meer over. Hij vond dat het aan haar was om die beslissing te nemen, maar haar koppigheid intrigeerde hem en hij vroeg zich af of ze bang was om Andy te bellen, of dat ze hem strafte.

Olivia hield zich aan haar woord toen ze bij haar kamer kwamen. Ze gaf hem alle kussens en een van de dekens en hielp hem een ongemakkelijk bed te maken op het kleed naast haar bed. Hij lag in zijn T-shirt en spijkerbroek en met blote voeten en zij deed haar nachtpon aan in de kleine badkamer. Eindelijk lagen ze in het donker, zij op het bed en hij op de grond ernaast, hielden elkaars hand vast en praatten nog urenlang. Hij maakte geen aanstalten om haar te kussen. Het was bijna vier uur toen ze ophield met praten en in slaap viel. Geruisloos stond hij op en stopte haar in. Hij keek naar haar zoals ze lag te slapen als een klein meisje, boog zich voorover en kuste haar heel zachtjes. Toen ging hij weer op de grond liggen, op zijn geïmproviseerde bed, en dacht aan haar tot aan de ochtend.

6

Het was al bijna halfelf toen ze de volgende ochtend wakker werden en het zonlicht naar binnen stroomde door het raam. Olivia werd als eerste wakker en keek op hem neer vanuit haar bed toen hij net begon te bewegen. Ze glimlachte toen hij haar aankeek.

'Goedemorgen,' zei ze opgewekt toen hij zich kreunend op zijn rug draaide. Met alleen maar het dunne kleedje en de deken was de grond hard geweest en hij was niet bepaald uitgerust nadat hij om zeven uur in slaap was gevallen. 'Ben je stijf?' Ze zag zijn gezicht toen hij zich omdraaide en bood aan zijn rug te masseren. Ze waren reuze trots op zichzelf dat ze de nacht waren doorgekomen zonder zich te misdragen.

'Graag.' Hij accepteerde haar aanbod om zijn rug te masseren met een brede glimlach en draaide zich op zijn buik waarbij hij weer kreunde, wat zij nogal grappig vond. Ze lag nog op haar buik op bed, stak haar handen uit naar hem en masseerde voorzichtig zijn nek, terwijl hij tevreden en met gesloten ogen op zijn geïmproviseerde bed lag. 'Heb je lekker geslapen?' vroeg ze terwijl ze nu aan zijn schouders begon en haar best deed om niet aan de zachtheid van zijn huid te denken. Hij had de huid van een baby.

'Ik heb de hele nacht aan jou liggen denken,' zei hij eerlijk. 'Mijn gedrag is het absolute bewijs dat ik een heer ben, of een teken dat ik niet goed wijs ben en oud begin te worden.' Hij draaide zich om en keek haar aan, nam haar handen in de zijne en zonder enige waarschuwing zat hij ineens rechtop en kuste haar.

'Ik heb vannacht van je gedroomd,' zei ze, terwijl hij op de grond naast haar zat. Zijn handen speelden met haar haar terwijl hij haar lippen steeds weer kuste. Hij wist dat hij haar nu gauw moest verlaten.

'Wat gebeurde er in die droom?' fluisterde hij terwijl hij haar nek kuste en zijn beloften aan zichzelf langzamerhand begon te vergeten.

'Ik was aan het zwemmen in zee en ik begon te verdrinken... en jij redde me. Het lijkt me nogal typerend voor wat er is gebeurd sinds ik jou heb ontmoet. Ik was aan het verdrinken toen ik jou ontmoette.' Ze keek hem aan en hij sloeg zijn armen om haar heen en kuste haar. Hij zat nu op zijn knieën en zij lag nog steeds op bed en ineens waren zijn handen op haar borsten onder haar nachtpon. Ze kreunde zachtjes bij zijn aanraking. Ze wilde hem nog aan hun wederzijdse beloftes herinneren, maar die waren op hetzelfde moment vergeten. Ze stak haar armen uit en trok hem naar zich toe.

Hun kussen werden steeds hartstochtelijker terwijl zij hem langzaam in haar bed trok. Nog steeds in nachtpon en jeans, lagen ze daar een hele tijd ineengestrengeld, verward in de lakens. Ze kusten elkaar, vergaten zichzelf en ontdekten dingen over elkaar die ze beloofd hadden niet te onderzoeken. Terwijl Peter haar kuste wilde hij haar wel verslinden, haar met huid en haar opeten, tot ze een deel van hem was en hij haar voor altijd bij zich kon houden. 'Peter...' fluisterde ze zijn naam. Hij drukte haar dicht tegen zich aan en kuste haar weer en ze klampte zich hunkerend aan hem vast.

'Olivia... niet doen... ik wil niet dat je later spijt krijgt...' Hij probeerde zich verantwoordelijk te gedragen, meer voor haar dan voor zichzelf of voor Kate, maar hij kon zichzelf nu ook geen halt meer toeroepen. Zonder iets te zeggen trok ze zijn spijkerbroek uit, hij had zich al eerder van zijn T-shirt ontdaan, en haar dunne nachtpon belandde op de grond, toen hij met haar de liefde begon te bedrijven. Het was bijna twaalf uur toen ze weer op adem kwamen en verzadigd en totaal uitgeput in elkaars armen lagen. Maar geen van beiden had er ooit gelukkiger uitgezien. Olivia glimlachte tegen hem, haar prachtige benen nu helemaal verstrengeld met die van hem.

'Peter... ik hou van je...'

'Dat komt goed uit,' zei hij en trok haar zo dicht tegen zich aan dat ze bijna een geheel leken, 'want ik heb in mijn hele leven nog nooit zoveel van iemand gehouden. Ik geloof dat ik uiteindelijk toch niet zo'n heer ben.' Hij zag er niet erg berouwvol uit, wel heel tevreden over wat ze hadden gedaan, en ze glimlachte slaperig.

'Daar ben ik blij om.' Ze zuchtte en kroop nog dichter tegen hem aan.

Een hele tijd lagen ze zwijgend in elkaars armen, dankbaar voor ieder moment dat ze gedeeld hadden. In de wetenschap dat ze elkaar weer moesten verlaten, beminden ze elkaar weer, een laatste keer. Toen ze ten slotte opstonden, klampte Olivia zich huilend aan hem vast. Ze wilde hem nooit meer verlaten, maar ze wisten dat het moest. Ze had besloten met hem terug te gaan naar Parijs. Ze verlieten het hotel om vier uur en zagen eruit als twee kinderen die uit het paradijs waren verbannen.

Ze haalden iets te eten, gingen op het strand zitten, dronken samen een glas wijn en aten een paar sandwiches en keken uit over zee.

'Ik zal je me hier voor de geest kunnen halen als je terugkomt,' zei hij somber terwijl hij haar aankeek en net als zij wenste dat ze hier eeuwig samen konden blijven.

'Kom je me dan opzoeken?' Ze glimlachte weemoedig, haar haar hing voor haar ogen en er waren zandkorreltjes op de wang waarop ze gelegen had.

Peter gaf even geen antwoord. Hij wist niet wat hij zeggen moest. Hij wist dat hij geen beloftes kon doen. Hij had nog steeds een leven met Kate en nog maar een uur geleden had Olivia gezegd dat ze dat begreep. Ze wilde hem niets afpakken. Alles wat ze wilde was de herinnering koesteren aan wat ze de laatste twee dagen samen hadden gedeeld. Het was meer dan sommige mensen in hun hele leven hadden.

'Ik zal het proberen,' zei hij ten slotte. Hij wilde geen belofte aan haar breken al voor hij hem gemaakt had. Ze wisten alle twee hoe moeilijk het zou worden en hadden al gezegd dat ze niet door konden gaan met hun verhouding. Het zou niets meer dan een herinnering zijn. Hun levens waren te gecompliceerd en ze waren beiden te betrokken bij andere mensen. Als Olivia eenmaal terug was in haar eigen wereld, zouden de paparazzi die haar altijd volgden zoiets als dit totaal onmogelijk maken. Wat ze hier samen hadden gehad was een wonder en dat kon nooit herhaald worden.

'Ik zou hier graag terugkomen en een huis huren,' zei Olivia ernstig. 'Ik denk dat ik hier zou kunnen schrijven.'

'Je zou het moeten proberen,' zei hij en kuste haar.

Ze gooiden het laatste restje van hun lunch weg en stonden even, hand in hand, over de zee uit te kijken.

'Ik zou hier graag terugkomen op een dag. Samen, bedoel

ik,' zei Peter. Hij beloofde haar hiermee iets dat hij eerder niet had durven zeggen: dat er een flauwe, verre hoop was voor de toekomst. Of misschien alleen maar voor een dag. Nog een herinnering om mee te dragen. Olivia verwachtte niets van hem.

'Misschien zullen we dat,' zei ze zacht. 'Als dat voorbestemd is, gebeurt het misschien.' Maar er waren obstakels die overwonnen moesten worden, horden die genomen moesten worden en brandende hoepels waar ze doorheen moesten springen. Hij moest Vicotec erdoor slepen, slag leveren met zijn schoonvader en Kate wachtte op hem in Connecticut en zij moest terug gaan en Andy tegemoettreden.

Ze liepen zwijgend naar zijn auto en zij legde het eten dat ze voor onderweg had gekocht op de achterbank. Ze hoopte dat hij de tranen in haar ogen niet kon zien, maar zelfs zonder naar haar te kijken wist hij dat ze er waren. Hij voelde het in zijn hart. Hij huilde om dezelfde redenen als zij. Hij wilde meer dan waar ze recht op hadden.

Hij trok haar dicht tegen zich aan terwijl ze voor de laatste keer naar de zee keken en vertelde haar hoeveel hij van haar hield. Ze vertelde hem hetzelfde en ze kusten elkaar weer en eindelijk stapten ze in de huurauto om aan de lange rit naar Parijs te beginnen.

Een tijdlang zeiden ze bijna geen woord tegen elkaar, maar uiteindelijk ontspanden ze zich weer en begonnen te praten. Ze waren ieder op hun eigen manier bezig met wat er was gebeurd, probeerden het te verwerken, er één mee te worden en de onvermijdelijke beperkingen te accepteren.

'Het zal zo moeilijk zijn,' zei Olivia, ondanks zichzelf glimlachend door haar tranen heen toen ze La Vierrerie passeerden, 'te weten dat je daar ergens bent en dat ik niet bij je kan zijn.'

'Ik weet het.' Hij voelde ook een brok in zijn keel. 'Ik dacht precies hetzelfde toen we het hotel uitgingen. Om gek van te worden. Met wie moet ik praten?' Nu ze met elkaar naar bed waren geweest, had hij het gevoel dat ze in zeker opzicht de zijne was.

'Je zou af en toe kunnen bellen,' zei ze hoopvol. 'Ik kan je laten weten waar ik ben.'

Maar ze wisten beiden dat waar hij ook was, hij nog steeds getrouwd zou zijn. 'Dat lijkt me niet eerlijk tegenover jou.'

Dat was het allemaal niet. Dat was het risico van wat ze gedaan hadden, maar dat wisten ze. En als ze niet gevrijd hadden zou dat eigenlijk geen verschil hebben gemaakt. In sommige opzichten zou dat het misschien nog moeilijker hebben gemaakt. Zoals het nu was, hadden ze tenminste alles gehad en dat nam niemand hun meer af.

'Misschien kunnen we elkaar ergens over een half jaar ontmoeten, alleen om te zien wat er met onze levens is gebeurd.' Ze zag er heel even een beetje verlegen uit, dacht aan een van haar lievelingsfilms met Cary Grant en Deborah Kerr. Het was een klassieker en ze had er vroeger steeds weer om moeten huilen. 'Misschien kunnen we bij het Empire State Building afspreken,' zei ze, half schertsend, maar hij schudde zijn hoofd.

'Nee, dat heeft geen zin. Jij zou nooit komen opdagen. Ik zou daar nijdig om worden en jij zou in een rolstoel terechtkomen. Probeer een andere film,' zei hij glimlachend en zij lachte.

'Wat moeten we doen?' vroeg ze en keek droevig uit het raam.

'Teruggaan. Sterk zijn. Teruggaan naar wat we voorheen deden om alles te laten draaien. Dat zal voor mij gemakkelijker zijn dan voor jou. Ik was zo dom en blind, ik besefte niet eens hoe ongelukkig ik was. Maar jij hebt heel wat uit te praten, denk ik. Voor mij zal het de kunst zijn om te doen of er niets is gebeurd, alsof ik gedurende mijn week in Parijs de waarheid niet ben gaan zien. Hoe zou ik dat ooit uit moeten leggen?'

'Misschien hoef je dat niet.' Ze vroeg zich af in hoeverre Vicotec de boel voor hem in het honderd zou sturen als het niet goed uit de tests te voorschijn kwam. Dat bleef de vraag en Peter maakte zich daar steeds meer zorgen over.

'Wil je me niet schrijven, Olivia?' zei hij ten slotte. 'Laat me in ieder geval weten waar je bent. Ik word gek als ik het niet weet. Wil je me dat beloven?'

'Natuurlijk.' Ze knikte.

Ze praatten terwijl ze door de nacht reden. Het was bijna vier uur toen ze in Parijs aankwamen. Hij stopte een paar straten van het hotel vandaan en hoewel ze beiden inmiddels heel moe waren, parkeerde hij de auto.

'Mag ik je een kopje koffie aanbieden?' Dat was zijn openingszin geweest op de Place de la Concorde en ze glimlachte droevig.

'Je mag me alles aanbieden wat je maar wilt, Peter Haskell.'

'Wat ik jou wil geven is niet te koop, tegen geen enkele prijs,' zei hij, zinspelend op alles wat hij voor haar voelde en had gevoeld vanaf het eerste moment dat hij haar zag. 'Ik hou van je. Dat zal ik waarschijnlijk voor de rest van mijn leven blijven doen. Er zal nooit meer iemand zijn zoals jij. Dat is nooit zo geweest en zal nooit zo zijn. Onthoud dat, waar je ook bent. Ik hou van je.' Toen kuste hij haar lang en innig, en klampten ze zich als drenkelingen aan elkaar vast.

'Ik hou ook van jou, Peter. Ik wou dat je me met je mee kon nemen.'

'Dat zou ik ook willen.' Hij wist dat ze geen van beiden

ooit deze afgelopen twee dagen en wat er die ochtend tussen hen was geweest, zouden vergeten.

Hij reed terug naar het hotel en liet haar aan de andere kant van de Place Vendôme uitstappen. Ze had geen bagage bij zich, alleen de katoenen rok die ze aanhad. Haar spijkerbroek en t-shirt had ze opgerold bij zich. Ze liet niets bij hem achter, behalve haar hart. Ze keek hem voor de laatste keer aan en hij kuste haar nog eens. Toen holde ze over het plein en de tranen stroomden over haar wangen.

Hij bleef een hele tijd aan haar zitten denken, zijn ogen gericht op de ingang van het hotel waar hij haar het laatst had gezien. Hij wist dat ze inmiddels in haar kamer moest zijn. Ze had hem beloofd dat ze nu echt terug zou gaan en niet weer zou verdwijnen. En als ze dat wel deed, wilde hij dat ze naar hem kwam, of hem op z'n minst liet weten waar ze was. Hij wilde niet dat ze door Frankrijk zou zwerven. In tegenstelling tot haar man maakte Peter zich zorgen om haar veiligheid. Hij maakte zich overal zorgen over, over wat ze hadden gedaan, over wat er met haar zou gebeuren nu ze terug was, of ze al dan niet weer uitgebuit zou worden en of ze hem dan deze keer zou verlaten. Hij maakte zich er zorgen over om Kate weer onder ogen te komen als hij terugging naar Connecticut, en of ze zou merken dat er iets veranderd was tussen hen. Maar was dat wel zo? Olivia had hem doen beseffen dat hij zijn succes aan zichzelf te danken had, maar ondanks dat had hij nog steeds het gevoel dat hij Kate heel veel verschuldigd was. Hij kon haar nu niet zomaar in de steek laten. Hij moest doorgaan alsof er niets aan de hand was. Dat met Olivia had geen verleden, geen heden, geen toekomst. Het was slechts een moment, een droom, een diamant die ze gevonden hadden in het zand en samen gekoesterd hadden. Ze hadden beiden andere verplichtingen die voorrang hadden. Kate was zijn verleden, heden en toekomst. Het enige probleem was de pijn in z'n hart. En terwijl hij de Ritz binnenliep dacht hij dat z'n hart zou breken. Hij vroeg zich af of hij haar ooit weer zou zien en waar ze op dit ogenblik was. Hij kon zich een leven zonder haar niet voorstellen, maar dat was alles wat hem nu restte.

Toen hij zijn kamerdeur opendeed, zag hij een kleine envelop liggen. Doktor Paul-Louis Suchard had gebeld en hij verzocht meneer Haskell hem zo snel mogelijk terug te bellen.

Hij was terug in de realiteit, terug bij de dingen die belangrijk waren voor hem: zijn vrouw, zijn zoons, zijn zaken. En ergens in de verte, vervagend in de nevelen, was de vrouw die hij gevonden had maar nooit zou kunnen bezitten, de vrouw waar hij zo wanhopig verliefd op was.

Hij stond op zijn balkon toen de zon opkwam en dacht aan haar. Het leek allemaal een droom en misschien was het dat ook. Misschien was het allemaal niet echt. De Place de la Concorde... het café in Montmartre... het strand in La Favière... alles. Hij wist dat wat hij ook voor haar voelde, of hoe heerlijk het ook was geweest, hij er nu afstand van moest doen.

7

Peter was nog volkomen uitgeteld toen hij om acht uur werd gewekt en hij had de telefoon nog niet neergelegd of hij vroeg zich af waarom hij zich zo afschuwelijk voelde. Hij voelde zich ellendig en ineens wist hij het weer. Ze was weg. Het was voorbij. Hij moest Suchard bellen en terugvliegen naar New York en het hoofd bieden aan Frank en Katie. En Olivia was terug naar haar man.

Tijdens het douchen probeerde hij zijn gedachten te richten op de zaken die hij die ochtend moest afhandelen, maar hij kon alleen maar aan haar denken.

Om precies negen uur belde hij Suchard, maar Paul-Louis weigerde hem de uitslag te vertellen. Hij stond erop dat Peter onmiddellijk naar het laboratorium kwam. Alle tests waren nu voltooid. Hij wilde een uur van Peters tijd en zei dat hij gemakkelijk de vlucht van twee uur kon halen. Het ergerde Peter dat hij niet eens in het kort iets over de uitslag wilde zeggen, maar hij stemde ermee in om om half-elf naar zijn kantoor te komen.

Hij bestelde koffie en croissants, maar zag geen kans er iets van te eten. Hij verliet het hotel om tien uur en kwam tien minuten te vroeg aan. Suchard wachtte al op hem en zijn gezicht stond somber. Uiteindelijk bleken de resultaten niet zo slecht te zijn als Peter had gevreesd, of als Paul-

Louis had voorspeld. Een van de essentiële stoffen in Vicotec was beslist gevaarlijk en daar moesten ze een vervanger voor vinden, maar ze hoefden niet het hele product prijs te geven. Het moest 'omgewerkt' worden, zoals Suchard dat noemde, en dat kon wel eens een langdurig proces worden. Na enig aandringen gaf hij toe dat de veranderingen in een halfjaar of een jaar tot stand gebracht konden worden, misschien in minder tijd als er een wonder gebeurde, hoewel dat twijfelachtig was. Maar redelijkerwijs gesproken zou het proces ongeveer twee jaar in beslag nemen en dat was zo'n beetje wat Peter na hun eerste gesprek had verwacht. Misschien konden ze Vicotec in minder dan een jaar op poten zetten als ze er extra researchteams voor inzetten. Het was wel teleurstellend, maar niet het einde van de wereld. Het product zoals het nu was en zoals ze het op de markt hadden willen brengen, kon dodelijk zijn. Suchard had allerlei suggesties om de noodzakelijke veranderingen tot stand te brengen. Maar Peter wist dat Frank geen rekening zou houden met ook maar iets van dit goede nieuws. Hij had een hekel aan uitstel en het uitgebreide onderzoek dat nog gedaan moest worden zou veel geld gaan kosten. Ze hoefden niet aan het CBG te vragen de medicijn nu al op mensen te testen, of naar de hoorzitting te gaan die in september was gepland om de 'versnelde procedure' aan te vragen. Frank wilde uiteraard de medicijn zo snel mogelijk op de markt brengen en de enorme opbrengsten binnenhalen. Dat was iets heel anders dan wat Peter wilde. Maar wat hun redenen of doelstellingen ook waren, op dit ogenblik konden ze nergens om vragen. Peter bedankte Paul-Louis voor zijn informatie en zijn grondige onderzoek. Op de terugweg naar het hotel zat hij verzonken in gedachten en probeerde hij de juiste woorden te vinden om het aan Frank te vertellen. Paul-Louis' exacte woorden klonken nog onaangenaam na in zijn oren: 'Vicotec, zoals het nu is, is dodelijk.' Dat was bepaald niet hun bedoeling geweest, of wat hij voor zijn moeder en zuster gewild zou hebben. Maar op de een of andere manier zag Peter Frank zich niet op redelijke wijze schikken in dit nieuws, en Katie ook niet. Ze had een hekel aan dingen die haar vader van streek maakten. Maar zelfs zij zou het ditmaal moeten begrijpen. Niemand wilde een hele reeks tragedies, of zelfs maar één. Ze konden zich niet veroorloven dat te laten gebeuren.

Terug in het hotel sloot Peter zijn koffer en zette het nieuws aan terwijl hij op de taxi wachtte. En daar was ze. Het was bijna precies zoals hij had verwacht. Het grote nieuws van het uur was dat Olivia Douglas Thatcher gevonden was. En het verhaal dat ze erbij vertelden was te gek om waar te zijn, wat het dan ook niet was. Ze was blijkbaar naar een afspraak met een vriendin gegaan, had een kleine aanrijding gehad en had drie dagen lang aan een licht geheugenverlies geleden. Blijkbaar had niemand in het kleine ziekenhuis waar ze was opgenomen haar herkend of het nieuws gezien. De vorige nacht was ze op wonderbaarlijke wijze weer tot haar positieven gekomen en was nu weer gelukkig herenigd met haar echtgenoot.

'Over eerlijke verslaggeving gesproken,' mompelde Peter en schudde vol walging zijn hoofd. Ze lieten weer hetzelfde, afgezaagde rijtje oude foto's van haar zien en vervolgens een interview met een neuroloog waarin een bespiegeling werd gehouden over blijvende hersenbeschadiging ten gevolge van een lichte hersenschudding. Ze eindigden met een verklaring waarin ze mevrouw Thatcher een spoedig en volledig herstel toewensten. 'Amen,' zei hij en zette het toestel af. Hij keek de kamer nog een keer rond en pakte zijn aktetas. Z'n koffer was al gehaald, en hij was dus klaar om te vertrekken.

Maar het gaf hem deze keer een vreemd gevoel van nostalgie om de kamer te verlaten. Er was zo veel gebeurd tijdens zijn reis en het liefst had hij naar boven willen rennen alleen maar om haar te zien. Hij zou op de deur van hun suite kloppen, zeggen dat hij een oude vriend was... en Andy Thatcher zou waarschijnlijk denken dat hij gek was. Peter vroeg zich af of hij iets vermoedde over de laatste drie dagen, of dat het hem niet eens wat kon schelen. Het was moeilijk te peilen en het verhaal dat ze aan de pers hadden verteld was op z'n zachtst gezegd zwak. Peter vond het bespottelijk en vroeg zich af wie dat bedacht had.

Toen hij naar beneden ging was daar weer het gebruikelijke publiek, de Arabieren, de Japanners. Koning Khaled was na de bommelding naar Londen vertrokken. Er stond weer een hele zwerm nieuw aangekomenen in te checken toen Peter zich een weg baande langs de balie en een grote groep mannen in pakken met walkie-talkies en oortelefoons toen hij door de draaideur ging. Toen zag hij haar in de verte. Ze stapte net in een limousine waar Andy en twee van zijn mensen al in zaten. Hij zat met zijn rug naar haar toe met hen te praten, en alsof ze voelde dat Peter in de buurt was, keek Olivia over haar schouder. Ze hield als verlamd stil en keek hem aan. Hun ogen bleven elkaar zo lang vasthouden dat Peter bang was dat iemand het zou zien. Hij knikte heel even naar haar en toen, alsof ze zich weer van hem moest losscheuren, stapte ze snel in de limousine en deed het portier dicht. Peter stond haar op de stoep na te staren, maar kon door de geblindeerde ramen niets zien.

'Uw wagen staat klaar, monsieur,' zei de portier beleefd,

hij wilde geen verkeersopstopping voor de Ritz. Twee fotomodellen probeerden te vertrekken om naar een sessie te gaan en Peters limousine versperde hun de weg. Ze stonden hysterisch naar hem te roepen en te zwaaien.

'Sorry.' Hij gaf de portier een fooi en stapte in. Hij keek strak voor zich uit toen de chauffeur koers zette naar het vliegveld.

Andy nam Olivia mee naar de ambassade waar hij een gesprek zou hebben met twee congresleden en de ambassadeur. Het was een bespreking die hij al een week had gepland en hij stond erop dat ze met hem mee ging. Eerst was hij woedend op haar geweest over de heisa die ze had veroorzaakt, maar hij kwam binnen het uur na haar behouden terugkomst tot de conclusie dat haar verdwijning een meevaller voor hem was. Hij had samen met zijn beleidsmedewerkers een reeks mogelijkheden bedacht die er allemaal op waren gericht om sympathie op te wekken, vooral gezien zijn huidige plannen. Hij wilde een tweede Jackie Kennedy van haar maken. Ze had daar het goede uiterlijk voor, dezelfde kwetsbare uitstraling, gekoppeld aan haar aangeboren stijl en elegantie, en haar moed in tijden van tegenslag. Zijn adviseurs hadden vastgesteld dat ze perfect was. Ze moesten wat meer aandacht aan haar gaan besteden dan in het verleden, haar een beetje voorbereiden op het politieke leven, maar ze twijfelden er niet aan dat het haar zou lukken.

Ze zou wel op moeten houden met die verdwijntrucs van haar. Ze had dit soort dingen eerder gedaan, vooral in de periode na Alex' dood. Ze verdween soms voor een paar uur en soms de hele nacht, maar meestal was ze dan bij haar broer of bij haar ouders. Ditmaal had het langer geduurd dan in het verleden, maar hij had geen moment het gevoel gehad dat ze in gevaar verkeerde. Hij wist dat ze uiteindelijk wel weer op zou komen dagen en hoopte alleen dat ze in de tussentijd niet iets stoms zou doen. Vlak voor ze naar de ambassade gingen vertelde hij haar hoe hij erover dacht en wat er nu van haar werd verwacht. Eerst had ze gezegd dat ze niet meeging en heftig geprotesteerd tegen het communiqué dat ze aan de pers hadden gegeven. 'Ik klink als een volslagen debiel,' zei ze geschokt. 'En nog een met hersenletsel ook,' klaagde ze gekwetst.

'Je hebt ons niet veel keus gelaten. Wat wil je dan dat we zeggen? Dat je drie dagen stomdronken in een hotel op de linkeroever hebt gelegen? Of hadden we de waarheid moeten vertellen? Wat is de waarheid trouwens, of wil ik dat niet weten?'

'Die is niet half zo interessant als wat jij allemaal verzint. Ik had wat tijd voor mezelf nodig, dat is alles.'

'Dat dacht ik al,' zei hij, en zag er eerder verveeld dan geërgerd uit. Hij verdween zelf vaak genoeg, maar deed dat iets geraffineerder dan zijn vrouw. 'De volgende keer zou je misschien een briefje voor me achter kunnen laten, of het tegen iemand zeggen.'

'Dat was ik van plan,' zei ze, een beetje in verlegenheid gebracht nu, 'en toen bedacht ik dat je het waarschijnlijk niet eens zou merken.'

'Je schijnt te denken dat ik me totaal niet bewust ben van wat er gebeurt,' zei hij met een geërgerde blik in zijn ogen. 'Is dat dan niet zo? Wat mij betreft tenminste.' En toen raapte ze al haar moed bijeen en zei wat ze al steeds van plan was te zeggen. 'Ik wil vanmiddag graag met je praten. Misschien als we terugkomen van de ambassade.'

'Ik heb een lunch,' zei hij en was zijn belangstelling voor haar al weer kwijt. Ze was terug. Ze had hem niet in verlegenheid gebracht. Ze hadden de pers tevredengesteld. Hij had haar nodig op de ambassade en daarna had hij andere dingen aan z'n hoofd.

'Vanmiddag is ook goed,' zei ze kalm. Ze zag de blik in zijn ogen die haar vertelde dat hij geen tijd voor haar had. Die blik kende ze maar al te goed en maakte hem niet bepaald geliefder bij haar.

'Is er iets mis?' vroeg hij en keek haar verbaasd aan. Het kwam zelden voor dat ze zijn tijd opeiste en hij had geen flauw idee wat hem te wachten stond.

'Helemaal niet. Ik verdwijn altijd voor drie dagen tegelijk. Wat zou er mis kunnen zijn?' De blik in haar ogen en de manier waarop ze dat zei bevielen hem helemaal niet.

'Je mag verdomme blij zijn dat ik het voor je kon gladstrijken, Olivia. Als ik jou was, zou ik maar niet zo hoog van de toren blazen. Je kunt niet verwachten dat je zo maar de benen kunt nemen en dat iedereen zoet gehouden is als je terugkomt. Als de pers dat wilde, zouden ze het je knap lastig kunnen maken. Dus hou er mee op,' zei hij. Hij wist maar al te goed dat dit soort grapjes zijn kansen ernstig kon schaden.

'Sorry,' zei ze ontmoedigd. 'Het was niet mijn bedoeling je zoveel narigheid te bezorgen.' Hij had niet een keer gezegd dat hij ongerust was geweest, of bang dat haar iets overkomen was. Daar had hij geen moment aan gedacht. Hij kende haar zo goed dat hij ervan overtuigd was geweest dat ze ergens ondergedoken was. 'Laten we vanmiddag dan praten als je terug bent van je afspraken. Zolang kan het wel wachten.' Ze probeerde het rustig te zeggen, maar zij was ook boos op hem. Hij stelde haar altijd teleur. Hij was er in jaren niet meer voor haar geweest. En het was nu nog moeilijker, nu ze hem met Peter vergeleek.

Ze kon alleen maar aan Peter denken en toen ze even later op weg gingen naar de ambassade, brak het bijna haar hart toen ze hem zag. Ze had hem geen teken durven geven. Ze wist dat de pers haar voorlopig nauwlettend in de gaten zou houden. Zij vertrouwden het bekokstoofde verhaal waarschijnlijk ook niet en ze zouden blij zijn met ieder roddeltje dat ze op konden diepen.

De hele tijd dat ze op de ambassade waren was ze in haar eigen gedachten verdiept. Andy vroeg haar na afloop niet mee naar de lunch. Hij had een afspraak met een Franse politicus. Maar toen hij om vier uur terugkwam, was hij in geen enkel opzicht voorbereid op wat ze hem te zeggen had. Ze wachtte rustig in de zitkamer van de suite en staarde uit het raam. Peter zat inmiddels in het vliegtuig naar New York en dat was het enige waaraan ze kon denken. Hij ging terug naar 'hen', de andere mensen in zijn leven, die niets om hem gaven. En zij was ook terug in de handen van de uitbuiters, maar niet lang meer.

'Wat was er nou zo belangrijk?' vroeg Andy toen hij binnenkwam. Hij had twee van zijn assistenten bij zich, maar toen hij haar ernstige gezicht zag, stuurde hij hen snel weg. Hij had die uitdrukking op haar gezicht maar een paar keer gezien: toen zijn broer stierf en toen Alex overleed. Voor de rest van de tijd leek ze altijd in zichzelf gekeerd te zijn, ver van hem en de wereld waarin hij leefde.

'Er is iets dat ik je wil zeggen,' zei ze zacht, niet goed wetend hoe te beginnen. Het enige dat ze wist was dat ze het hem moest vertellen.

'Ja, zoveel had ik al begrepen,' zei hij. Hij zag er knapper uit dan welke andere man ook die ze kende. Hij had enorme blauwe ogen en zijn nog steeds blonde haar gaf hem iets jongensachtigs. Hij had brede schouders en smalle heupen en zijn benen, die hij over elkaar sloeg toen hij op een van de brokaten stoelen ging zitten, waren lang. Maar Olivia kwam niet meer onder de indruk van hem, hij deed haar niets meer. Ze wist hoe egoïstisch hij was en hoe bezeten, en hoe weinig hij om haar gaf.

'Ik ga weg,' zei ze simpelweg. Dat was het. Het was eruit. Het was voorbij.

'Weg waarheen?' vroeg hij verbluft. Hij begreep niet eens waar ze het over had en daar kon ze alleen maar om glimlachen. Het ging zijn begrip en verstand te boven.

'Ik ga bij jou weg,' verduidelijkte ze, 'zodra we terug zijn in Washington. Ik breng dit niet meer op. Daarom ben ik de afgelopen paar dagen weggeweest. Ik moest erover nadenken. Maar nu staat het voor me vast.' Ze wilde verdriet voelen over wat ze tegen hem zei, maar beiden wisten dat ze dat niet had. En hij zag er ook niet verdrietig uit, alleen geschrokken.

'Je timing is niet geweldig,' zei hij nadenkend, maar hij vroeg niet waarom ze wegging.

'Dat is het nooit. Er bestaat geen goede tijd voor zoiets. Het is net als ziek worden, dat komt ook nooit goed uit.' Ze dacht aan Alex en hij knikte. Hij wist hoe hard die klap bij haar was aangekomen. Maar het was nu twee jaar geleden. In bepaalde opzichten was ze er nooit overheen gekomen, dacht hij. En hun huwelijk ook niet.

'Is er een speciale aanleiding hiervoor? Is er iets dat je dwarszit?' Hij nam niet de moeite om te vragen of er iemand anders was. Hij ging ervan uit dat er niemand was, zo goed meende hij haar wel te kennen. Hij was er bovendien van overtuigd dat hij alles over haar wist.

'Er zit mij een heleboel dwars, Andy. Dat weet je.' Ze wisselden een lange blik en geen van beiden zou ontkend hebben dat ze vreemden voor elkaar waren geworden. Ze wist niet eens wie hij nu was. 'Ik heb nooit de vrouw van een politicus willen zijn. Dat heb ik je verteld toen we trouwden.'

'Daar kan ik niets aan doen, Olivia. Dingen veranderen. Ik kon ook niet voorzien dat Tom vermoord zou worden. Ik heb heel wat dingen niet kunnen voorzien. En jij ook niet. Dingen gebeuren nu eenmaal. Je doet je best ze onder ogen te zien.'

'Dat heb ik gedaan. Ik stond altijd voor je klaar. Ik heb samen met jou campagne gevoerd. Ik heb alles gedaan wat je verwachtte, maar dit is geen huwelijk meer, Andy, dat weet je net zo goed als ik. Je bent er al jaren niet meer voor mij. Ik weet niet eens wie je nu bent.'

'Het spijt me,' zei hij zacht. Dat klonk oprecht, maar hij bood niet aan om het te veranderen. 'Je hebt een heel slecht moment gekozen om me dit aan te doen.' Hij keek haar aan met een doordringende blik die haar bang gemaakt zou hebben als ze geweten had wat hij dacht. Hij had haar wanhopig hard nodig en hij was onder geen voorwaarde bereid haar nu te laten gaan. 'Er is iets wat ik van plan was met je te bespreken. Ik heb pas vorige week de uiteindelijke beslissing genomen.' En wat die beslissing ook geweest mocht zijn, het was haar volkomen duidelijk dat ze er geen deel aan had gehad. 'Ik wilde dat je een van de eersten was die het wist, Olivia.' 'Een van de eersten', maar niet de eerste, dat was het hele verhaal van hun huwelijk de laatste jaren. 'Ik ga me kandidaat stellen voor de presidentsverkiezingen van volgend jaar. Het betekent alles voor me. En ik heb jouw hulp nodig om te winnen.' Ze zat hem aan te staren en als hij haar een klap met een honkbalknuppel had gegeven had het niet harder aan kunnen komen. Niet dat ze het niet had verwacht. Ze wist dat de mogelijkheid erin zat, maar nu was het echt en de manier waarop hij het zei sloeg bij haar in als een bom. Ze had geen idee wat ze nu moest doen. 'Ik heb hier veel over nagedacht, wetend hoe je over politieke campagnes denkt.

Maar ik kan me voorstellen dat het toch ook iets aanlokkelijks moet hebben om de vrouw van de president te zijn.' Hij zei het met een aanmoedigend glimlachje, maar zij beantwoordde zijn glimlach niet. Ze keek hem ontsteld aan. Het allerlaatste wat ze wilde was wel de vrouw van de president zijn.

'Daar is absoluut niets aanlokkelijks aan,' zei ze bevend. 'Maar voor mij wel,' zei hij botweg. Dit was wat hij wilde, liever dan haar of welk huwelijk ook. 'En ik kan het niet zonder jou. Een alleenstaande president bestaat niet en een die gescheiden is al helemaal niet. Dat is geen nieuws voor je.' Ze was een deskundige op politiek gebied, ze was tenslotte bij haar vader opgegroeid. Maar terwijl hij naar haar keek, kreeg hij een idee. Hij moest op zijn minst zien te redden wat hij kon, hoewel hij geen moeite deed haar ervan te overtuigen dat hij nog steeds van haar hield. Daar was ze te slim voor. Hij had z'n krediet bij haar verspeeld. Daar was het te laat voor en dat wisten ze allebei.

'Laat ik je een voorstel doen,' zei hij nadenkend. 'Het is niet bepaald een romantisch idee, maar misschien is het een oplossing voor wat jij en ik nodig hebben. Ik heb jou nodig. Praktisch gesproken voor de komende vijf jaar op z'n minst. Eén jaar voor de campagne en vier voor mijn eerste ambtstermijn. Daarna kunnen we of opnieuw onderhandelen, of het land zal zich moeten aanpassen aan onze situatie. Misschien wordt het tijd voor het volk om te begrijpen dat zelfs hun president een mens is. Kijk maar eens naar prins Charles en lady Di. Engeland heeft het overleefd en dat zullen wij zeker doen.' Voor zijn gevoel was hij al president en moesten de mensen zich maar aan hem aanpassen, net als zij.

'Ik geloof niet dat we al op dat niveau zijn,' zei ze ironisch, maar hij scheen het niet te merken.

'Hoe dan ook,' vervolgde hij, haar negerend en vooruit-
denkend en zich concentrerend op hoe hij het aantrekkelijk kon brengen, 'we hebben het hier over vijf jaar. Je bent
nog zo jong, Olivia. Je kunt je dat veroorloven en het zal
je bovendien een prestige geven dat je nooit eerder hebt
gehad. Men zal niet alleen medelijden met je hebben, of
nieuwsgierig naar je zijn, men zal je gaan verafgoden. Mijn
jongens en ik kunnen dat voor elkaar krijgen.' Ze had de
neiging om over te geven terwijl ze naar hem luisterde,
maar ze liet hem uitspreken. 'Ik zal aan het einde van ieder jaar vijfhonderdduizend dollar voor je op een rekening
zetten, belastingvrij. Aan het einde van die vijf jaar heb je
dan tweeëneenhalf miljoen.' Hij stak zijn hand op om haar
commentaar voor te zijn. 'Ik weet dat je niet te koop bent,
maar als je daarna in je eentje verder wilt gaan, is het toch
een leuk potje om dat van te doen. En als we weer een kind
nemen,' hij glimlachte, probeerde de overeenkomst nog
verleidelijker te maken, 'geef ik je nog een miljoen extra.
We hebben het daar laatst nog over gehad en ik denk dat
het een belangrijk punt is. Je wilt toch niet dat men denkt
dat er iets vreemds met ons is, dat ze zeggen dat we alle
twee homo zijn, of dat jij vervuld bent van tragiek. Dat
soort dingen zeggen ze al genoeg. Ik denk dat het tijd wordt
voor ons om voort te maken en weer een kind te nemen.'
Olivia kon haar oren niet geloven. '*We hebben het over
een baby gehad.*' Daarmee bedoelde hij dat hij en zijn cam-
pagnevoerders erover gesproken hadden. Het was meer
dan walgelijk.
'Waarom huren we niet gewoon een kind?' zei ze ijzig.
'Niemand zou het hoeven te weten. We kunnen het gewoon meenemen als we op campagnetoer gaan en het te-
rugbrengen als we weer thuis zijn. Het zou een stuk gemakkelijker zijn. Baby's zijn zo ongelooflijk vies, en zo

lastig.' Hij was niet blij met de blik in haar ogen toen ze dat zei.

'Dat soort opmerkingen is niet nodig,' zei hij bedaard, en zag eruit naar wat hij was: een rijke jongen die naar de beste scholen was geweest, gevolgd door Harvard en een rechtenstudie. Hij had een berg familiekapitaal achter zich en hij was altijd van mening geweest dat hij alles kon krijgen wat hij wilde door het te kopen, of er hard voor te werken. Hij was bereid beide te doen, maar niet voor haar. En voor niets ter wereld kreeg zij nog een kind van hem. Hij was bij de eerste al nooit in de buurt, zelfs niet toen het kanker had. Dat was deels waarom Alex' dood voor haar zo zwaar was geweest en iets makkelijker voor Andy. Hij had lang niet zo'n band met hun zoon gehad als zij.

'Jouw voorstel is weerzinwekkend. Het is het walgelijkste dat ik ooit heb gehoord,' zei ze verontwaardigd. 'Je wilt vijf jaar van mijn leven kopen, tegen een redelijke prijs, en dan wil je dat ik nog een kind krijg omdat het jouw kansen bij de verkiezingen zou vergroten. Ik word onpasselijk als ik hier nog langer naar blijf luisteren.' De uitdrukking op haar gezicht vertelde hem exact wat ze van zijn voorstel vond.

'Je bent altijd gesteld geweest op kinderen. Ik begrijp niet wat het probleem is.'

'Ik ben niet meer op jou gesteld, Andy, dat is het probleem, gedeeltelijk althans. Hoe kun je zo bot en gevoelloos zijn? Wat is er met je gebeurd?' Er brandden tranen in haar ogen, maar ze weigerde om hem te huilen. Hij was het niet waard. 'Ik ben dol op kinderen. Nog steeds. Maar ik ga geen kind krijgen voor een campagne, en van een man die niet van me houdt. Wat had je eigenlijk in gedachten, kunstmatige inseminatie?' Hij had al maanden niet meer met haar geslapen en het kon haar echt niet schelen. Hij had geen tijd en bovendien andere bronnen die hij geregeld aanboorde, en zij had geen belangstelling.

'Ik vind dat je een beetje overdrijft met je reactie,' zei hij, maar hij voelde zich toch vaag gegeneerd door wat ze zei. Er zat enige waarheid in, dat wist zelfs hij. Maar hij kon nu niet meer terug. Het was te belangrijk voor hem om haar over de streep te trekken. Hij had zijn campagneleider verteld dat ze zou weigeren nog een kind te krijgen. Ze had ontzettend veel van hun eerste kind gehouden, was radeloos toen het stierf en hij vermoedde dat ze nooit meer een ander kind zou willen hebben. Ze was veel te bang dat ook weer te verliezen. 'Oké, maar ik zou het prettig vinden als je er nog eens over nadacht. Zeg een miljoen voor elk jaar. Dat is vijf miljoen in vijf jaar, plus nog twee als je een baby krijgt.' Hij meende het en zij kon er alleen nog maar om lachen.

'Denk je niet dat ik moet aandringen op twee per jaar en drie voor een kind? Wat krijgen we dan?' Ze deed of ze na dacht. 'Even kijken... dat is zes als ik een tweeling krijg... negen bij een drieling. Ik zou pergonal-injecties kunnen nemen... misschien zelfs een vierling...' Ze draaide zich om en keek hem met gekrenkte ogen aan. Wie was deze man in wie ze ooit zo veel vertrouwen had gehad? Hoe had ze zich zo in hem kunnen vergissen? Terwijl ze naar hem luisterde, vroeg ze zich af of hij ooit menselijk was geweest. Toch, diep in haar hart, wist ze dat hij dat heel in het begin echt wel was. Dat ze hier naar hem bleef luisteren, was vanwege de persoon die hij was geweest en niet om wie hij nu was. 'Als ik iets van dit alles voor je zou doen, hetgeen ik betwijfel, doe ik dat alleen uit een verwrongen soort loyaliteitsgevoel voor jou, niet uit hebzucht of omdat ik rijk van je probeer te worden. Maar ik weet hoe graag je dit wilt.' Het zou haar laatste geschenk aan hem zijn en dan zou ze zich nooit meer schuldig hoeven voelen omdat ze hem verliet.

'Het is alles wat ik wil, Olivia,' zei hij vastberaden. Hij zag bleek, en ze wist dat hij voor één keer eerlijk was.

'Ik zal erover denken,' zei ze zacht. Ze wist niet wat ze doen moest nu. Die ochtend was ze ervan overtuigd geweest dat ze voor het einde van de week terug zou zijn in La Favière en nu stond ze op het punt om presidentsvrouw te worden. Het was een boze droom. Maar ze vond dat ze hem iets verschuldigd was. Hij was nog steeds haar man, hij was de vader van haar kind geweest en zij kon hem helpen het enige dat hij in het leven wilde te krijgen. Het was een ongelooflijk geschenk om aan iemand te geven. En zonder haar zou het niet lukken.

'Ik wil het over twee dagen bekendmaken. We gaan morgen terug naar Washington.'

'Leuk dat je het me even laat weten.'

'Als je in de buurt was gebleven, had je onze reisplannen gekend,' zei hij bot, terwijl hij haar aankeek en zich afvroeg wat ze zou beslissen. Maar hij kende haar goed genoeg om te weten dat hij haar niet kon dwingen. Hij vroeg zich af of het zou helpen als hij met haar vader sprak, maar hij was bang dat het uiteindelijk averechts zou werken.

Het was een lange, martelende nacht voor haar in het hotel en ze wilde dat ze een lange wandeling kon maken in haar eentje. Ze had tijd nodig om te denken, maar ze wist dat de veiligheidsmensen zich, begrijpelijkerwijs, zenuwachtig maakten over haar. Ze wilde boven alles dat ze met Peter kon praten. Ze vroeg zich af wat hij ervan zou denken, of hij zou zeggen dat ze Andy dit laatste geschenk schuldig was, dit laatste grote gebaar van loyaliteit, of dat hij zou zeggen dat ze gek was. Vijf jaar leek een eeuwigheid en ze wist dat het vijf lange jaren zouden zijn, jaren die ze zou haten, vooral als hij de verkiezingen won.

Tegen de ochtend had ze haar besluit genomen. Aan het ontbijt zag Andy er nerveus en bleek uit, niet van het vooruitzicht haar kwijt te raken, maar uit pure paniek dat ze hem misschien niet zou helpen bij de verkiezingen.

'Ik neem aan dat ik nu iets filosofisch zou moeten zeggen,' zei ze bij de koffie en de croissants. Hij had alle anderen weggestuurd, wat heel ongebruikelijk was voor hem. Ze was al jaren niet meer met hem alleen geweest, behalve als ze 's nachts in bed lagen, en dit was de tweede keer in twee dagen. Hij keek haar op een vreemde manier aan, ervan overtuigd dat ze zou weigeren op zijn voorstel in te gaan. 'Maar ik denk dat we de filosofie achter ons gelaten hebben, hè? Ik blijf me maar afvragen hoe we hier terecht zijn gekomen. Ik herinner me het begin. Ik denk dat je toen van me hield, en ik begrijp eigenlijk niet wat er gebeurd is. Ik herinner me de gebeurtenissen, die ik als een bioscoopjournaal steeds weer opnieuw afdraai in mijn hoofd, maar ik kom er niet achter op welk moment het allemaal mis ging. Jij wel?' vroeg ze op trieste toon.

'Ik weet niet zeker of dat er iets toe doet.' Hij klonk berustend. Hij wist al wat ze zou gaan zeggen. Hij had nooit gedacht dat ze zo wraakzuchtig zou zijn. Goed, hij had wat buiten de deur gerommeld. Hij had heel wat dingen gedaan, maar hij had nooit gedacht dat het haar iets kon schelen. Hij besefte nu dat hij een dwaas was geweest. 'Ik denk dat de dingen op een bepaald moment gewoon gebeuren. En mijn broer ging dood. Je weet niet wat dat voor mij betekende. Je was erbij, maar voor mij was het anders. Ineens werden alle verwachtingen die men van hem had op mij overgeheveld. Ik moest ophouden te zijn wie ik was en hem worden. Ik denk dat jij en ik verloren zijn gegaan in die verwisseling.'

'Misschien had je me dat toen moeten vertellen.' Misschien hadden ze Alex nooit moeten hebben. Misschien had ze hem meteen in het begin al moeten verlaten, maar die twee jaar van Alex' leven had ze voor geen goud willen missen. Nu deed zelfs dat haar niet naar nog een kind verlangen. Ze keek naar Andy en besefte dat ze hem niet langer moest laten lijden. Hij stierf duizend doden terwijl hij wachtte op wat ze te zeggen had. Ze besloot het snel te doen. 'Ik heb besloten om de komende vijf jaar bij je te blijven, voor een miljoen per jaar. Ik heb geen idee wat ik daarmee ga doen: weggeven aan een liefdadige instelling, een kasteel in Zwitserland kopen of een stichting voor wetenschappelijk onderzoek oprichten in Alex' naam. Wat het gaat worden zoek ik later wel uit. Je hebt me een miljoen per jaar geboden en dat neem ik aan. Maar ik stel ook mijn voorwaarden. Ik wil van jou de garantie dat ik er na die vijf jaar vanaf ben, of je herkozen wordt of niet. En als je ditmaal verliest, zijn alle kansen verkeken en ben ik de dag na de verkiezingen vertrokken. En geen valse schijn meer. Ik zal poseren voor alle foto's die je maar wilt, ik zal mee op verkiezingstoer gaan, maar jij en ik zijn niet langer getrouwd. Niemand hoeft dat te weten, maar ik wil dat heel duidelijk stellen tussen ons. Ik wil mijn eigen slaapkamer, waar we ook heengaan, en er komen geen kinderen meer.'

Het was ongezouten, snel, eerlijk en het was voorbij. Behalve dat ze zojuist een vonnis van vijf jaar voor zichzelf had bepleit. Hij was zo verbijsterd dat hij er nog niet eens blij uitzag.

'Hoe moet ik dan die afzonderlijke slaapkamers verklaren?' Hij keek tegelijkertijd bezorgd en tevreden. Hij had bijna alles gekregen wat hij wilde, behalve een kind, en dat was trouwens meer een idee van zijn campagneleider geweest.

'Je zegt maar dat ik aan slapeloosheid lijd, of last heb van nachtmerries.' Het was een goed idee, ze zouden wel iets bedenken om dat verhaal te ondersteunen... dat hij zoveel werk te doen had... de stress van het presidentschap... of zoiets.

'En adoptie?' Hij onderhandelde tot aan het laatste punt van de overeenkomst, maar zij hield voet bij stuk.

'Vergeet het maar. Ik ben niet in de markt voor het kopen van kinderen voor politieke doeleinden. Dat zou ik niemand aandoen en zeker geen kind. Zij verdienen een beter leven dan dit en betere ouders.' Te zijner tijd zou ze misschien wel weer een kind willen, maar niet van hem en niet als deel van een liefdeloze, zakelijke overeenkomst als deze. 'En ik wil dat dit alles vastgelegd wordt in een contract. Jij bent jurist, je kunt het zelf opstellen, gewoon voor ons tweeën. Niemand hoeft dat ooit te zien.'

'Daar heb je getuigen voor nodig.' Hij was nog steeds verbijsterd. Ze had hem totaal overweldigd met haar antwoord. Na alles wat ze gisteravond had gezegd, was hij er zeker van geweest dat ze het niet zou doen.

'Zoek dan iemand die je kunt vertrouwen,' zei ze rustig, maar dat was nogal een opdracht in zijn wereld. Allen die hem omringden zouden hem meteen verraden.

'Ik weet niet wat ik zeggen moet,' zei hij, nog steeds verbaasd.

'Er is niet veel meer te zeggen, Andy, vind je niet?' In één klap was hij presidentskandidaat en was hun huwelijk voorbij. Ze werd er verdrietig van als ze eraan dacht, maar er was geen liefde en zelfs geen vriendschap meer over. Die vijf jaren zouden heel lang gaan duren voor haar en voor zichzelf hoopte ze dat hij niet zou winnen.

'Waarom heb je besloten het te doen?' vroeg hij zacht, dankbaarder dan hij ooit in zijn leven was geweest.

'Ik weet het niet. Ik vond dat ik het je schuldig was. Het ligt in mijn vermogen om je iets te geven wat je vreselijk graag wilt en het leek me verkeerd om het je te onthouden. Je houdt me niet af van iets dat ik werkelijk wil, behalve mijn vrijheid. Ik wil uiteindelijk gaan schrijven, maar dat kan wachten.' Ze keek hem nieuwsgierig aan en voor het eerst in jaren besefte hij dat hij haar nooit gekend had.

'Dank je, Olivia,' zei hij ernstig toen hij opstond.

'Succes,' zei ze zacht. Hij knikte en verliet de kamer zonder om te kijken. Toen hij weg was realiseerde ze zich dat hij haar niet eens een kus had gegeven.

Toen Peters toestel op Kennedy Airport landde, stond de limousine die hij vanuit het vliegtuig geregeld had op hem te wachten. Frank wachtte op kantoor op hem. In sommige opzichten was het nieuws niet zo slecht als hij gevreesd had, maar het was nog steeds niet goed. Hij wist dat het allemaal nieuw was voor Frank en dat hij heel wat zou moeten uitleggen. Nog maar vijf dagen geleden, toen Peter uit Genève vertrok, had alles er zo goed uitgezien.

Het vrijdagavondverkeer richting stad was een ellende. Het was spitsuur en het was juni. Het verkeer liep overal vast en het was al na zessen toen Peter, gespannen en vermoeid, eindelijk bij Wilson-Donovan aankwam. Hij had tijdens de vlucht uren aan de rapporten en aantekeningen van Suchard zitten werken en had zelfs niet eens aan Olivia gedacht. Hij kon alleen maar aan Frank denken, aan Vicotec en aan hun toekomst. Het ergste nieuws was dat ze de hoorzittingen van het CBG af moesten zeggen, maar het was te doen. Peter besefte dat Frank ontzettend teleurgesteld zou zijn.

Zijn schoonvader wachtte op hem in de grote hoeksuite op de vijfenveertigste verdieping die hij al dertig jaar, sinds Wilson-Donovan het gebouw betrok, gebruikte. En zijn secretaresse zat nog op haar plaats. Ze bood Peter iets te drinken aan, maar hij wilde alleen maar een glas water.

'Je hebt het dus voor elkaar!' Frank zag er gedistingeerd en opgewekt uit in z'n donkere krijtstreeppak en met z'n dikke bos grijs haar, en Peter zag uit zijn ooghoeken dat er een fles Franse champagne in de zilveren koeler stond. 'Vanwaar al die geheimzinnigheid? Je maakt het heel spannend! Het lijkt wel een spionageverhaal!' De twee mannen schudden elkaar de hand en Peter vroeg hoe het met hem ging. Maar Frank Donovan zag er gezonder uit dan hij. Hij was zeventig, maar vitaal en in goede gezondheid en hij had bij alles de touwtjes stevig in handen, zoals ook nu. Hij beval Peter haast hem te vertellen wat er in Parijs was gebeurd.

'Ik heb Suchard vandaag gesproken,' zei Peter toen hij ging zitten. Hij wilde nu dat hij over de telefoon iets had gezegd om hem van tevoren te waarschuwen. De ongeopende champagne leek hem beschuldigend aan te staren. 'Hij heeft ontzettend lang over de tests gedaan, maar ik denk dat het het waard was.' Hij voelde zijn knieën trillen als van een kind en hij wenste bijna dat hij hier niet hoefde te zijn.

'Wat bedoel je? Een verklaring dat alles prima in orde is, neem ik aan.' Hij wierp een blik op zijn schoonzoon en Peter schudde zijn hoofd en keek hem recht aan.

'Ik ben bang van niet. Een van de minder belangrijke bestanddelen sloeg op hol in de eerste ronde van de tests en hij wilde ons absoluut niet zijn fiat geven voor hij ze allemaal opnieuw had gedaan. Hij dacht dat we ofwel een ernstig probleem hadden, of dat er een fout in hun testsysteem was geslopen.'

'En wat was het?' Beide mannen keken nu ernstig.

'Ons product, vrees ik. Er is één enkel element dat we moeten veranderen. Als we dat doen, kunnen we zeker zijn van het welslagen. Maar volgens Suchard is het zoals het er nu voorstaat, dodelijk.' Peter zag eruit alsof hij bereid was nu alles onder ogen te zien, maar Frank schudde alleen maar ongelovig zijn hoofd, leunde achterover in zijn stoel en dacht na over wat Peter hem net had verteld.

'Dat is bespottelijk. Wij weten wel beter. Kijk naar Berlijn. Kijk naar Genève. Zij hebben die tests maandenlang uitgevoerd en bij iedere test kwamen we er goed uit.'

'Maar in Parijs niet. Daar kunnen we niet omheen. Gelukkig schijnt het maar om een enkel element te gaan, en dat is "redelijk gemakkelijk" te veranderen.' Hij citeerde nu Suchard.

'Hoe gemakkelijk?' Frank keek hem nijdig aan, hij wilde maar een antwoord horen.

'Hij denkt dat het onderzoek, met een beetje geluk, een halfjaar tot een jaar zal duren. Hooguit twee. Maar als we er weer dubbele teams op zetten, denk ik dat we tegen het volgend kalenderjaar klaar kunnen zijn. Ik denk niet dat het sneller kan.' Hij had het tijdens de vlucht allemaal nauwkeurig berekend op zijn computer.

'Onzin. Over drie maanden vragen we het CBG om met de vervroegde proeven op mensen te mogen beginnen. Dat is de tijd die we hebben en dat is de tijd die we ervoor nemen. Het is jouw taak daarop toe te zien. We halen die Franse gek hier naartoe om te helpen, als dat nodig is.'

'Het lukt niet in drie maanden.' Peter was geschokt door wat Frank zei. 'Dat is onmogelijk. We moeten de aanvraag voor vervroegde proeven intrekken en onze verschijning op de hoorzitting uitstellen.'

'Dat doe ik niet,' schreeuwde Frank tegen hem. 'We staan voor gek. Je hebt tijd genoeg om de kink uit de kabel te halen voor we daar moeten verschijnen.'

'En als het niet lukt en ze geven ons de vrijstelling die we willen hebben, vermoorden we misschien iemand. Je hebt gehoord wat Suchard heeft gezegd, het is gevaarlijk. Frank, ik wil dit product ook dolgraag op de markt brengen. Maar ik ga er geen mensen aan opofferen.'

'Ik beveel het je,' zei zijn schoonvader met opeengeklemde tanden. 'Je hebt drie maanden om het op te lossen voordat de hoorzittingen beginnen.'

'Ik ga niet naar het CBG met een product dat gevaarlijk is, Frank. Begrijp je wat ik zeg?' Peter verhief zijn stem tegen hem, dat was nog nooit eerder gebeurd. Maar hij was moe, het was een lange vlucht geweest en hij had al in dagen geen behoorlijke nachtrust gehad. En Frank gedroeg zich als een idioot, hij hield maar vol dat ze naar de hoorzitting zouden gaan om te vragen of ze met de proeven konden beginnen en om Vicotec in een 'versnelde procedure' op te nemen, terwijl Suchard hun net verteld had dat het dodelijk kon zijn. 'Heb je me verstaan?' herhaalde hij, en de oude man schudde zijn hoofd in stille woede.

'Nee, dat heb ik niet. Je weet wat ik van je verlang. Doe dat. Ik ben niet van plan nog meer geld over de balk te gooien om dit te ontwikkelen. Het wordt nu gelanceerd, of helemaal niet. Is dat duidelijk?'

'Volkomen,' zei Peter zacht, nu weer beheerst. 'Dan denk ik dat het niet gelanceerd wordt. Of er nog meer geld voor onderzoek in wordt gestoken, is jouw beslissing,' zei hij respectvol, maar Frank keek hem alleen maar dreigend aan. 'Ik geef je drie maanden.'

'Ik heb meer nodig, Frank. Dat weet je.'

'Het kan me niet schelen wat je doet, als je maar zorgt dat je klaar bent voor die hoorzittingen in september.'

Peter wilde hem zeggen dat hij gek geworden was, maar durfde het niet. Hij had nog nooit meegemaakt dat hij gevaarlijke beslissingen nam. Hij was totaal onredelijk en bezig iets te doen dat het hele bedrijf ten val zou kunnen brengen. Het was te gek voor woorden en Peter kon alleen maar hopen dat hij morgen weer tot zijn positieven zou komen. Hij was, net als Peter, gewoon teleurgesteld.

'Het spijt me dat ik met slecht nieuws ben gekomen,' zei Peter zacht, terwijl hij zich afvroeg of Frank verwachtte dat hij hem een lift naar Greenwich gaf in de limousine. Als dat zo was zou het een lange en vervelende rit worden, maar Peter was ertoe bereid.

'Volgens mij is Suchard krankzinnig,' zei Frank kwaad terwijl hij door zijn bureau beende en de deur opentrok, een teken voor Peter om weg te gaan.

'Ik was er ook van ondersteboven,' zei hij eerlijk. Maar hij had zich tenminste redelijker gedragen dan Frank, die de consequenties van zijn uitspraken niet scheen te bevatten. Als je al die verzoeken indiende voor een product dat gevaarlijk en nog niet geperfectioneerd was, smeekte je gewoon om ellende. Peter zag niet in waarom Frank weigerde dat te begrijpen.

'Ben je daarom de hele week in Parijs gebleven?' vroeg Frank, die duidelijk nog steeds razend op hem was. Het was niet Peters schuld, maar hij was de brenger van het slechte nieuws.

'Inderdaad. Ik dacht dat hij zich meer zou haasten als ik daar bleef wachten.'

'Misschien hadden we niet de moeite moeten nemen om hem die tests te laten doen.' Peter kon zijn oren niet geloven.

'Ik ben ervan overtuigd dat je je mening zult bijstellen als je erover hebt nagedacht en de rapporten hebt gelezen.' Peter gaf hem een stapel papieren uit zijn aktetas.

'Geef het maar aan de researchafdeling.' Frank duwde de papieren ongeduldig van zich af. 'Ik ga die rommel niet lezen. Ze houden ons nodeloos op. Ik weet wat voor werk Suchard voor ons doet. Het is een bangelijk oud wijf.'

'Hij is een erkend wetenschapper,' zei Peter resoluut, vastbesloten om stand te houden. Het gesprek met Frank was van begin tot eind een nachtmerrie geweest en hij stond te popelen om naar huis te gaan. 'Ik denk dat we hier maandag maar verder over moeten praten, als je tijd hebt gehad om het te verwerken.'

'Er valt niets te verwerken. Ik ga er niet eens meer over praten. Ik weet zeker dat Suchards rapport pure hysterie is en ik weiger daar aandacht aan te besteden. Als jij dat wel wilt, moet je dat zelf weten.' Toen kneep hij zijn ogen samen en stak een vermanende vinger op. 'En ik wil niet dat dit met wie dan ook wordt besproken. Zeg tegen beide researchploegen dat ze hun mond houden. Als dit soort kletspraatjes de ronde gaat doen, trekt het CBG onze aanvraag in.' Peter had het gevoel dat ze in een surrealistische film beland waren. Het werd echt tijd dat Frank terugtrad als hij dit soort beslissingen nam. Ze hadden geen keus. Ze konden niet met Vicotec naar het CBG gaan voor het klaar was. Het was hem een raadsel waarom Frank niet wilde luisteren. Frank ging er steeds geïrriteerder uitzien toen hij het volgende onderwerp aansneed.

'We hebben een schrijven van het Congres gekregen toen jij weg was,' beet hij Peter toe. 'Ze willen dat we in de herfst voor een subcommissie verschijnen om de huidige hoge marktprijzen van geneesmiddelen te bespreken. Dat is weer zo'n drammerig geouwehoer van de regering over waarom we geen medicijnen gratis uitdelen op de straathoeken. Dat doen we genoeg voor onderzoek en in ziekenhuizen in de derde-wereldlanden. Dit is verdomme een industrie, geen stichting. En denk maar niet dat we Vicotec als een weggevertje gaan prijzen. Daar pieker ik niet over!' Peters nekharen gingen recht overeind staan toen zijn schoonvader dat zei. De hele bedoeling van de medicijn was de bereikbaarheid voor de massa, voor mensen in afgelegen en landelijke gebieden of thuissituaties die het moeilijk maakten, of zelfs onmogelijk, om artsen voor de behandeling te krijgen, zoals bij zijn moeder en zuster. Als Wilson-Donovan het ging prijzen als een luxe geneesmiddel, misten ze het beoogde doel en Peter moest een opwelling van paniek onderdrukken.

'Ik denk dat de prijs een belangrijk discussiepunt is,' zei Peter kalm.

'Dat vindt het Congres ook,' blafte Frank. 'Ze laten ons niet alleen hiervoor komen, het ligt algemener. Maar we moeten stand houden wat betreft hoge prijzen, anders pakken ze ons op onze woorden en dringen ons ook een lage prijs voor Vicotec op als het op de markt komt.'

'Ik vind dat we ons een beetje gedeisd moeten houden,' zei Peter terwijl zijn hart hem in de schoenen zonk. Hij was niet blij met wat hij hoorde. Het ging alleen maar over winst. Ze waren bezig een wondermiddel te ontwikkelen en Frank Donovan wenste daar ten volle van te profiteren.

'Ik heb al ja gezegd. Jij gaat er heen. Ik dacht dat je het wel in september kon doen, als je naar de hoorzitting van het CBG gaat. Je bent dan toch in Washington.'

'Misschien niet,' zei Peter grimmig, vastbesloten om de strijd tot later uit te stellen. Hij was bekaf. 'Wil je meerijden naar Greenwich?' vroeg hij beleefd, in de hoop van onderwerp te kunnen veranderen. Hij was nog steeds verbijsterd over Franks koppigheid. Het was het toppunt van onredelijkheid.

'Ik eet in de stad,' zei Frank kortaf. 'Ik zie je in het weekend.' Peter begreep dat hij en Katie iets afgesproken hadden en dat zou ze hem wel vertellen als hij thuiskwam.

Toen hij vertrok kon hij alleen maar denken aan de waanzin van Franks standpunt. Misschien begon hij seniel te worden. Iemand die bij z'n volle verstand was zou niet voor het CBG willen verschijnen met de vraag een product dat gevaarlijk was vervroegd vrij te geven. Niet na wat Suchard had gezegd, niet als er ook maar enig risico bestond. Wat Peter betrof had het niets te maken met wettelijke of geldelijke verplichtingen, het had te maken met morele verantwoordelijkheid. Stel je voor dat Vicotec werd vrijgegeven voor de verkoop en er zou iemand aan sterven. Voor Peter stond vast dat hij en Frank in dat geval verantwoordelijk zouden zijn, niet het geneesmiddel. Er kwam niets van in.

Hij had het volle uur van de reis nodig om bij te komen van zijn gesprek met Frank. Toen hij thuis kwam liepen Katie en alle drie de jongens rond in de keuken en probeerde Katie een barbecue te organiseren. Mike had beloofd haar te helpen, maar die was aan de telefoon een afspraak voor later die avond aan het regelen en Paul zei dat hij nog iets anders te doen had. Peter keek zijn vrouw met spottend medelijden aan, trok z'n jasje uit en deed een schort voor. Voor hem was het twee uur in de nacht, maar hij was de hele week van huis geweest en voelde zich nogal schuldig. Hij probeerde Kate een begroetingskus te geven toen hij het schort eenmaal voor had, maar ze deed zo terughoudend dat hij zich afvroeg of ze iets vermoedde over Parijs. Hij stond versteld over de intuïtie van het vrouwelijk ras. Hij had haar nog nooit bedrogen in die achttien jaar en die ene keer dat hij het deed, leek het wel of ze het wist. Ze bleef tijdens de hele maaltijd kil tegen hem. De jongens verdwenen na het eten vrijwel meteen om van alles te gaan doen. Toen ze eenmaal weg waren zei ze pas iets tegen hem en hij werd er moedeloos van toen hij het hoorde.

'Ik hoor van mijn vader dat je heel akelig tegen hem ge-weest bent vanavond,' zei ze kalm, terwijl ze haar man ver-nietigend aankeek. 'Ik vind dat niet eerlijk. Je bent de he-le week weggeweest, hij was reuze opgewonden over het uitbrengen van Vicotec en nu heb je het bedorven.' Het was geen andere vrouw waar ze zich druk over maakte, het was haar vader. Zoals gewoonlijk verdedigde ze hem zonder zelfs maar te weten wat er was gebeurd.

'Ik heb het niet bedorven, Kate, dat heeft Suchard gedaan,' zei hij en voelde zich uitgeput. Hij kon niet met beiden ru-zie maken. Hij had de hele week nauwelijks geslapen, en hij kon het nu niet aan. Het feit dat hij zijn zakelijke be-slissingen tegenover haar moest verdedigen vond hij bo-vendien heel erg. 'Het laboratorium in Frankrijk heeft een ernstig probleem aan het licht gebracht, een fout in de sa-menstelling van Vicotec die dodelijk kan zijn. Dat moeten we veranderen.' Hij zei het op kalme, zakelijke toon, maar ze bleef hem achterdochtig aankijken.

'Pap zegt dat je weigert ermee naar de hoorzitting te gaan.' Haar stem was een klaaglijk geluid in hun keuken.

'Allicht. Je denkt toch niet dat ik met een product dat nog niet deugt naar het CBG ga om te vragen of we het snel op de markt mogen brengen om het aan een argeloos publiek te verkopen? Dat zou belachelijk zijn. Ik heb geen idee waarom je vader reageerde zoals hij deed. Maar ik neem aan dat hij wel weer tot bezinning komt als hij de rap-porten leest.'

'Pap zegt dat je kinderachtig doet, dat de rapporten hys-terisch zijn en dat er geen reden is voor paniek.' Ze wist van geen wijken en Peters kaakspieren spanden zich. Hij ging hier niet verder met haar over discussiëren.

'Ik denk niet dat dit het juiste moment is om erover te pra-ten. Ik weet dat je vader van streek was, dat was ik ook.

Ik had ook liever andere resultaten gezien. Maar door het te ontkennen los je het niet op.'

'Je doet net of hij achterlijk is,' zei ze kwaad en ditmaal viel Peter tegen haar uit.

'Zo gedroeg hij zich ook en jij doet net of je z'n moeder bent, Kate. Dit is niet iets tussen ons. Dit is een ernstige zakelijke kwestie in het bedrijf en een belangrijke levensbedreigende beslissing. Het is niet aan jou om die beslissing te nemen, of er zelfs maar commentaar op te leveren en ik vind dat je er niets mee te maken hebt.' Het maakte hem razend dat Frank haar kennelijk gebeld had om over hem te klagen zodra hij het kantoor had verlaten. Ineens moest hij denken aan alles wat Olivia had gezegd. Ze had gelijk. Kate bestuurde zijn leven, evenals haar vader. En wat hem zo ergerde was dat hij dat nooit had willen inzien.

'Pap zegt dat je niet eens voor het Congres wilt verschijnen om over de prijzen te praten.' Ze klonk gekrenkt toen ze dat zei en Peter zuchtte, voelde zich machteloos.

'Dat heb ik niet gezegd. Ik heb gezegd dat het me beter leek als we ons op dit ogenblik een beetje op de vlakte hielden, maar ik heb wat het Congres betreft nog geen enkel besluit genomen. Ik weet er niets van.' Maar zij wel. Frank had haar alles verteld. En dus wist ze, zoals gewoonlijk, weer meer dan hij.

'Waarom doe je zo moeilijk?' Kate bleef doordrammen, terwijl hij hun borden in de vaatwasser zette om haar te helpen. Maar hij was zo uitgeput en had nog zo'n last van het tijdsverschil dat hij zijn ogen nauwelijks open kon houden. 'Bemoei je er nou niet mee, Kate. Laat Wilson-Donovan nu maar aan je vader over. Hij weet wat hij doet.' En hij had niet tegen zijn dochter moeten zeuren. Peter was des duivels.

'Dat is nou precies wat ik net zei,' zei Kate triomfantelijk. Ze leek niet eens blij te zijn dat hij weer thuis was. Het enige dat ze wilde was haar vader verdedigen tegenover hem. Het scheen haar niet eens te kunnen schelen hoe moe Peter was, of hoe teleurgesteld hij zelf was over het mankement aan Vicotec en hun onvermogen om ermee naar het CBG te gaan en door te gaan met de productie. Haar zorg gold uitsluitend haar vader. Dat was hem nog nooit zo duidelijk geweest als nu, en de blik die hij in haar ogen zag kwetste hem diep. 'Laat de beslissingen aan mijn vader over. Als hij zegt dat je ermee naar het CBG kunt gaan, is er geen reden dat niet te doen. En als hij graag wil dat je voor het Congres verschijnt in verband met de prijsstelling, waarom zou je dat dan niet doen?' Peter kon het wel uitschreeuwen toen hij haar zo hoorde.

'Het gaat nu niet over het Congres, Kate. En naar het CBG gaan met een product dat gevaarlijk kan zijn, betekent zelfmoord voor iedereen in het bedrijf en voor de patiënten die het zouden gebruiken en die zich niet bewust zijn van de mogelijk fatale werking ervan. Zou jij, wetend wat je nu weet, softenon gebruiken? Natuurlijk niet. Zou jij het CBG vragen om dat vervroegd op de markt te mogen brengen? Natuurlijk zou je dat niet. Je kunt de gevaren in dit soort producten niet negeren als je ervan op de hoogte bent, Kate. Dat is waanzin, en voortijdig naar het CBG gaan ook. Je kunt het hele land een afkeer van de medicijn laten krijgen door het te vroeg, of op een onverstandige manier uit te brengen.'

'Ik denk dat pap gelijk heeft. Je bent gewoon laf,' zei ze botweg.

'Het is niet te geloven,' zei hij en staarde haar verbijsterd aan. 'Heeft hij dat gezegd?' Ze knikte beamend. 'Volgens mij is hij overwerkt en ik zou het prettig vinden als jij je hier niet in mengde. Ik ben bijna twee weken weggeweest en ik wil geen ruzie met je maken over je vader.'

'Terg hem dan niet zo. Hij was heel erg van streek over jouw gedrag van vanmiddag. Dat vind ik echt misselijk van je, Peter, en onsympathiek en onbeleefd.'

'Als ik een beleidsrapport van je wil, zal ik er wel om vragen, Kate. Maar tot dan denk ik dat je vader en ik er samen wel uit komen. Hij is een volwassen man en hij heeft jou niet nodig om hem te beschermen.'

'Misschien heeft hij dat wel. Hij is bijna twee keer zo oud als jij en als je geen respect voor hem hebt en zo gemakkelijk over hem heen loopt, jaag je hem voortijdig zijn graf in.'

Ze was bijna in tranen terwijl ze haar man uitfoeterde. Hij ging zitten en deed zijn das af. Dit was toch niet te geloven. 'Hou daar in godsnaam mee op! Dit is belachelijk. Hij is volwassen. Hij kan voor zichzelf zorgen en wij hoeven geen ruzie over hem te maken. Jij jaagt mij voortijdig m'n graf in als je me niet met rust laat. Ik heb deze week nauwelijks geslapen van de zorgen over die tests.' En dan was er nog Olivia en de drie nachten die hij had doorgebracht met haar en het heen en weer rijden naar La Favière. Maar daar werd uiteraard niet over gesproken en het leek nu zo onwezenlijk dat hij het niet langer kon geloven. Kate had hem met de subtiliteit van een kernexplosie in zijn eigen wereld teruggeplaatst.

'Ik begrijp niet waarom je zo gemeen tegen hem moest zijn,' zei ze terwijl ze haar neus snoot. Peter staarde naar haar en vroeg zich af of zij en haar vader alle twee gek waren. Het ging hier over een product. Er waren nog wat problemen mee die opgelost moesten worden. Het was niet persoonlijk. Zijn weigering om ermee naar het CBG te gaan was geen muiterij tegen Frank, noch was zijn openhartigheid tegen hem bedoeld om Katie te kwetsen. Waren ze al-

174

lemaal geschift? Was dat altijd zo geweest? Of was het ineens erger dan ooit? Zo moe als hij was, kon hij er kop
noch staart aan ontdekken en Katie die erom zat te huilen
was de druppel die de emmer deed overlopen. Hij stond
op en sloeg z'n armen om haar heen.

'Ik was niet gemeen tegen hem, Katie, geloof me. Misschien
had hij z'n dag niet. Ik ook niet trouwens. Laten we alsjeblieft naar bed gaan... ik ben zo moe, ik voel me of ik
doodga.' Of voelde hij zich zo omdat hij Olivia kwijt was?
Hij wist het nu even niet. Nog steeds klagend over zijn on-
rechtvaardigheid ten opzichte van haar vader, ging Katie
met tegenzin mee naar bed. Het was zo bespottelijk dat hij
maar geen antwoord meer gaf. Vijf minuten later sliep hij
en droomde over een meisje op een strand. Ze lachte en
wenkte hem naderbij en hij rende naar haar toe, denkend
dat het Olivia was, maar het bleek Katie te zijn en ze was
kwaad op hem. Ze schreeuwde tegen hem en terwijl hij
luisterde zag hij Olivia in de verte verdwijnen.

Toen hij de volgende dag wakker werd had hij weer dat
loden gevoel. Het was een allesoverheersend gevoel van
wanhoop dat aanvoelde of er rotsen op hem neergevallen
waren. Hij herinnerde zich niet meer wat het was of waarom hij zich zo voelde, maar toen hij om zich heen keek en
de vertrouwde kamer zag, wist hij het weer. Hij dacht aan
een andere kamer, een andere dag, een andere vrouw. Het
was onvoorstelbaar dat het nog maar twee dagen geleden
was. Het leek wel een heel leven geleden. En terwijl hij in
bed aan haar lag te denken, kwam Katie binnen en zei dat
ze die middag zouden gaan golfen, met haar vader.

Olivia was weg, de droom was voorbij. Dit was de realiteit waar hij in thuisgekomen was. Het was hetzelfde leven dat hij altijd had geleid, alleen voelde alles ineens zo
anders aan.

9

Uiteindelijk ging alles weer z'n gangetje. Katies stemming werd weer beter en ze was niet meer zo bezig haar vader te beschermen alsof hij een kind in de zandbak was. Ze brachten veel tijd met hem door en een paar dagen na Peters thuiskomst hadden zowel zij als haar vader een beter humeur. Peter vond het ook altijd fijn als de jongens in de buurt waren, hoewel ze dit jaar steeds minder tijd voor hun ouders leken te hebben. Mike had nu een rijbewijs en hij bracht Paul overal heen, wat hun lasten verlichtte, maar wat ook betekende dat ze hen minder vaak zagen. Zelfs Patrick was er bijna nooit. Hij was smoorverliefd op het buurmeisje, en zat het grootste deel van de dag bij haar thuis. 'Wat mankeert er aan ons dit jaar? Zijn we melaats of zo?' klaagde Peter op een ochtend tijdens het ontbijt tegen Kate. 'We zien de kinderen helemaal niet meer. Ze zijn altijd op stap. Ik dacht dat ze verondersteld werden ook eens bij ons te zijn als ze thuis zijn van kostschool, in plaats daarvan zijn ze eeuwig met hun vrienden op pad.' Hij voelde zich echt beroofd zonder hen. Hij vond het fijn om dingen met zijn kinderen te doen, en hij werd er een beetje triest van als dat niet gebeurde. Zij gaven hem het soort kameraadschap en ongedwongenheid dat hij met Kate niet meer had.

'Van de zomer zie je ze wel weer, in de Vineyard,' zei ze kalm. Zij was meer dan hij gewend aan hun komen en gaan en aan hun drukke leven. En eerlijk gezegd genoot ze niet zoveel van hen als hij. Hij was altijd een fantastische vader geweest, ook toen ze nog klein waren.

'Moet ik soms vast een afspraak met ze maken? Ik bedoel, verdorie, augustus is al over vijf weken. Ik wil ze echt niet graag mislopen. Ik ben er maar voor een maand.' Het was maar half als grapje bedoeld en zij lachte tegen hem.

'Ze zijn nu allemaal groot,' zei ze nuchter.

'Betekent dat dat ik ontslagen ben?' Hij zag er bepaald geschrokken uit. Met veertien, zestien en achttien amuseerden de jongens zich heel goed zonder hun ouders.

'Min of meer. In de weekends kun je gaan golfen met mijn vader.' De ironie was dat zij nog steeds meer tijd met haar vader doorbracht dan haar eigen zoons met hun ouders deden. Maar dat zei hij niet tegen haar en ook niet dat het gedrag van hun zoons heel wat normaler was.

Er hing nog steeds een wat gespannen sfeer tussen Frank en Peter. Frank had deze week zijn goedkeuring gegeven aan een enorm budget voor research op Vicotec, uitgevoerd door dubbele teams die dag en nacht werkten. Hij had er echter nog steeds niet in toegestemd hun verschijning voor het CBG af te zeggen, hoewel Peter er met pijn en moeite, en alleen om Katies vader een plezier te doen, mee akkoord was gegaan om voor het Congres over de prijzenkwestie te praten.

Hij vond het niet fijn, maar het was het niet waard om ruzie over te maken en het was goed voor de reputatie van het bedrijf als Peter daar gezien werd. Hij vond het alleen niet prettig om de onnodig hoge prijzen te moeten verdedigen die zij, en anderen in de industrie, in rekening brachten voor hun producten. Maar zoals Frank altijd zei, ze waren in zaken om winst te maken. Ze bekommerden zich om de plagen van de mensheid, maar dat nam niet weg dat ze eraan wilden verdienen. Peter hoopte nog steeds dat het met Vicotec anders zou zijn en dat hij Frank ervan kon overtuigen de winst uit de omzet te halen en niet uit astronomische prijzen. En er zou geen concurrentie voor het product zijn, althans niet in het begin. Maar Frank was vooralsnog niet bereid dat te bespreken. Het enige dat hij wilde was Peters belofte dat hij zou proberen het bij het CBG te krijgen in september. Het was een obsessie voor hem geworden. Hij wilde Vicotec koste wat kost zo snel mogelijk op de markt brengen. Hij wilde geschiedenis maken en verscheidene miljoenen dollars verdienen.

Hij bleef volhouden dat ze tijd genoeg hadden en dat ze met een beetje geluk voor september 'de rimpels glad gestreken' zouden hebben. Peter sprak hem maar niet meer tegen, hij wist dat ze zich indien nodig, altijd nog konden terugtrekken van de hoorzittingen. Er was een klein kansje dat ze tegen die tijd klaar waren, maar volgens Suchard was dat heel twijfelachtig. Peter vond dat Franks doelstellingen niet erg realistisch waren.

'Zullen we proberen Suchard hierheen te halen? Dat kan de zaak misschien versnellen,' stelde Peter voor, maar Frank vond dat geen goed idee en toen Peter Paul-Louis belde om het met hem te bespreken, kreeg hij te horen dat doktor Suchard op vakantie was. Peter vond dat nogal vreemd en ergerde zich aan Suchards timing. Maar niemand in Parijs wist waar hij heen was gegaan, dus Peter kon niets doen om hem te vinden.

Het was eind juni voor alles weer kalm was en toen was het tijd voor Frank, Katie en de jongens om naar Martha's Vineyard te vertrekken. Peter zou het weekend van Independence Day bij hen doorbrengen. Dan zou hij teruggaan naar de stad en verder gaan forenzen. Door de week zou hij de studio van het bedrijf gebruiken en langer doorwerken op kantoor en in de weekends naar Martha's Vineyard gaan. Van maandag tot en met vrijdag wilde hij beschikbaar zijn voor de onderzoeksteams om hen zoveel mogelijk te kunnen helpen. Bovendien vond hij het prettig om in de stad te zijn. In Greenwich was het trouwens eenzaam voor hem, zonder Kate en de kinderen. Het was een uitstekende kans om heel wat werk te verzetten.

Maar eind juni hielden zijn gedachten zich niet alleen met werk bezig. Twee weken geleden had hij de aankondiging gezien dat Andy Thatcher zich kandidaat zou stellen voor de presidentsverkiezingen, eerst bij de voorverkiezingen en als hij die won, bij de landelijke verkiezingen die volgend jaar november gehouden werden. Het was Peter opgevallen dat bij alle persconferenties die Thatcher gaf, Olivia naast hem stond. Haar plotseling constante aanwezigheid aan de zijde van Andy Thatcher verontrustte hem en hij vroeg zich af wat het betekende in het licht van haar eerdere plan om hem te verlaten. Ze hadden afgesproken geen contact met elkaar op te nemen, dus hij kon haar nu moeilijk bellen om te vragen hoe dat zat. Peter wilde zich aan de afspraak houden, hoe moeilijk het ook was. Hij besloot dat haar regelmatige verschijning naast Andy in de politieke arena kennelijk betekende dat ze had besloten niet bij hem weg te gaan. Hij vroeg zich af hoe ze zich daaronder voelde en of Andy die beslissing op de een of andere manier had afgedwongen. Naar wat hij van haar en hun relatie wist, leek het hem onwaarschijnlijk dat ze het uit genegenheid had gedaan. Hooguit bleef ze uit een soort plichtsgevoel bij hem. Hij wilde liever niet geloven dat ze het uit liefde voor Andy deed.

Vreemd zoals ze door moesten gaan met hun levens na die

korte periode die ze samen hadden doorgebracht in Frankrijk. En hij vroeg zich af of voor haar, net als voor hem, alles ook plotseling anders was. Hij had eerst wanhopig geprobeerd zich daartegen te verzetten en zichzelf verteld dat er niets veranderd was. Maar dingen die hem voorheen niet gestoord hadden waren ineens enorme problemen voor hem. Plotseling leek het wel of alles wat Kate zei of deed iets met haar vader te maken had. Zijn werk leek moeilijker. Het onderzoek op Vicotec had nog geen veranderingen opgeleverd. En Frank was nog nooit zo onredelijk geweest als nu. Zelfs zijn zoons hadden hem niet nodig. Maar het ergste was dat Peter het gevoel had dat er geen vreugde meer in zijn leven was, geen spanning, geen mysterie, geen romantiek. Er was niets van de dingen die hij in Frankrijk met Olivia had gedeeld. Maar het moeilijkste was dat hij niemand had om mee te praten. Hij had door de jaren heen niet beseft hoever Katie en hij uit elkaar waren gegroeid, hoe druk ze het had met andere dingen en hoe volkomen in beslag ze genomen werd door haar eigen activiteiten en vrienden, waarvan de meeste betrekking hadden op comités of vrouwen. Er scheen voor hem geen plaats meer te zijn, en de enige man die belangrijk voor haar was, was haar vader.

Misschien was hij wel overgevoelig, of onredelijk, of nog steeds oververmoeid, of overwerkt na de teleurstelling over Vicotec, maar hij dacht van niet. En zelfs toen hij met hen naar de Vineyard ging op Independence Day irriteerde alles hem. Hij voelde zich uit de toon vallen bij hun vrienden, uit de pas met haar, en zelfs hier had hij het gevoel dat hij de jongens nooit zag. Het was alsof, zonder dat hij het had gemerkt, alles veranderd was en zijn leven met haar voorbij was. Het was verbijsterend zoals zijn leven voor zijn ogen ontrafeld werd. Hij vroeg zich ook af of hij misschien onbewust bezig was het op een directe con-frontatie met haar aan te sturen, om te rechtvaardigen wat hij in Zuid-Frankrijk had gedaan met Olivia. Het was be-grijpelijk en gemakkelijker te vergeven als zoiets gebeurde in een huwelijk dat toch al ter ziele was, maar het was moeilijker om mee te leven in een huwelijk dat nog een hu-welijk was.

Hij betrapte zich erop dat hij de kranten zat na te zoeken naar foto's van Olivia, en op de Vierde Juli zag hij een re-portage over Andy op de tv. Hij was op een bijeenkomst op Cape Cod en hij stond op een steiger waaraan zijn enor-me zeilboot lag afgemeerd. Peter vermoedde dat Olivia daar ook ergens moest zijn, dichtbij, maar hoe hij ook zocht, hij kon haar niet vinden.

'Waarom zit jij midden op de dag naar de tv te kijken?' Katie vond hem in hun kamer en toen hij even vluchtig naar haar keek, viel hem op hoe goed haar figuur nog was. Ze droeg een helderblauw badpak en de gouden armband met het hart, die hij in Parijs voor haar had gekocht. Maar zelfs met haar blonde haar en haar parmantige gezicht, had ze niet het overweldigende effect op hem dat Olivia ver-oorzaakte elke keer als hij haar zag. Hij voelde zich prompt weer schuldig en Kate schrok van zijn bezorgde gezicht. 'Is er iets?' vroeg ze. Het ging al een poosje niet zo goed tussen hen. Hij leek prikkelbaarder dan normaal en snel-ler geïrriteerd, wat niets voor hem was. Hij was al zo sinds zijn laatste reis naar Europa.

'Nee hoor, niets. Ik wilde alleen het nieuws even zien.' Hij keek haar niet aan en richtte, met een vage uitdrukking op zijn gezicht, de afstandsbediening op de tv.

'Waarom kom je niet naar buiten om te zwemmen?' zei ze glimlachend. Ze was hier altijd vrolijk. Het was er ook heel plezierig. Hun huis hier was gemakkelijk te onderhouden, en ze vond het leuk omringd te zijn door hun kinderen en hun vrienden. Het was altijd een fijne plek voor haar geweest en voor Peter ook, hoewel deze zomer alles net een beetje anders leek. Hij stond onder zware druk nu er weer research gedaan werd op Vicotec, maar ze kon alleen maar hopen dat het goed zou komen en dat ze de resultaten zouden krijgen die Peter en haar vader wilden hebben. Maar op het ogenblik leek Peter bedroefd en afstandelijk.

Pas twee volle weken later ontdekte Peter de waarheid op het laboratorium. Hij legde de telefoon neer en staarde voor zich uit. Hij kon niet geloven wat hij zojuist had gehoord en hij reed het hele eind naar Martha's Vineyard om het met Katies vader persoonlijk te bespreken.

'Je hebt hem ontslágen? Waarom? Hoe kon je dat doen?' Frank had de boodschapper van het slechte nieuws gestraft. Hij begreep nog steeds niet dat Paul-Louis hen voor heel veel ellende had behoed.

'Hij is een dwaas. Een bangelijk oud wijf dat spoken ziet. Er was geen reden hem aan te houden.' Voor de eerste keer in achttien jaar begon Peter te geloven dat zijn schoonvader werkelijk gestoord was.

'Hij is een van de meest vooraanstaande wetenschappers van Frankrijk, Frank, en hij is negenenveertig. Waar ben je mee bezig? We hadden hem hier kunnen gebruiken om ons te helpen het onderzoek sneller te laten verlopen.'

'Ons onderzoek verloopt prima. Ik heb het gisteren nog met hen besproken. Ze zeggen dat ze begin september klaar zijn om te beginnen. Er zullen dan geen problemen meer zijn met Vicotec, geen zwakke plekken, geen spoken, geen gevaar.' Maar Peter geloofde hem niet.

'Kun je dat hard maken? Weet je het zeker? Paul-Louis zei dat het wel een jaar kon duren.'

'Dat bedoel ik dus. Hij wist niet wat hij zei.'

Peter maakte zich ernstige zorgen over wat Frank had gedaan en via de bedrijfsarchieven spoorde hij Paul-Louis op. Hij belde hem de eerste avond dat hij terug was in New York om hem te vertellen hoe erg het hem speet, en om over Vicotec te praten en de vooruitgang die ze tot nu toe geboekt hadden.

'Jullie zullen iemand de dood injagen,' zei Paul-Louis met zijn zware accent. Maar hij was geroerd door het telefoontje, hij had altijd een groot respect voor Peter gehad. In eerste instantie was hem verteld dat hij zijn ontslag aan Peter te danken had, maar later was hij erachter gekomen dat het van de president-directeur zelf kwam. 'Je kunt het risico nu nog niet nemen,' herhaalde Paul-Louis. 'Je moet alle tests opnieuw doornemen en dat duurt maanden, zelfs als je er met twee teams dag en nacht aan werkt. Je moet ze dit niet laten doen.'

'Dat zal ik ook niet. Dat beloof ik je. Ik waardeer alles wat je hebt gedaan. Het spijt me alleen dat het zo moest lopen.' En dat meende hij oprecht.

'Het geeft niet.' De Fransman haalde zijn schouders op en glimlachte filosofisch. Hij had al een aanbod gekregen van een belangrijk Duits farmaceutisch bedrijf dat een grote fabriek in Frankrijk had. Hij wilde wat tijd hebben om er over na te denken en was daarvoor naar Bretagne gegaan.

'Ik begrijp het. Ik wens je veel geluk met Vicotec. Het kan een fantastisch product worden.'

De twee mannen praatten nog even en Paul-Louis beloofde contact met hem te houden. In de week daarop volgde Peter hun onderzoeksresultaten nog zorgvuldiger. Als Paul-Louis gelijk had, hadden ze nog heel veel werk te verzetten voor ze met een zuiver geweten het 'groene licht' konden geven voor het product.

Tegen het einde van juli leken ze goede vorderingen te maken en Peter was vol goede moed toen hij naar Martha's Vineyard ging voor zijn vakantie. De researchafdeling had beloofd hem dagelijks de verslagen door te faxen vanuit het kantoor, maar als gevolg daarvan had hij er meer moeite mee om zich te ontspannen dan gewoonlijk. Hij leek constant met de navelstreng van zijn fax vast te zitten aan het onderzoek op Vicotec en zijn kantoor.

'Je amuseert je helemaal niet dit jaar,' klaagde zijn vrouw, maar schonk verder niet veel aandacht aan hem. Ze had massa's vriendinnen om op te zoeken, ze werkte in de tuin en was heel vaak bij haar vader thuis, waar zij hem hielp met opknappen en met hem meedacht of hij zijn keuken al dan niet moest vernieuwen. Ze hielp hem zijn gasten te ontvangen en organiseerde verscheidene dineetjes voor hem waar zij en Peter bij aanwezig waren. Daar klaagde Peter ook over. Hij zei dat ze er nooit was, en áls hij haar zag, ze net op weg was naar haar vader.

'Wat is er toch met jou? Je was vroeger nooit jaloers op papa. Ik voel me of ik tussen jullie beiden heen en weer word getrokken,' zei ze geïrriteerd. Peter was altijd zo meegaand geweest over de dingen die ze met haar vader samen deed, en nu klaagde hij aan een stuk door. En met haar vader was het al niet veel beter gesteld, hij was nog steeds boos op Peter vanwege zijn standpunt inzake Vicotec. De spanning die tussen de twee mannen heerste was om te snijden en tegen midden augustus gebruikte Peter zijn werk als excuus om terug te gaan naar de stad. Hij had er meer dan genoeg van. Hij wist niet zeker hoe het kwam, misschien lag het wel aan hem, maar hij had verscheidene ruzies met de kinderen gehad, hij vond Katie lastiger dan ooit en hij werd er doodziek van om iedere keer bij Frank te moeten eten. Daar kwam nog bij dat ze uitgesproken rotweer hadden gehad. Een week lang had het gestormd en er dreigde een orkaan aan te komen vanaf Bermuda. Op de derde dag had hij iedereen naar de bioscoop gestuurd, de luiken vastgezet en de terrasmeubelen vastgebonden. Hij lunchte bij de televisie en keek naar een wedstrijd. Toen hij in de pauze overschakelde op het nieuws, hoorde hij nog net praten over de orkaan 'Angus'. Hij schrok toen hij het beeld van een enorme zeilboot zag en meteen daarna een foto van senator Andy Thatcher. De reportage was al een tijdje gaande en de nieuwslezer zei: '... de tragedie heeft gisteravond laat plaatsgevonden en de lichamen zijn tot nu toe nog niet gevonden. De senator was niet beschikbaar voor commentaar.'

'O, mijn god,' zei Peter hardop. Hij stond plotseling op en legde zijn sandwich op de tafel achter hem. Hij moest weten wat er met haar was gebeurd. Leefde ze of was ze dood? Was het haar lichaam waar men naar zocht? Hij was bijna in tranen terwijl hij naar de tv staarde en als een gek van het ene kanaal naar het andere switchte.

'Hallo, pap. Hoeveel innings?' vroeg Mike die met een afwezige blik door de kamer liep en net terug kwam van de bioscoop. Peter had hem niet binnen horen komen en hij zag eruit als een geest toen hij zich omdraaide.

'Geen innings... geen score... ik weet het niet... laat maar...' Peter keek weer naar de tv toen Mike wegging, maar moest even zoeken voor hij het vond. Het was op kanaal twee en ditmaal hoorde hij het bijna vanaf het begin. Ze waren met Andy's zeilboot in verraderlijke wateren net buiten Gloucester door storm overvallen. En ondanks zijn afmetingen en zogenaamde stabiliteit, hadden ze een paar rotsen geraakt in de storm en was het schip in nauwelijks meer dan tien minuten gezonken. Er waren een stuk of tien mensen aan boord geweest. Het schip was computergestuurd en Andy had het zelf gevaren met de hulp van een enkele dekknecht en een paar vrienden. Op dit ogenblik werden enige passagiers vermist, maar de senator zelf had het overleefd. Zijn vrouw was aan boord geweest en ook haar broer, het junior congreslid Edwin Douglas uit Boston. Tragisch genoeg waren de vrouw en de twee jonge kinderen van het congreslid overboord geslagen. Haar lichaam was vroeg in de ochtend gevonden, maar de kinderen waren nog zoek. En in één adem zei de nieuwslezer toen dat de vrouw van de senator, Olivia Thatcher Douglas, bijna was verdronken. Ze was de vorige avond laat door de kustwacht gered en lag, nog steeds in kritieke toestand, in het Addison Gilbert ziekenhuis. Ze was dankzij haar reddingsvest blijven drijven, maar was bewusteloos toen ze gevonden werd.

'O, mijn god... o, mijn god...' Olivia. En ze was zo bang voor de zee. Hij kon zich maar amper voorstellen wat er met haar was gebeurd en wilde het liefst meteen naar haar toe gaan. Maar hoe moest hij dat verklaren? Wat zouden ze op het nieuws zeggen? Een naamloze zakenman verscheen vandaag in het ziekenhuis en wilde wanhopig graag mevrouw Thatcher zien, maar hij werd weggestuurd. Hij werd in een dwangbuis gestopt en naar huis, naar zijn vrouw gestuurd om tot bezinning te komen.

Hij had geen idee hoe hij haar kon bereiken, of hoe hij haar kon zien zonder voor een van hen beiden moeilijkheden te veroorzaken. Toen hij weer ging zitten en naar de tv staarde, besefte hij dat het waarschijnlijk op dit moment, nu ze nog zo ziek was, niet te doen was. Op een ander kanaal zeiden ze dat ze nog steeds buiten bewustzijn was, wellicht diep in coma. En net als in Parijs lieten ze weer alle foto's van haar uit de sensatiebladen zien met vermelding van elke tragedie. De verslaggevers hadden hun tenten ook voor het huis van haar ouders in Boston opgeslagen en ze toonden beelden van haar door leed getroffen broer die net zijn vrouw en kinderen verloren had terwijl hij het ziekenhuis verliet. Het was verschrikkelijk hem zo te zien en Peter voelde de tranen over zijn wangen rollen.

'Is er iets, pap?' Mike was de kamer weer binnengekomen en maakte zich ongerust toen hij zijn vader zag.

'Nee, ik ben... ik ben oké... er is iets gebeurd met vrienden van me. Vreselijk. Een storm bij Cape Cod gisteravond. De boot van senator Thatcher is vergaan. Zo te horen is er een aantal mensen omgekomen en verscheidene anderen zijn gewond...' En zij lag nog steeds in een coma. Waarom moest dit haar gebeuren? En als ze stierf? Hij moest er niet aan denken.

'Ken je ze?' vroeg Katie verbaasd toen ze door de woonkamer liep op weg naar de keuken. 'Er stond vanochtend iets over dat ongeluk in de krant.'

'Ik heb ze in Parijs ontmoet.' Meer durfde hij niet te zeggen, alsof ze aan de klank van zijn stem zou horen, of erger nog, zou zien dat hij huilde.

'Ze zeggen dat ze nogal eigenaardig is. Ik hoor dat hij zich kandidaat stelt voor het presidentschap,' zei Katie door de open keukendeur. Peter gaf geen antwoord. Hij was zo zachtjes als hij kon naar boven gegaan en belde het ziekenhuis vanuit hun slaapkamer.

Maar hij werd niets wijzer van de verpleegkundigen van Addison Gilbert. Hij zei dat hij een goede vriend van de familie was, en ze vertelden hem precies hetzelfde als hij via de tv had gehoord. Ze lag op intensive care en was sinds haar redding nog niet bij kennis geweest. En hoe lang kon zoiets duren? Hij vroeg zich af of ze hersenletsel zou hebben, of ze zou sterven, of hij haar ooit nog zou zien. De gedachte alleen al maakte dat hij bij haar wilde zijn.

Maar het enige dat hij kon doen was op zijn bed liggen en aan haar denken.

'Ben je wel in orde?' Katie kwam boven om iets te halen en was verbaasd toen ze hem op bed zag liggen. Hij gedroeg zich al dagen behoorlijk vreemd, eigenlijk de hele zomer al, vond ze. Maar haar vader ook. Voor zover zij het kon zien was Vicotec rampzalig voor hen beiden gebleken en het speet haar dat ze er ooit aan waren begonnen. Het was de prijs die ze er allemaal voor moesten betalen niet waard. Katie keek op Peter neer en dacht dat hij er klam uitzag. Ze had geen idee wat hij had gedaan. 'Voel je je wel goed?' vroeg ze nog eens bezorgd. Ze legde een hand op zijn voorhoofd, maar hij had geen koorts.

'Ik voel me best,' zei hij. Hij voelde zich weer schuldig tegenover haar, maar was zo ontzettend bang voor Olivia dat hij nauwelijks helder kon denken. Zelfs al zou hij haar nooit meer zien, hij wist dat de wereld er anders uit zou zien zonder haar lieve gezicht, haar ogen die hem altijd aan bruin fluweel deden denken. Het liefst zou hij meteen naar haar toegaan, die ogen openen en haar weer kussen. Hij wilde daar voor haar zijn. Toen hij Andy weer op de tv zag, kon hij hem wel wurgen omdat hij niet bij haar was. Hij vertelde over alles wat er was gebeurd, hoe snel de storm was komen opzetten, hoe tragisch het was dat de kinderen niet gered konden worden. En op de een of andere manier, zonder het met zoveel woorden te zeggen, zag hij kans het zo te draaien dat hij de held was, ondanks het verlies aan levens en het gevaar voor zijn vrouw.

Peter was nog stiller dan gewoonlijk die avond. De aangekondigde orkaan was aan hen voorbijgegaan en hij belde het ziekenhuis weer. Maar er was geen verandering. Voor hem, en voor de familie Douglas die in het ziekenhuis wachtte, was het een nachtmerrieachtig weekend.

Maar zondagavond, nadat Katie naar bed was gegaan, belde hij opnieuw. Het was de vierde keer die dag en zijn knieën voelden slap toen de verpleegkundige de woorden zei waar hij om gebeden had.

'Ze is wakker,' zei ze en hij voelde tranen opwellen in zijn ogen. 'Het komt wel goed met haar,' zei ze vriendelijk en toen hij opgehangen had legde hij z'n gezicht in zijn handen en huilde. Hij was alleen en kon zich nu laten gaan. De laatste twee dagen had hij aan niets anders kunnen denken. Hij had zelfs geen boodschap voor haar achter kunnen laten, maar hij had haar al zijn goede gedachten en gebeden gezonden. Hij had zelfs Kate verrast door op zondagochtend uit zichzelf naar de kerk te gaan.

'Ik weet niet wat er met hem is gebeurd,' zei ze die avond door de telefoon tegen haar vader. 'Ik zweer je, het is al dat gedoe met Vicotec. Ik haat dat spul. Het maakt hem ziek, en mij gek.'

'Hij komt er wel overheen,' zei haar vader. 'We zullen ons allemaal prettiger voelen als het eenmaal op de markt is.' Maar Katie was daar niet meer zo zeker van. Daarvoor waren de discussies erover te heftig.

De volgende ochtend belde Peter het ziekenhuis weer, maar ze lieten hem niet met haar praten. Hij noemde steeds valse namen en zei ditmaal dat hij een neef uit Boston was. Hij kon haar zelfs geen bericht in code sturen, omdat hij niet wist of het misschien onderschept zou worden. Maar ze leefde, en het ging goed met haar. Haar man zei bij een persconferentie dat ze geluk hadden gehad en dat ze met een paar dagen naar huis zou gaan. Zij was nu buiten gevaar, en Andy Thatcher vertrok later op de ochtend voor zijn verkiezingstournee naar de Westkust.

Hij kwam op tijd terug voor de begrafenis van Edwins vrouw en kinderen, die op tv werd uitgezonden. Peter zat er gefascineerd naar te kijken en was blij dat Olivia er niet bij kon zijn. Peter kende haar goed genoeg om te weten dat ze dat niet had kunnen verdragen. Het zou haar te veel aan haar eigen kind hebben herinnerd. Maar haar ouders waren erbij, en Edwin, die zichtbaar rouwend dicht bij hen stond en uiteraard Andy met een arm om de schouders van Olivia's broer. Ze waren de ideale politieke familie. Op gepaste afstand stonden verslaggevers en cameramensen van kranten en tv-stations om het geheel te verslaan.

Olivia zag het op intensive care op de tv en huilde vreselijk. Het verplegend personeel vond dat ze beter niet kon kijken, maar ze stond erop. Het was haar familie en ze kon er niet bij zijn. Maar toen ze Andy later in een interview hoorde vertellen hoe dapper ze allemaal waren geweest en hoe heldhaftig hij zich had gedragen, kon ze hem wel vermoorden.

Na afloop nam hij niet eens de moeite om haar te bellen en te vertellen hoe het met Edwin ging. Toen ze naar huis belde, klonk haar vader alsof hij dronken was. Hij zei dat ze haar moeder een kalmerend middel hadden moeten geven. Het was een vreselijke tijd voor hen allen en het speet Olivia dat zij niet in hun plaats was gestorven. De kinderen waren nog zo jong en haar schoonzuster was weer in verwachting geweest, hoewel niemand dat nog wist. En in Olivia's ogen had zij niets om voor te leven. Ze leidde een leeg bestaan als speelpop van een egoïst. Het zou voor niemand iets uitgemaakt hebben als een van hen beiden omgekomen was, behalve misschien voor haar ouders. Toen dacht ze aan Peter en aan hun uren samen en wenste dat er een manier was om hem te zien. Maar net als de andere mensen van wie ze had gehouden, behoorde hij nu tot het verleden en er was geen manier om hem deel te laten uitmaken van haar heden of toekomst.

Nadat de tv uitgezet was lag ze in bed te huilen en bedacht hoe doelloos het leven was. Haar neefje en nichtje waren dood, hun moeder, haar eigen kind... Andy's broer Tom. Zoveel goede mensen. Het was onbegrijpelijk waarom sommigen gespaard bleven en anderen niet.

'Hoe is het met u, mevrouw Thatcher?' vroeg een van de verpleegkundigen vriendelijk. Ze konden zien hoe ongelukkig ze was. En omdat haar hele familie bij de begrafenis in Boston was, had ze helemaal geen bezoek gehad. De zuster maakte zich zorgen over haar, en ineens herinnerde ze zich iets. 'Sinds u hier bent heeft er iemand om de paar uur voor u gebeld. Een man. Hij zegt dat hij een oude vriend is.' Toen glimlachte ze. 'En vanochtend zei hij dat hij uw neef was. Maar ik weet zeker dat het dezelfde was. Hij laat nooit zijn naam achter, maar hij was duidelijk erg bezorgd over u.' Olivia wist meteen dat het Peter moest zijn. Wie zou er anders bellen en waarom zou hij zijn naam niet geven? Hij moest het wel zijn en ze sloeg haar ogen vol treurnis op naar de zuster die naast haar stond.

'Mag ik de volgende keer met hem praten?' Ze zag eruit als een mishandeld kind. Ze was overdekt met enorme blauwe plekken waar ze was geraakt door de wrakstukken van de zeilboot. Het was een vreselijk ongeluk geweest en ze wist dat ze nooit meer in de buurt van de oceaan zou komen.

'Ik zal proberen u door te verbinden als hij weer belt,' stelde de zuster haar gerust en liep verder. Maar toen Peter de volgende ochtend weer belde, sliep ze nog. En daarna had een andere zuster dienst.

Olivia lag daarna constant aan hem te denken. Ze vroeg zich af hoe het met hem ging en hoe het gegaan was met Vicotec en de hoorzittingen van het CBG. Er was geen enkele manier om iets over hem te horen te krijgen en ze hadden afgesproken geen contact met elkaar te zoeken toen ze uit Parijs weggingen. Maar nu leek dat zo moeilijk. Vooral hier, in het ziekenhuis. Ze had zoveel om over na te denken, er gebeurde nu zoveel in haar leven dat ze verafschuwde. Ze had Andy beloofd bij hem te blijven, maar het kostte haar heel veel om die belofte na te komen. En ineens kon ze er alleen maar aan denken hoe kort en onvoorspelbaar het leven was, en hoe kostbaar. Ze had haar ziel voor de komende vijf jaar verkocht, wat nu een eeuwigheid leek. Ze kon alleen maar hopen dat hij de verkiezingen niet zou winnen. Ze wist dat ze het nooit zou overleven. En de vrouw van een president kon niet zomaar verdwijnen. De volgende vijf jaar zou ze moeten standhouden en de consequenties aanvaarden.

Ze bleef nog vier dagen op de intensive care tot haar longen vrijwel schoon waren en ze haar naar een andere kamer brachten. Toen kwam Andy overgevlogen vanuit Virginia om haar te bezoeken. Hij had hier wat werk te doen, maar zodra hij bij het ziekenhuis arriveerde, was er ineens een cameraploeg en het krioelde van de verslaggevers. Een van de cameramensen glipte zelfs naar binnen om haar te zien. Ze verdween onmiddellijk onder de lakens en een zuster verwijderde hem van de verdieping. Maar Andy trok de pers aan zoals bloed haaien aantrekt en Olivia was het visje waarmee ze zich wilden voeden.

Andy had een grandioos idee. Hij had voor de volgende dag een persconferentie voor haar georganiseerd in het ziekenhuis, net buiten haar kamer. Hij had een kapper besteld en iemand om haar op te maken. Het was allemaal geregeld en ze kon zittend in een rolstoel met hen praten. Toen hij haar dat vertelde begon haar hart te bonzen en haar maag draaide zich bijna om.

'Daar ben ik nog niet aan toe.' Het herinnerde haar aan

de tijd nadat Alex overleden was en de pers haar constant had achtervolgd. Nu zouden ze willen weten of ze haar neefje en nichtje, of haar schoonzuster had zien sterven en hoe ze zich voelde nu zij omgekomen waren en zijzelf het had overleefd. Hoe ze dat verklaarde. De gedachte alleen al voelde als een wurggreep en ze kon alleen maar haar hoofd in paniek schudden. 'Ik kan het niet, Andy... het spijt me...' zei ze. Ze wendde zich van hem af en vroeg zich af of Peter ooit nog had gebeld. Ze had diezelfde zuster niet meer gezien sinds ze van de intensive care was en niemand had verder iets gezegd. Ze kon ook niet naar hem vragen, een naamloze man die dagenlang had opgebeld. Ze kon helemaal niets doen dat de aandacht op haar zou vestigen. 'Luister eens, Olivia, je moet met de pers praten, anders denken ze dat we iets te verbergen hebben. Je hebt vier dagen in coma gelegen. Je wilt de bevolking toch niet laten denken dat je hersenletsel hebt opgelopen of zoiets?' Hij praatte tegen haar of dat inderdaad het geval was en zij dacht aan het gesprek met haar broer die ochtend, waarbij veel tranen waren vergoten. Hij was een wrak en na wat zij had meegemaakt met Alex, kon ze zich heel goed voorstellen hoe hij zich voelde. Maar hij had zijn hele gezin verloren en nu wilde Andy dat zij vanuit een rolstoel met de pers zou praten.

'Het kan me niet schelen wat ze denken, ik doe het niet,' zei ze vastberaden.

'Je zult wel moeten,' snauwde hij, 'we hebben een contract.'

'Je maakt me misselijk,' zei ze en wendde zich van hem af. En toen ze de volgende dag kwamen, weigerde ze wie dan ook te ontvangen. Ze wilde de kapper en de make-up man niet zien en ze kwam haar kamer ook niet uit in de rolstoel. De pers dacht dat er een spelletje met hen gespeeld werd en Andy hield een persconferentie in de hal zonder haar. Hij sprak in zijn verklaring over de traumatische ervaring die ze had doorstaan en haar schuldgevoel omdat ze een van de overlevenden was. Hij zei dat hij daar ook door werd gekweld, maar het was moeilijk je voor te stellen dat Andy ergens door werd gekweld, behalve door een allesoverheersend verlangen naar het Witte Huis, tegen welke prijs dan ook. Hij was ook niet van plan deze gelegenheid voorbij te laten gaan en de volgende dag liet hij eigenhandig drie verslaggevers in haar kamer binnen. Toen ze naar hen opkeek, zag Olivia er meelijwekkend broos en wanhopig angstig uit. Ze begon te huilen en een zuster en twee broeders dwongen hen om weg te gaan. Ze zagen kans om nog een stuk of vijf foto's van haar te maken voor ze de kamer verlieten en gingen toen terug naar de hal, waar ze nog met Andy praatten. Toen hij terugkwam nadat de verslaggevers vertrokken waren, kwam ze uit haar bed en begon hem wild te slaan.

'Hoe kun je me dat aandoen? Edwins hele gezin is net gestorven en ik ben nog niet eens uit het ziekenhuis.' Ze snikte terwijl ze op zijn borst stond te timmeren, voelde zich zo vernederd. Maar omdat ze begonnen te vermoeden dat ze zich verborgen hield, had hij hun willen bewijzen dat ze springlevend en ook niet ingestort was. Zij probeerde alleen haar waardigheid te bewaren, maar dat interesseerde Andy geen spat. Hij probeerde zijn politieke overlevingskansen te beschermen.

Peter zag haar foto's op het nieuws die avond en zijn hart ging naar haar uit. Ze zag er bang en broos uit in dat bed en ze huilde. De verlaten blik in haar ogen was hartverscheurend. Ze droeg een nachtpon van het ziekenhuis, ze had slangetjes in beide armen en een van de verslaggevers zei dat ze nog steeds longontsteking had. De dramatische

aanblik die ze bood zou zeker heel wat sympathie op-
wekken en dat was precies wat haar man wilde. Peter kon
haar niet meer uit zijn gedachten zetten nadat hij de tv had
afgezet.

Olivia verraste Andy met de mededeling dat ze niet met
hem mee naar huis ging, toen ze van het ziekenhuis te horen kreeg dat ze aan het eind van de week weg mocht. Ze
had er al met haar moeder over gesproken. Ze ging naar
huis, naar haar ouders in Boston. Ze hadden haar nodig.
'Dat is bespottelijk, Olivia,' klaagde Andy toen ze hem
over de telefoon vertelde wat ze van plan was. 'Je bent
geen klein meisje meer, je hoort in Virginia, bij mij.'
'Waarom?' vroeg ze koeltjes, 'zodat je elke ochtend verslaggevers in mijn kamer kunt laten? Mijn familie is door
een hel gegaan en ik wil bij hen zijn.' Ze gaf hem niet de
schuld van het ongeluk. Hij kon er niets aan doen dat het
was gaan stormen, maar de manier waarop alles daarna
was aangepakt had niets meer met waardigheid en mededogen, of zelfs maar met fatsoen te maken en dat zou ze
hem nooit vergeven. Hij had hen allemaal gebruikt. En hij
deed het weer toen ze Addison Gilbert verliet. Er stond een
hele zwerm verslaggevers in de hal op haar te wachten en
aangezien Andy de enige was die wist wanneer ze eruit zou
komen, was hij ook de enige die het hun verteld kon hebben. Ze verschenen ook weer bij het huis van haar ouders,
maar nu maakte haar vader er een eind aan.
'Wij hebben rust nodig,' legde hij uit en omdat hij de gouverneur was, werd er naar hem geluisterd. Hij gaf een paar
exclusieve interviews en verklaarde dat noch zijn vrouw,
noch zijn dochter, en zeker niet zijn zoon op dit moment
in staat was om leden van de pers te woord te staan. 'Ik
weet zeker dat u dat zult begrijpen,' zei hij vriendelijk terwijl hij voor een enkele foto poseerde. Hij zei dat hij ver-

der geen uitleg had voor de aanwezigheid van mevrouw Thatcher in zijn huis, behalve dat ze bij haar moeder wilde zijn en bij haar broer die ook bij hen logeerde. Edwin Douglas kon het nog niet opbrengen om naar zijn eigen huis te gaan, laat staan om te beginnen aan het op orde brengen van zijn zaken.

'Zijn de Thatchers van elkaar vervreemd sinds het ongeluk?' schreeuwde een van de verslaggevers tegen hem en die vraag verbaasde hem. Dat was nog niet bij hem opgekomen en 's avonds stelde hij diezelfde vraag aan zijn vrouw. Misschien wist zij iets wat hij niet wist.

'Ik denk het niet.' Janet Douglas keek hem verwonderd aan. 'Daar heeft ze niets over gezegd.' Maar ze wisten beiden dat Olivia veel voor zichzelf hield. Ze had de laatste jaren veel meegemaakt, maar ze hield er niet van met haar gevoelens te koop te lopen.

Andy kwam echter meteen bij haar klagen toen hij hoorde dat die vraag was gesteld. Hij zei dat als ze niet gauw thuiskwam, ze geruchten in de hand zou werken.

'Ik kom thuis zodra ik me goed genoeg voel om hier weg te gaan,' zei ze op koele toon.

'En wanneer zal dat zijn?' Over twee weken ging hij weer naar Californië en hij wilde haar dan bij zich hebben.

Ze was eigenlijk van plan geweest om over een paar dagen terug te gaan naar Virginia, maar juist door dat gedram van hem besloot ze wat langer hier te blijven. Na een week begon haar moeder ten slotte vragen te stellen.

'Wat is er aan de hand?' vroeg ze vriendelijk toen Olivia in de slaapkamer van haar moeder zat. Haar moeder had vaak last van migraine en ze lag net, met een ijszak, van een aanval te herstellen. 'Gaat het wel goed met jou en Andy?'

'Het ligt er maar aan wat jij onder "goed" verstaat,' zei

Olivia bedaard. 'Het is niet erger dan gewoonlijk. Hij is gewoon nijdig dat ik me niet door de pers op m'n huid laat zitten, of het ongeluk voor ze naspeel op tv. Maar geef hem een dag of twee, mam, en hij regelt wel wat, daar ben ik zeker van.'

'De politiek heeft een vreemd effect op mannen,' zei haar moeder wijs. Ze wist beter dan wie ook hoe het was en hoeveel het hun had gekost. Zelfs de borstamputatie die ze kortgeleden had ondergaan was bekendgemaakt op de tv, compleet met diagram en een interview met haar arts. Maar ze was de vrouw van de gouverneur en had het dus maar te accepteren. Het grootste deel van haar volwassen bestaan had zich in de openbaarheid afgespeeld en het had veel afbreuk aan haar leven gedaan. En ze zag nu dat dat ook al met haar dochter gebeurde. Men moest een hoge prijs betalen om te winnen, of zelfs om te verliezen bij de verkiezingen.

Olivia keek haar ernstig aan en vroeg zich af wat haar moeder zou zeggen als ze haar de waarheid vertelde. Ze had er dagenlang over gedacht en wist nu wat haar te doen stond. 'Ik ga bij hem weg, mam. Ik kan dit niet. Ik heb in juni al geprobeerd hem te verlaten, maar hij wilde dat presidentschap zo ontzettend graag dat ik erin heb toegestemd om campagne met hem te voeren en nog vier jaar bij hem te blijven als hij won.' Ze keek haar moeder ongelukkig aan. De enormiteit van wat ze had gedaan klonk afschuwelijk bij het vertellen. 'Hij betaalt me een miljoen dollar per jaar ervoor. En het gekke is dat me dat niet eens wat kon schelen. Het klonk als speelgeld toen hij het me aanbood. Ik deed het voor hem, omdat ik van hem gehouden heb. Maar ik denk dat ik niet genoeg van hem gehouden heb, zelfs niet in het begin. Ik weet nu heel zeker dat ik het niet kan.' Dit was ze niemand schuldig, zelfs Andy niet.

'Doe het dan niet,' zei Janet Douglas onomwonden. 'Een miljoen per jaar is niet genoeg. Tien ook niet. Geen enkel bedrag is het waard om je leven ervoor te verwoesten. Stap eruit nu het nog kan, Olivia. Ik had dat jaren geleden moeten doen. Nu is het te laat. Ik ben erdoor gaan drinken, het heeft me mijn gezondheid gekost, het heeft ons huwelijk kapotgemaakt, het heeft me ervan weerhouden de dingen te doen die ik graag wilde doen, het heeft ons gezin geschaad en het leven moeilijk gemaakt voor jullie. Olivia, als dit niet is wat je wilt, als jijzelf dit niet wanhopig graag wilt, stap er dan nu uit, nu het nog kan. Alsjeblieft, lieverd,' er kwamen tranen in haar ogen terwijl ze de hand van haar dochter vasthield, 'ik smeek het je. En wat je vader ook zegt, ik sta voor honderd procent achter je.' En ze keek haar nog ernstiger aan. Om uit de politiek te stappen was één ding, om uit een huwelijk te stappen dat misschien nog gered kon worden, was iets anders. 'En hoe zit het met hem? Hoe zit het met Andy?'

'Dat is al heel lang voorbij, mam.'

Janet knikte weer. Ze was niet echt verbaasd. 'Zoiets dacht ik al.' Toen glimlachte ze traag. 'Je vader zal denken dat ik tegen hem gelogen heb laatst. Hij vroeg me of alles goed ging met jullie en ik zei ja. Maar zeker was ik er niet van.'

'Dank je, mam,' zei Olivia en sloeg haar armen om haar heen. 'Ik hou van je.' Haar moeder had haar zojuist het grootste cadeau gegeven dat er was, haar zegen.

'Ik hou ook van jou, schat,' zei ze, terwijl ze haar dochter omarmde. 'Doe wat je doen moet en maak je maar geen zorgen over wat je vader zal zeggen. Het komt wel goed met hem. Hij en Andy zullen er een tijdje over zeuren, maar ze komen er wel overheen. Andy is jong. Hij kan altijd nog hertrouwen en het een volgende keer proberen. Ze zijn nog niet van hem af in Washington. Laat je niet door hem dwingen terug te komen, Olivia, tenzij je dat zelf wilt.' Ze wilde het liefst dat haar dochter hier ver vandaan was. Ze wilde de vrijheid voor haar.

'Ik wil niet terug, mam. Nooit. Ik had hem jaren geleden moeten verlaten... voordat Alex geboren werd, of op z'n minst na zijn dood.'

'Je bent jong, jij zult een leven voor jezelf opbouwen,' zei ze weemoedig. Dat had zij nooit gedaan. Zij had alles opgegeven, haar eigen leven, haar carrière, haar vrienden, haar dromen. Ieder grammetje energie was in de politieke carrière van haar man gaan zitten en voor haar dochter wilde ze iets heel anders. 'Wat ga je nu doen?'

'Ik wil schrijven.' Ze glimlachte verlegen en haar moeder lachte.

'Het begint allemaal weer van voren af aan, hè? Doe het, en laat niemand je tegenhouden.'

Ze zaten de hele namiddag te praten en maakten toen samen de lunch klaar. Olivia overwoog nog even om haar over Peter te vertellen, maar deed het uiteindelijk toch maar niet. Ze zei wel dat ze waarschijnlijk terug zou gaan naar Frankrijk, naar het vissersdorp waar ze zo dol op was. Het was een prima plek om te schrijven en om je schuil te houden, maar haar moeder waarschuwde haar daar ook voor. 'Je kunt je niet eeuwig blijven verstoppen.'

'Waarom niet?' ze glimlachte droevig. Verder viel er voor haar niets anders te doen, behalve verdwijnen, ditmaal legaal. Maar ze wilde nooit meer iets met de pers of met het publiek te maken hebben.

Haar broer at die avond met hen mee. Hij was nog door leed overmand en heel stil, maar ze kon hem tenminste een paar keer aan het lachen maken en hij hield zich iedere dag via telefoon en fax op de hoogte van wat er in Washington gebeurde. Voor Olivia was het onbegrijpelijk dat hij daar zelfs maar aan denken kon nu, maar al had hij nog zo'n groot verlies geleden, hij was nu eenmaal een zoon van zijn vader. Het was duidelijk dat hij net zo gegrepen was door de politiek als haar vader en haar man. Laat op de avond belde ze Andy en zei dat ze een belangrijk besluit had genomen.

'Ik kom niet terug,' zei ze eenvoudigweg.

'Niet weer, hè?' Hij klonk nu heel erg geïrriteerd. 'Ben je ons contract vergeten?'

'Daarin staat nergens dat ik bij je moet blijven, of je moet volgen op weg naar het presidentschap. Er staat alleen dat als ik blijf, je me een miljoen dollar per jaar betaalt. Ik heb je dus zojuist een hele hap geld bespaard.'

'Dat kun je niet doen.' Hij klonk bozer dan ze hem ooit had gehoord. Ze torpedeerde het enige dat hij wilde.

'Ja, dat kan ik en dat zal ik. Ik vertrek morgenochtend naar Europa.'

Ze vertrok eigenlijk pas over een paar dagen, maar ze wilde dat hij wist dat het voorbij was. Desondanks kwam hij de volgende dag toch in Boston opdagen en zoals haar moeder had voorspeld, wierp haar vader zich ook in de strijd. Maar ze was vierendertig, ze was een volwassen vrouw en ze wist wat ze wilde. Niets zou haar nog tot andere gedachten kunnen brengen.

'Besef je wel wat je opgeeft?' schreeuwde haar vader tegen haar en Andy keek hem dankbaar aan. Olivia vond het net een bende die op een lynchpartij uit was.

'Ja,' zei ze kalm terwijl ze hen recht aankeek, 'hartzeer en leugens. Met beide heb ik al een poosje ervaring en ik denk dat ik uitstekend zonder kan. O, ik vergat nog wat: uitbuiting.'

'Blaas niet zo hoog van de toren,' zei haar vader vol afschuw. Hij was een politicus van de oude school en niet zo arrogant als Andy. 'Het is een fantastisch leven en een geweldige kans, dat weet je best.'

'Voor jou misschien.' Ze keek haar vader treurig aan. 'Voor de rest van ons is het een leven van eenzaamheid en teleurstelling, van gebroken beloftes in het spoor van de campagne. Ik wil een echt leven met een echte man, of alleen als het moet. Het kan me niet eens meer schelen. Ik wil gewoon zover mogelijk van de politiek verwijderd zijn als ik maar kan en het woord nooit meer horen.' Ze wierp een zijdelingse blik op haar moeder en zag dat die glimlachte. 'Je bent een dwaas,' raasde haar vader. Toen Andy die avond hun huis verliet, was hij werkelijk des duivels en hij verzekerde haar dat ze zou boeten voor wat ze hem had aangedaan. En hij hield woord. Drie dagen later, een dag voor ze naar Frankrijk vertrok, stond er een bericht in de kranten van Boston dat gegarandeerd van hem afkomstig was. Er stond in dat ze als gevolg van het tragische ongeluk dat onlangs had plaatsgevonden en waarbij drie van haar familieleden waren omgekomen, onder ernstige traumatische spanningen had geleden en met een zenuwinstorting in het ziekenhuis was opgenomen. Er stond dat haar man zich ernstige zorgen over haar maakte, en hoewel het niet met zoveel woorden in het artikel stond, liet het toch doorschemeren dat er sprake was van verwijdering vanwege haar geestestoestand. De tendens van het artikel was van een groot meevoelen met Andy omdat hij met een halve gare opgescheept zat. Hij veegde zijn pad aardig schoon. Als hij zei dat ze gek was, kon hij haar zonder problemen dumpen. De eerste ronde was voor Andy... of was het de tweede ronde... of de tiende? Had hij haar knock-out geslagen, of was ze gewoon gevlucht en had ze haar eigen leven gered toen hij even niet keek? Ze was er nu niet meer zo zeker van.

Peter las het artikel ook en vermoedde dat Andy het bericht had verspreid. Dit klonk niet naar Olivia, zelfs na de korte tijd dat hij haar kende wist hij dat. Maar hij kon het ditmaal niet controleren aangezien er niet bij stond in welk ziekenhuis ze lag. Er was geen enkele manier om achter de waarheid te komen en dat maakte hem gek van ongerustheid.

Haar moeder bracht haar naar het vliegveld op een donderdagmiddag, een paar dagen nadat ze Andy had verteld dat ze wegging. Het was inmiddels eind augustus en Peter en zijn gezin waren nog steeds in Martha's Vineyard. Janet Douglas zette haar dochter op het vliegtuig en bleef daar staan tot het toestel opsteeg. Ze wilde er zeker van zijn dat ze veilig en wel vertrokken was. Wat haar moeder betrof was Olivia aan een lot erger dan de dood ontsnapt en ze was opgelucht toen ze het vliegtuig langzaam op zag stijgen op weg naar Parijs.

'Goede reis, Olivia,' zei ze zachtjes en hoopte dat ze een lange tijd uit Amerika weg zou blijven. Er wachtte haar hier te veel pijn, er waren te veel herinneringen en te veel verdorven, egoïstische mannen om haar te kwetsen. Haar moeder was blij dat ze terug was gegaan naar Frankrijk. Toen het vliegtuig uit het zicht verdween, wenkte Janet haar lijfwachten en verliet met een zucht het vliegveld. Olivia was nu veilig.

10

Naarmate de maand augustus vorderde en de faxen over het onderzoek op Vicotec binnen bleven stromen, leek de spanning tussen Peter en zijn schoonvader op te lopen. In het eerste weekend van september was die spanning bijna tastbaar en zelfs de jongens begonnen het te voelen.

'Wat is er aan de hand met opa en pap?' vroeg Paul op zaterdagmiddag en Kate fronste haar wenkbrauwen toen ze antwoordde.

'Je vader doet een beetje moeilijk,' zei ze zacht, maar zelfs haar zoon kon zien dat ze Peter de schuld gaf van de spanning tussen hen.

'Hebben ze ruzie gehad of zoiets?' Hij was oud genoeg om het te begrijpen en wist dat zijn vader en zijn grootvader het soms ergens niet over eens waren. Zijn moeder was meestal tamelijk openhartig tegen hem, hoewel 'ruzies' in hun familie niet uitgebreid besproken werden.

'Ze werken aan een nieuw project,' zei ze eenvoudigweg, maar ze wist dat er heel wat meer achter zat. Ze had Peter keer op keer gevraagd haar vader een beetje te ontzien. Hij had zich er de hele zomer druk over gemaakt en dat was niet goed voor iemand van zijn leeftijd, hoewel zelfs Kate moest toegeven dat haar vader er beter uitzag dan ooit. Met z'n zeventig jaar tenniste hij nog iedere dag een uur en elke ochtend zwom hij zo'n anderhalve kilometer. 'O.' Paul was tevreden met haar uitleg. 'Niks bijzonders dus.' Het multimiljoenen-probleem met Vicotec werd met het gemak van een zestienjarige van tafel geveegd.

Ze gingen die avond met z'n allen naar een groot feest om de zomer uit te luiden. Al hun vrienden zouden er zijn en over twee dagen zou iedereen vertrekken. Patrick en Paul gingen terug naar school, Mike vertrok naar Princeton en maandag gingen ze allemaal terug naar Greenwich.

Kate had een hoop te doen, ze moest haar eigen huis en dat van haar vader in de Vineyard sluiten. Ze was net bezig wat kleren op te bergen toen Peter binnenkwam. De zomer was voor hem niet echt van de grond gekomen. Hij was Vicotec bijna kwijtgeraakt en had Olivia op moeten geven, zo kort nadat ze elkaar hadden leren kennen. Een dubbele klap, die hem de hele maand augustus gekweld had. De zorgen over Vicotec hadden ongetwijfeld een domper op van alles gezet en de druk die Frank constant op hem uitoefende hielp ook niet echt, noch de voortdurende, heimelijke betrokkenheid van Kate bij zaken die de hare niet waren. Ze bemoeide zich te veel met wat er tussen hen gebeurde, was te bezig met het beschermen van haar vader. En het kon niet ontkend worden dat wat Peter in Frankrijk had meegemaakt, de dingen ook had veranderd. Dat had hij niet gewild. Hij was zo vastbesloten geweest om zijn leven gewoon weer op te pakken als hij terugkwam, maar dat lukte hem eenvoudigweg niet. Het was alsof je een raam opendeed en van het uitzicht genoot om het huis vervolgens weer dicht te spijkeren. Hij bleef op dezelfde plaats staan staren naar een blinde muur en herinnerde zich wat daar was geweest, al was het ook maar even. Het landschap dat hij met Olivia had gezien was onvergetelijk geweest. Hoewel dat nooit in zijn bedoeling had gelegen, wist hij nu dat het zijn leven voorgoed veranderd had. Hij ging niets veranderen en hij ging nergens heen. Hij had nooit contact met haar opgenomen, behalve dan dat hij het ziekenhuis had gebeld na haar ongeluk om van de verpleegkundige van de intensive care te horen hoe het met haar ging. Maar hij kon haar niet vergeten. Haar ongeluk had hem doodsbenauwd gemaakt en het leek net een verschrikkelijke straf dat ze bijna gestorven was. Maar waarom zij en niet hij? Waarom zou Olivia gestraft moeten worden?

'Het spijt me dat het zo'n rotzomer is geweest,' zei Peter triest terwijl hij op het bed zat en Katie een stapel sweaters in een doos met mottenballen stopte.

'Zo erg was het nou ook weer niet,' zei ze vriendelijk en keek hem even over haar schouder aan terwijl ze op een trapje stond.

'Voor mij wel,' zei hij eerlijk. Hij had zich de hele zomer ellendig gevoeld. 'Ik had nogal veel aan m'n hoofd,' zei hij en gaf daarmee een wel heel eenvoudige voorstelling van zaken. Kate glimlachte tegen hem en haar ogen werden weer ernstig toen ze naar hem keek. Ze dacht aan haar vader.

'Dat had mijn vader ook. Dit is voor hem ook niet gemakkelijk geweest.' Zij dacht alleen aan Vicotec. Peter dacht aan de bijzondere vrouw die hij in Parijs had ontmoet. Olivia had het hem bijna onmogelijk gemaakt naar Katie terug te gaan. Kate was zo onafhankelijk en zo beheerst, zo bereid om zonder hem te functioneren. Ze schenen niets meer samen te doen, behalve dat ze 's avonds af en toe naar vrienden gingen en tennisten met haar vader. Hij wilde meer dan dat. Hij was vierenveertig en had plotseling behoefte aan wat romantiek. Hij wilde contact met haar, hij wilde steun en vriendschap, en zelfs een beetje spanning. Hij wilde haar dicht tegen zich aantrekken en haar huid tegen de zijne voelen. Hij wilde dat ze naar hem verlangde. Maar hij kende Katie al vierentwintig jaar en van de romantiek in hun relatie was niet veel meer over. Er was begrip en respect en een verscheidenheid van gezamenlijke belangen, maar doorgaans deed het hem niets als hij haar naast zich zag liggen en als het hem wel iets deed, moest ze meestal net allerlei telefoontjes afhandelen, of iemand ergens ontmoeten, of had ze een afspraak met haar vader. Ze schenen nooit meer in de gelegenheid te zijn om te vrijen, alleen te zijn, gewoon samen eens een keer te lachen of te praten en hij miste dat. Door Olivia was het hem duidelijk geworden wat hij precies miste. De waarheid was dat hij met Katie nooit had gehad wat hij met Olivia had. Met haar had alles iets bedwelmends, iets opwindends dat hem de adem benam. Het leven met Katie was altijd een soort eindexamenbal geweest. Met Olivia was het meer als naar het bal gaan met een sprookjesprinses. Het was een dwaze vergelijking en hij moest er zelf om lachen. Toen zag hij dat Katie naar hem stond te staren.

'Wat zit je nou te glimlachen? Ik zei net dat dit allemaal heel moeilijk is geweest voor mijn vader.' Hij had helemaal niet gehoord wat ze zei. Hij had over Olivia Thatcher zitten dromen.

'Dat is de prijs die je moet betalen als je een bedrijf als het onze leidt,' zei Peter nuchter. 'Het is een reusachtige last en een enorme verantwoordelijkheid, en niemand zei dat het gemakkelijk zou zijn.' Hij had er genoeg van om steeds over haar vader te horen. 'Maar daar dacht ik nou even niet aan. Waarom gaan jij en ik niet ergens heen? We moeten er eens tussenuit.' De vakantie in Martha's Vineyard was niet zo ontspannend geweest als in de voorafgaande jaren. 'Laten we naar Italië gaan of ergens anders. Misschien het Caribisch gebied, of naar Hawaï?' Het zou anders en opwindend kunnen zijn om met haar daarheen te gaan, misschien dat zo'n reisje hun huwelijk weer wat nieuw leven in zou blazen.

'Nu? Waarom? Het is september, ik heb duizend en één dingen te doen, en jij ook. Ik moet zorgen dat de jongens op school komen en volgend weekend moeten we Mike naar Princeton brengen.' Ze keek hem aan of hij gek was geworden, maar hij hield vol. Na al die jaren moest hij op z'n minst proberen hen bij elkaar te houden.

'Als de kinderen op school zijn dan. Ik bedoelde niet vandaag, maar misschien ergens in de komende weken. Wat vind je ervan?' Hij keek haar hoopvol aan toen ze van het trapje afkwam. Hij wilde zo graag meer voor haar voelen dan hij deed. Misschien dat een reisje naar het Caribisch gebied daar verandering in zou brengen.

'Je moet in september naar de hoorzittingen van het CBG. Moet je je daar niet op voorbereiden?'

Hij vertelde haar niet dat hij niet van plan was daar heen te gaan en dat hij het haar vader ook niet zou toestaan, wat die ook zei. Ze konden geen meineed plegen op de nauwelijks aanwezige kans dat alle problemen opgelost zouden zijn voordat Vicotec op de markt werd gebracht. 'Laat dat maar aan mij over,' zei hij alleen, 'vertel jij me maar wanneer je weg kunt, dan regel ik het.' Het enige dat hij op z'n programma had waren de hoorzittingen van het Congres over de prijzen, waar hij uiteindelijk beloofd had heen te gaan. Maar hij wist dat hij dat, zo nodig, uit kon stellen. Het was meer een kwestie van beleefdheid en prestige dan van leven en dood. Hij vond zijn huwelijk heel wat belangrijker.

'Ik heb een heel stel bestuursvergaderingen deze maand,'

zei Katie vaag en opende nog een la met sweaters. Terwijl Peter naar haar keek, vroeg hij zich plotseling af wat ze nu eigenlijk echt bedoelde.

'Wil je liever niet weg?' Als dat zo was wilde hij het graag weten. Misschien zat haar ook iets dwars, en als door de bliksem getroffen, bedacht hij opeens iets. Had zij ook een verhouding gehad? Was ze verliefd op iemand anders? Ontweek ze hem? Tenslotte kon het haar ook gebeuren, hoewel hij daar nooit bij stilgestaan had. Een beetje verdwaasd besefte hij dat ze net zo kwetsbaar was als hij. Ze was nog steeds aantrekkelijk en nog redelijk jong en er waren genoeg mannen die zich door haar aangetrokken zouden voelen. Maar Peter had geen idee hoe hij haar zoiets moest vragen. Ze was altijd nogal vormelijk en een tikje preuts en hij kon haar echt niet vragen of ze misschien een verhouding had gehad. In plaats daarvan kneep hij zijn ogen een beetje dicht terwijl hij keek hoe ze mottenballen in weer een andere doos met sweaters gooide. 'Is er soms een reden waarom je niet met mij op reis wilt?' vroeg hij ronduit en eindelijk keek ze naar hem op en gaf hem een antwoord dat hem mateloos irriteerde.

'Ik vind gewoon dat het op het ogenblik niet fair tegenover mijn vader zou zijn. Hij is overstuur over Vicotec. Hij heeft een hoop aan z'n hoofd. Ik vind dat het erg egoïstisch zou zijn als wij ergens op een strand gingen liggen, terwijl hij zich op kantoor zorgen zit te maken.' Peter probeerde met moeite zijn ergernis te verbergen. Hij was het spuugzat om altijd rekening met Frank te moeten houden. Dat had hij nu al achttien jaar gedaan.

'Misschien hebben we het op dit ogenblik wel nodig om egoïstisch te zijn,' drong Peter aan. 'Vind jij het nooit vervelend dat we achttien jaar getrouwd zijn en nooit eens aan onszelf denken, of aan onze behoeftes, of aan ons huwelijk?' Hij probeerde haar iets duidelijk te maken zonder daarmee haar alarmsysteem in werking te stellen.

'Wat vertel je me nou eigenlijk? Dat je je verveelt met mij en dat je me op een of ander strand moet zien om het weer een beetje spannend te maken?' Ze draaide zich om en keek hem aan en heel even wist hij niet wat hij moest antwoorden. Ze zat veel dichter bij de waarheid dan hij haar zou hebben durven vertellen.

'Het lijkt me gewoon fijn om een poosje weg te zijn van je vader, de kinderen, ons antwoordapparaat, jouw bestuursvergaderingen, en zelfs van Vicotec. Zelfs hier worden we constant belaagd door de fax, ik in elk geval. Het is net of ik op kantoor zit, maar dan met zand. Ik wil gewoon graag ergens heen met jou, ergens waar we niet gestoord worden en waar we kunnen praten en bedenken waar we eigenlijk zo gek op waren toen we elkaar voor het eerst ontmoetten, of toen we trouwden.'

Ze glimlachte tegen hem. Ze begon het te begrijpen. 'Volgens mij begin je last te krijgen van je leeftijd. En wat ik echt denk is dat je huiverig bent voor die hoorzittingen van het cbg, de benen wilt nemen en mij als excuus gebruikt. Nou, vergeet het maar, jongeman. Het lukt je heus wel. Het is in een dag achter de rug en we zullen allemaal trots op je zijn.' Ze glimlachte toen ze het zei en het hart zonk hem in de schoenen. Ze begreep er niets van, niet dat hij iets van haar wilde dat hij niet kreeg en ook niet dat hij absoluut niet van plan was om naar de hoorzitting van het cbg te gaan. Het enige wat hij zou doen was voor het Congres verschijnen.

'Dit heeft niets te maken met het cbg,' zei hij resoluut. Hij probeerde kalm te blijven en weigerde verder nog met haar over de hoorzittingen te praten. Daarover hoorde hij genoeg van haar vader. 'Ik heb het over ons, Kate. Niet over het CBG.' Maar een van de jongens onderbrak hen toen. Mike wilde de autosleutels hebben en Patrick, die met twee vrienden beneden was, wilde weten of er nog ergens diepvriespizza's te vinden waren, ze waren uitgehongerd.

'Ik wilde net boodschappen gaan doen!' riep ze naar beneden en de kans was verkeken. Toen ze de kamer uitliep keek ze over haar schouder naar haar man en zei: 'Maak je maar geen zorgen, het komt allemaal best in orde.' Toen was ze weg en hij zat nog een hele tijd op hun bed en voelde zich leeg. Hij was geen stap verder gekomen, maar hij had het in ieder geval geprobeerd en dat was een schrale troost. Ze had geen idee waar hij het over had, haar aandacht richtte zich uitsluitend op haar vader en op de hoorzittingen.

Tijdens het feest begon Frank er weer over. Het was alsof je naar een gebarsten grammofoonplaat luisterde en Peter deed zijn best om van onderwerp te veranderen. Frank had hem gevraagd een beetje 'aardig' en wat 'meegaander' te zijn. Hij was ervan overtuigd dat hun onderzoeksteams, lang voordat Vicotec op de markt zou komen, alle mankementen zouden vinden. Bovendien zouden ze gezichts- en terreinverlies lijden als ze zich nu terugtrokken en niet om de versnelde procedure vroegen bij het CBG. Volgens Frank zou het een rode vlag zijn die aan de industrie te kennen gaf dat hun product ernstige problemen had.

'Het kan ons jaren kosten om ons te rehabiliteren. Je weet hoe het gaat als dat soort praatjes eenmaal op gang komt. Het zou voorgoed een smet op Vicotec kunnen werpen.'

'Dat risico moeten we nemen, Frank,' zei Peter, met een drankje in de hand. Hij kende deze klaagzang inmiddels uit zijn hoofd en het had niet veel zin erover te praten, de twee mannen bleven toch ieder bij hun eigen standpunt. Zodra Peter de kans kreeg liep hij weg van Frank. Even later zag hij hem met Katie praten. Hij kon raden waarover en de aanblik van die twee deprimeerde hem. Het was duidelijk dat ze het niet over de voorgestelde vakantie had en hij wist zonder enige twijfel dat dat plannetje nooit gerealiseerd zou worden. Hij sprak er die avond niet meer over tegen haar. De volgende twee dagen waren ze druk bezig het huis klaar te maken voor de winter, want vóór de volgende zomer zouden ze hier niet terugkomen.

Op weg naar de stad praatten de jongens over het nieuwe schooljaar. Paul verheugde zich erop zijn vrienden in Andover weer te zien, Patrick wilde in de herfst Choate en Groton bezoeken en Mike had het uitsluitend over Princeton. Zijn grootvader had op Princeton gezeten en zijn hele leven had hij verhalen gehoord over eetclubs en reünies. 'Hartstikke jammer dat jij daar niet geweest bent, pap. Het klinkt zo gaaf.' In de avonduren afstuderen aan de universiteit van Chicago was uiteraard niet te vergelijken met Princeton.

'Ik geloof graag dat het daar geweldig is, jongen, maar als ik daarheen was gegaan, zou ik je moeder niet tegengekomen zijn,' zei hij en dacht aan hun eerste ontmoeting op de universiteit van Michigan.

'Daar zit wat in,' zei Mike met een glimlach. Hij was van plan zich, zodra ze hem toelieten, aan te sluiten bij de eetclub van zijn grootvader. Hij moest een jaar wachten, maar in de tussentijd zou hij met een paar studentenclubs gaan praten. Hij had alles gepland en alles begon al aardig te lopen. Hij praatte er de hele weg naar New York over, waardoor Peter zich buitengesloten en een beetje eenzaam voelde. Het was vreemd, al achttien jaar was hij één van hen en toch voelde hij zich soms nog een buitenstaander, nu zelfs bij zijn eigen kinderen.

En terwijl ze in zuidelijke richting reden en niemand tegen

hem praatte, dwaalden zijn gedachten af naar Olivia. Hij dacht aan hun gesprek die eerste avond in Montmartre en aan de strandwandeling met haar in La Favière. Er was toen zoveel te zeggen geweest, zoveel om over te denken. Terwijl hij over haar zat te dagdromen, raakte hij bijna een andere auto en iedereen in de auto gilde toen hij het stuur omgooide om een aanrijding te vermijden.

'Jezus, wat doe je nou, pap!' riep Mike verbijsterd.

'Sorry,' zei Peter en reed wat voorzichtiger. Ze had hem iets gegeven dat hij nog nooit van iemand anders had gekregen. Hij herinnerde zich ook dat ze zei dat hij alles wat hij had bereikt aan zichzelf te danken had en niet aan de Donovans, maar dat was voor Peter moeilijk te geloven. Voor hem was het zo'n duidelijke zaak dat Katie en haar vader het allemaal mogelijk hadden gemaakt.

Terwijl hij aan Olivia zat te denken vroeg hij zich af waar ze nu zou zijn, of het bericht dat ze in een ziekenhuis was op waarheid berustte. Het hele verhaal had hem onecht geleken. Het klonk als een van die dekmantels voor een scheiding, of een verhouding, of een face-lift en hij wist dat in haar geval twee van deze mogelijkheden onwaarschijnlijk waren. Hij was benieuwd of ze Andy verlaten had, ondanks zijn gooi naar het presidentschap. Het was typisch iets voor Andy om te zeggen dat ze geestelijk niet in orde was.

Twee dagen later kreeg hij op kantoor een ansichtkaart van haar en wist dat hij gelijk had gehad. De kaart lag op zijn bureau toen hij terugkwam van de lunch. Er stond een tekening van een kleine vissersboot op en het poststempel was van La Favière.

In haar kleine, nette handschrift stond er nogal cryptisch: Ik ben weer terug. Aan het schrijven. Eindelijk. Ben er definitief uitgestapt. Ik kon het niet. Hoop dat met jou alles goed is. Vergeet niet hoe sterk je bent. Jíj bent het. Jíj hebt het allemaal gedaan. Er is meer moed voor nodig om het te doen dan om weg te lopen, zoals ik heb gedaan. Maar ik ben gelukkig. Pas goed op jezelf. Voor altijd liefs. En ze had simpelweg ondertekend met 'O'. Maar samen met haar woorden voelde hij wat er tussen de regels stond. Hij kon zich haar hese stem herinneren toen ze zei dat ze van hem hield. Hij wist dat ze dat nog steeds deed, net zoals hij van haar hield. Hij zou altijd van haar blijven houden. Ze zou voor altijd voortleven in zijn hart en in zijn herinnering.

Hij las de kaart nog eens en dacht erover na. Ze was veel sterker dan ze zelf wist. Weggaan vereiste echte moed, niet blijven, zoals hij had gedaan. Hij bewonderde haar en was blij voor haar dat ze ontsnapt was aan het leven dat ze leidde. Hij hoopte dat ze daar gelukkig en tevreden was en was ervan overtuigd dat wat ze ook schrijven zou, het briljant zou zijn. Ze ging zo moedig om met haar gevoelens, was zo bereid te zijn wie ze was en te zeggen wat ze dacht. Ze wist messcherp verborgen gevoelens bloot te leggen, zoals ze dat ook bij hem had gedaan. Bij haar werd niets verhuld, geen valse voorstelling van zaken gegeven. Ze was een vrouw die in waarheid leefde, wat het haar ook kostte. Ze had het weleens op een akkoordje gegooid, dat gaf ze ook toe. Maar nu niet meer. Olivia was nu vrij en hij benijdde haar. Hij legde de ansichtkaart weg en hoopte maar dat niemand hem gezien had.

De volgende dag kreeg hij de onderzoeksresultaten van Vicotec. Ze waren weliswaar beter dan hij had verwacht, maar hij wist dat ze met betrekking tot een vervroegde vrijgeving rampzalig waren. Hij kon ze zo langzamerhand interpreteren als de beste en begreep wat er bedoeld werd, net als Katies vader trouwens. De twee mannen hadden afgesproken om op vrijdag de resultaten uitvoerig met elkaar door te nemen en ze kwamen om twee uur samen in de vergaderzaal naast Franks kantoor. Frank wachtte op hem met een grimmige uitdrukking op zijn gezicht, hij voelde al wat Peter zou gaan zeggen. Ze verknoeiden geen tijd aan gebabbel, behalve om even over Mike te praten. Peter en Katie zouden hem de volgende ochtend naar Princeton brengen en Frank was zichtbaar trots op hem. Maar toen dat onderwerp behandeld was, kwam hij terug op ernstiger zaken.

'We weten alle twee waarom we hier zijn, hè?' zei hij terwijl hij Peter indringend aankeek. 'En ik weet dat je het niet met me eens bent,' zei hij behoedzaam. Zijn hele lichaam leek zich al bij voorbaat te spannen, hij zag eruit als een cobra op het punt om toe te slaan. Peter voelde zich als zijn prooi en bereidde zich voor om zichzelf en de integriteit van het bedrijf te verdedigen, maar Frank zag dat aankomen en was bereid op zijn strepen te gaan staan als dat nodig mocht zijn. 'Ik denk dat je gewoon op mijn oordeel zult moeten vertrouwen. Ik heb dit eerder meegemaakt. Ik zit al bijna vijftig jaar in deze handel en je moet me maar geloven als ik zeg dat ik weet wat ik doe. Het is niet verkeerd om nu naar hen toe te gaan. Tegen de tijd dat we dit product officieel op de markt brengen, zijn we er klaar mee. Ik zou hiermee geen risico nemen als ik niet geloofde dat we het waar kunnen maken.'

'En als je je vergist? Als er iemand aan doodgaat? Al is het er maar één... één man, vrouw, of kind... wat dan? Wat zeggen we dan? Hoe kunnen we dan nog met onszelf leven? Hoe kunnen we dat risico nemen door om een vervroegde vrijgeving te vragen?' Peter sprak met de stem van zijn geweten, maar Frank vond hem een doemdenker en beschuldigde hem ervan een oud wijf te zijn, net als 'die idioot' in Parijs. 'Suchard weet waar hij het over heeft, Frank, daarom hebben we hem in dienst genomen, om ons de waarheid te vertellen. Zelfs als het slecht nieuws is moeten we luisteren. Ik weet dat hij hier niets meer mee te maken heeft, maar we hebben de doos van Pandora geopend en we kunnen het niet zomaar negeren. En dat weet je best.'

'Je kunt tien miljoen dollar voor extra onderzoek in twee maanden nauwelijks "negeren" noemen, Peter. En we hebben niets gevonden. Wees nou even reëel, hij heeft ons op heksenjacht gestuurd... erger nog, op een zinloze onderneming. Er valt niets te vinden. We hebben het over een bestanddeel dat "zou kunnen" reageren, of "eventueel", met een kans van een op een miljoen, een buitengewoon zeldzame reeks omstandigheden zou kunnen veroorzaken, met de geringe kans dat er een verkeerde rangschikking ontstaat en we met een probleem zitten. Vertel me nou eens eerlijk, vind je dat redelijk klinken? Allemachtig, het kan al verkeerd met je aflopen als je twee aspirientjes met een borrel neemt. Dus waar hebben we het nou helemaal over?'

'Van twee aspirientjes en een borrel ga je niet dood. Van Vicotec wel als we niet voorzichtig zijn.'

'Maar we zíjn voorzichtig. Dat is het nou juist. Aan ieder geneesmiddel zijn risico's verbonden, bijwerkingen en nadelen. Als we niet bereid waren dat te accepteren, zouden we beter onze deuren kunnen sluiten en suikerspinnen op de kermis gaan verkopen. Godallemachtig, Peter, hou op met me te dwarsbomen, wees verstandig. Ik wil dat je begrijpt dat ik je ga overstemmen in deze. Als het moet ga ik zelf naar het CBG, maar ik wil dat je weet waarom. Ik wil dat je weet dat ik werkelijk geloof dat Vicotec veilig is, daar durf ik mijn hoofd om te verwedden!' zei hij en aan het eind van zijn betoog stond hij tegen Peter te schreeuwen. Hij had zich enorm opgewonden, zijn hoofd was rood aangelopen, zijn stem was luider en luider geworden. Peter zat naar hem te kijken en zag ineens dat Frank beefde. Hij was in alle staten, hij transpireerde, zijn gezicht werd asgrauw en hij stopte even om een slokje water te nemen.

'Ben je wel in orde?' vroeg Peter bedaard. 'Je hóéft hier je hoofd niet om te verwedden. Dat is het nou juist. We moeten dit zakelijk behandelen en er kalm tegenover staan. Het is een product, Frank, meer niet. Ik wil Vicotec liever dan wie ook, maar uiteindelijk zal het werken of niet. Als het wel werkt, heeft het alleen wat meer tijd nodig om helemaal klaar te zijn dan we hoopten. Ik ben de eerste die het graag op de markt wil brengen, maar niet ten koste van alles, niet zolang er nog een onzekere factor in zit. Ergens zit er een losse draad in. Dat weten we. We hebben de signalen daarvan gezien. Zolang we die niet vinden, kunnen we het door niemand laten gebruiken. Zo simpel is dat.' Hij zei het beknopt en helder, en hoe opgewondener Frank werd, hoe kalmer hij was.

'Nee, Peter, nee... zo simpel is dat níet!' brulde Frank, wiens razernij alleen maar erger werd door de gek makende kalmte van zijn schoonzoon. 'Zevenenveertig miljoen dollar in vier jaar tijd is geenszins "simpel" te noemen. Hoeveel geld denk je verdomme dat we hier in gaan stoppen? Hoeveel geld denk je dat er is?' Hij begon vals te worden, maar Peter weigerde te happen.

'Genoeg om het goed te doen hoop ik, of om het product te vernietigen. Dat is de andere mogelijkheid.'

'Om de donder niet!' Frank was overeind gekomen en stond nu tegen Peter te schreeuwen. 'Denk je soms dat ik bijna vijftig miljoen uit het raam ga gooien? Je bent gek. Wiens geld denk je eigenlijk dat het is? Van jou? Vergeet het maar, het is van mij, en van het bedrijf, en van Katie en ik mag doodvallen als ik me door jou iets laat vertellen. Je zou hier nu niet eens zijn als ik je niet met huid en haar gekocht had voor mijn dochter.' Zijn woorden kwamen hard aan bij Peter en hij hapte even naar adem. Ineens moest hij aan de woorden van zijn vader denken, achttien jaar geleden toen hij hem vertelde dat hij met Katie ging trouwen. *'Je zult nooit meer dan een werknemer zijn, jongen... doe het niet.'* Maar hij had het wel gedaan en nu zag je maar weer. Zo dachten ze dus achttien jaar later over hem.

Peter was inmiddels ook gaan staan en als Frank Donovan maar een paar jaar jonger en iets minder over zijn toeren was geweest, zou Peter hem geslagen hebben. 'Ik wens hier niet naar te luisteren,' zei Peter. Zijn hele lichaam beefde toen hij zijn aandrang om hem te slaan bedwong, maar Frank gaf niet op. Hij greep Peters arm vast en bleef maar schreeuwen.

'Je zult godverdomme luisteren naar alles wat ik je te zeggen heb, en je doet hier alles wat ik wil. En bespaar me die onuitstaanbare superieure blik, klootzak die je bent. Ze had iedereen kunnen krijgen, en ze wilde jou, dus heb ik van je gemaakt wat je nu bent, zodat zij zich niet hoefde te schamen. Maar jij bent niets, versta je me, helemaal niets! Je begint aan dat hele verrekte project, je kost ons miljoenen, je doet beloftes, je ziet alles heel rooskleurig, en als er een of andere Franse lul een klein probleempje in een donkere kamer denkt te zien, geef je ons een dolkstoot in de rug en wilt krijsend als een speenvarken naar het CBG rennen. Nou, laat ik je dit vertellen, dat gebeurt niet, niet dan over mijn lijk!' Op dat moment greep hij naar zijn borst en begon ontzettend te hoesten. Zijn gezicht was zo rood dat het bijna paars was en hij kreeg duidelijk geen lucht. Hij greep Peters armen vast en Peter ondersteunde het volle gewicht van de oude man toen hij begon te vallen, en werd bijna meegesleurd. Een ogenblik wist hij niet wat er gebeurde, maar toen begreep hij het. Hij zette hem vlug op de grond, belde zo snel als hij kon 06-11 en beschreef de omstandigheden. Frank was nu aan het overgeven en nog steeds aan het hoesten. Zodra Peter de telefoon had neergelegd knielde hij bij hem neer, draaide hem op z'n zij en probeerde hem te ondersteunen en zijn gezicht uit z'n eigen braaksel te houden. Hij ademde nog wel, maar met grote moeite en hij was nauwelijks bij bewustzijn. Het duizelde Peter nog steeds van alles wat de oude man tegen hem had gezegd. Hij had nooit geweten dat hij tot zoveel venijn in staat was, dat hij er bijna zelf in gebleven was. Het enige waar Peter aan kon denken was wat Katie zou zeggen als haar vader stierf. Ze zou het Peter verwijten, ze zou zeggen dat het zijn schuld was omdat hij zo moeilijk had gedaan en tegen hem in was gegaan over Vicotec. Maar ze zou nooit te weten komen wat Peter net gehoord had, wat haar vader tegen hem had gezegd, de onvergeeflijke dingen die hij Peter naar het hoofd had geslingerd. En hij besefte, net toen het ambulancepersoneel binnenkwam, dat wat er verder ook gebeuren zou, het onmogelijk zou zijn te vergeten en te vergeven. Dit waren geen beledigingen die in een woedeaanval omhoog waren gekomen, dit waren diepliggende, gemene wapens die hij jarenlang voor hem verborgen had gehouden en bewaard had om ze op een dag tegen hem te gebruiken. Het waren grievende dolkstoten die hem doorboord hadden. Nee, hij zou het nooit vergeten.

De broeders waren inmiddels met Frank bezig en Peter stond op en ging wat achteruit. Zijn eigen kleren zaten ook vol braaksel. De secretaresse van Frank stond volkomen hysterisch in de deuropening en een aantal mensen stond in de gang. Een van de broeders keek op naar Peter en schudde zijn hoofd. Zijn schoonvader had zojuist opgehouden te ademen. De andere twee broeders pakten de defibrilator en scheurden zijn overhemd open, net toen er een stuk of vijf brandweermannen in de deuropening verschenen. Het leek wel een congres. Ze gingen allemaal op hun knieën en werkten een halfuur lang aan Frank. Peter keek ernaar en vroeg zich af hoe hij het Katie moest vertellen. Hij begon net te geloven dat er geen hoop meer was toen een van de broeders de brandweermannen vroeg de brancard te halen. Zijn hart klopte weer, onregelmatig, maar het fibrileerde niet meer en hij ademde. Frank had nu een zuurstofmasker voor en keek wazig op naar Peter die zijn hand aanraakte toen hij langs hem gedragen werd. Ze droegen hem naar de ambulance en Peter liet zijn secretaresse Franks huisarts bellen. In het New York Ziekenhuis stond een team van cardiologen op hem te wachten. Hij was op het randje van de dood geweest.

'Ik kom zo naar het ziekenhuis,' zei Peter tegen de broeders en hij haastte zich naar het herentoilet om te kijken wat hij aan z'n broek en z'n jasje kon doen. Hij had een schoon overhemd in de la, maar voor de rest was het een smeerboel. Zelfs zijn schoenen waren bedekt met braaksel. Maar Peter voelde zich nog meer besmeurd door wat Frank vlak daarvoor tegen hem had gezegd. De kwaadaardigheid ervan was zo smerig geweest dat het hem bijna gedood had.

Vijf minuten later kwam Peter uit het herentoilet in een schoon overhemd, een broek die zo goed mogelijk was schoongemaakt, een trui en schone schoenen. Hij liep naar zijn kantoor om Katie te bellen. Gelukkig was ze nog thuis, ze had net op het punt gestaan om wat boodschappen te gaan doen. Toen ze de telefoon opnam stikte Peter zowat in zijn eigen woorden. Hij wist niet hoe hij het haar moest vertellen.

'Katie... ik... ik ben blij dat je thuis bent.' Ze wilde hem vragen waarom, hij had zich de laatste tijd zo eigenaardig gedragen tegenover haar, op een vreemde manier aanhankelijk en ook neerslachtig. Een paar weken geleden had hij heel veel tv gekeken en toen helemaal niet meer. Hij was een paar dagen lang geobsedeerd geweest door CNN en hij had zo raar gedaan over op vakantie willen met haar.

'Is er iets mis?' Ze keek even op haar horloge. Ze had nog een aantal dingen voor Mike te doen voor hij morgenochtend naar Princeton vertrok. Hij had een vloerkleed nodig voor zijn kamer en ze moest een nieuwe sprei voor hem kopen. Maar ze werd plotseling gegrepen door de klank van zijn stem toen hij antwoordde.

'Ja... er is... Katie, het gaat nu goed met hem, maar het gaat over je vader.' Ze stopte bijna met ademen toen hij dat zei. 'Hij heeft een hartaanval gehad op kantoor.' Hij zei niet tegen haar dat het een dubbeltje op z'n kant was geweest, of dat zijn hart feitelijk een paar seconden had stilgestaan. De doktoren konden haar dat later vertellen. 'Ze hebben hem net meegenomen naar het New York Ziekenhuis en ik ga daar nu heen. Je moet daar ook maar zo snel mogelijk naartoe komen. Hij voelt zich nogal beroerd.'

'Is hij buiten gevaar?' Ze klonk alsof haar wereld zojuist was ingestort, wat ook zo was, en een akelig moment vroeg Peter zich af of ze ook zo geklonken zou hebben als hij het was geweest in plaats van haar vader. Of had Frank gelijk? Was hij alleen maar een speelbal die ze gekocht en betaald hadden?

'Ik denk dat het wel goed komt. Het zag er even beroerd

uit, maar die jongens van 06-11 waren geweldig. Het ambulancepersoneel was hier en de brandweer.' En buiten stond nog steeds een politieagent die iedereen probeerde te kalmeren en die van Franks secretaresse wilde weten wat er was gebeurd, hoewel zelfs zij dat niet precies wist. Ze wachtten nu op Peter om met hem te praten, maar het leek allemaal nogal duidelijk. Terwijl Peter naar zijn vrouw luisterde merkte hij dat ze huilde. 'Wind je nu maar niet op, lieverd. Hij is oké. Ik vind alleen dat je naar hem toe moet gaan.' Maar plotseling vroeg hij zich af of ze wel kon rijden. Hij wilde niet dat ze een ongeluk zou krijgen als ze van Greenwich hierheen reed. 'Is Mike in de buurt?' Ze snikte in de telefoon dat hij niet thuis was. Hij had zijn moeder hiernaartoe kunnen rijden als hij thuis was geweest. Paul had nog maar een voorlopig rijbewijs en was nog niet zo'n goede chauffeur dat hij het hele eind van Greenwich naar hier kon rijden. 'Kun je niet aan een van de buren vragen je te brengen?'

'Ik kan zelf rijden,' zei ze, nog steeds huilend. 'Wat is er gebeurd? Gisteren was hij nog in orde. Hij is altijd zo gezond geweest.' Dat was hij ook, maar er speelden nu andere factoren mee.

'Hij is zeventig jaar, Kate, en hij staat onder grote druk.' Ze hield op met huilen en vroeg op harde toon: 'Hadden jullie soms weer ruzie over die hoorzittingen?' Ze wist dat ze zouden samenkomen om daarover te praten.

'We waren het aan het bespreken.' Maar ze hadden meer gedaan dan dat. Frank had hem beledigingen naar het hoofd gegooid, maar daarover wilde hij niets tegen Katie zeggen. Wat haar vader had gezegd was te grievend om te herhalen, vooral in het licht van wat erna was gebeurd. Als hij nu stierf, wilde Peter niet dat Kate wist dat dat tussen hen was voorgevallen.

'Je zult wel iets meer gedaan hebben dan "bespreken" als hij een hartaanval kreeg,' zei ze beschuldigend, maar hij wilde geen tijd verspillen aan de telefoon en zei dat ook.

'Ik vind dat je nu beter naar de stad kunt komen. We kunnen hier later wel over praten. Hij gaat naar de hartbewaking,' zei hij bot en ze begon weer te huilen. Peter vond het helemaal geen prettig idee dat ze zelf ging rijden. 'Ik ga er nu heen om te zien hoe het is. Ik bel je wel in de auto als er iets verandert. Vergeet niet de telefoon aan te laten.'

'Uiteraard,' zei ze snibbig en snoot haar neus. 'Zorg ervoor dat je niets zegt dat hem van streek maakt.'

Maar Frank luisterde naar niemand meer toen Peter twintig minuten later aankwam in het New York Ziekenhuis. Hij had eerst met de politie moeten praten en een paar formulieren die de broeders hadden achtergelaten moeten invullen, en daarna zat hij vast in het drukke verkeer op weg naar de East River. Toen hij aankwam zat Frank al zwaar onder de kalmerende middelen. Hij werd nauwlettend in de gaten gehouden en zijn gezicht was van hoogrood in asgrauw veranderd. Zijn haar was in de war, er zat nog wat opgedroogd braaksel op z'n kin en zijn ontblote borst was bedekt met draden en sensoren. Hij was aangesloten op een stuk of vijf apparaten en hij zag er buitengewoon ziek uit en veel ouder dan een uur geleden. De dokter zei eerlijk tegen Peter dat Frank zeker nog niet buiten gevaar was. Hij had een ernstige hartaanval gehad en de kans bestond nog steeds dat zijn hart weer zou gaan fibrileren. De komende vierentwintig uur waren cruciaal. Als je hem zo zag liggen, was dat allemaal best te geloven. Wat bijna niet te geloven was, was dat hij er twee uur eerder, toen Peter zijn kantoor binnenkwam, werkelijk jeugdig en gezond had uitgezien.

Peter wachtte beneden in de hal op Kate en hij probeerde haar te waarschuwen voor ze naar boven ging. Ze droeg een spijkerbroek en een т-shirt, haar haar zat slordig en ze had een wilde, paniekerige blik in haar ogen toen ze met haar man in de lift naar boven ging.

'Hoe is het met hem?' vroeg ze voor de vijfde keer sinds haar aankomst. Ze was volkomen radeloos en bijzonder verward.

'Je zult het wel zien. Kalmeer nou maar. Ik denk dat hij er heel wat erger uitziet dan het met hem is.' De apparaten die aan hem vastzaten zagen er angstaanjagend uit en hij zag er meer uit als een lijk waar ze mee bezig waren, dan als een patiënt. Katie was absoluut niet voorbereid op wat ze zag toen ze een glimp van haar vader opving op de hart-bewaking. Ze begon te snikken en moest zich bedwingen om niet te huilen toen ze naast hem stond en zijn hand vastpakte. Hij deed zijn ogen open en herkende haar, maar viel toen dankzij de medicijnen weer in slaap. Ze wilden dat hij een paar dagen volkomen rust zou hebben in de hoop dat hij het zou halen.

'O, mijn god,' zei ze toen ze de kamer verliet en zakte bij-na in elkaar in Peters armen. Hij bracht haar zo snel mo-gelijk naar een stoel en een zuster bracht haar een glas wa-ter. 'Ik kan het gewoon niet geloven.' Ze bleef een halfuur doorhuilen en Peter bleef bij haar zitten. Toen de dokter eindelijk met hen kwam praten, zei hij dat Frank vijftig procent kans had om het te halen.

Door zijn woorden kreeg Kate prompt weer een aanval van hysterie. De rest van de middag zat ze op een stoel voor de hartbewaking te huilen en ging om het halfuur vijf minuten naar hem toe als ze haar toelieten. Maar de mees-te keren was hij buiten bewustzijn als ze bij hem kwam. Aan het eind van de dag probeerde Peter haar mee te krij-

gen om iets te eten, maar ze weigerde pertinent. Ze zei dat
ze daar niet wegging, nog geen seconde.

'Kate, je moet,' zei Peter vriendelijk. 'Niemand is er bij ge-
baat als jij ook nog ziek wordt. Voor een uur of zo kun je
hem wel alleen laten. Je kunt naar het appartement gaan
en even gaan liggen, ze bellen je wel als het nodig mocht
zijn.'

'Je hoeft er geen woorden meer aan vuil te maken,' zei ze
koppig met de blik van een kind dat weigert in beweging
te komen. 'Ik blijf bij hem. Ik blijf hier slapen zolang het
nodig is, tot hij buiten gevaar is.' Het was in feite niets
meer of minder dan Peter had verwacht.

'Ik moet op een bepaald moment toch naar huis om naar
de jongens te kijken,' zei hij nadenkend en zij knikte. Haar
kinderen waren wel het laatste waar ze aan dacht in die
sombere gang. 'Ik ga naar huis om ze gerust te stellen en
dan kom ik later op de avond weer terug,' zei hij, zijn plannen makend terwijl hij sprak en zij knikte weer. 'Kan ik je
zolang alleen laten?' vroeg hij vriendelijk, maar ze keek
hem nauwelijks aan. Ze zag er al verlaten uit terwijl ze uit
het raam staarde. Ze kon zich een wereld zonder haar vader niet eens voorstellen. De eerste twintig jaar van haar
leven was hij alles wat ze had in de wereld. En de daaropvolgende twintig was hij een van de belangrijkste mensen voor haar geweest. Peter dacht dat Frank een soort
liefdesobject voor haar was, een of ander soort passie, een
obsessie haast. En hoewel hij dat nooit zou zeggen, leek ze
meer van hem te houden dan van haar eigen kinderen. 'Hij
komt er wel bovenop,' zei hij zacht, maar ze huilde alleen
maar en schudde haar hoofd toen hij vertrok en hij wist
dat hij niets voor haar kon doen. Het enige wat ze wilde
was haar pappie.

Peter reed zo snel als het vrijdagavondverkeer dat toeliet

naar huis. Gelukkig waren alle drie de jongens thuis toen hij aankwam. Hij vertelde hun zo voorzichtig mogelijk over Franks hartaanval en alle drie waren ontzettend ongerust. Hij stelde hen zo goed mogelijk gerust en toen Mike ernaar vroeg, zei hij alleen dat het tijdens een zakelijke bespreking was gebeurd. Mike wilde mee naar de stad om zijn grootvader te zien, maar Peter vond dat hij beter kon wachten. Als Frank zich goed genoeg voelde, kon zijn oudste kleinzoon hem vanuit Princeton komen opzoeken.

'En hoe moet het morgen, pap?' vroeg Mike. Het was de bedoeling dat ze hem morgen naar Princeton brachten. Voor zover Peter wist was alles klaar behalve dat Kate er niet aan toegekomen was om het vloerkleed en de sprei te kopen, maar daar kon Mike wel een poosje buiten.

'Ik breng je wel morgenochtend. Ik denk dat mama bij opa zal willen blijven.'

Peter nam ze mee om ergens snel wat te eten. Tegen negenen was hij weer op weg naar de stad en belde Kate vanuit de auto. Ze zei dat er geen verandering was, hoewel ze vond dat hij er slechter uitzag dan een paar uur geleden, maar de verpleegkundige die hem verzorgde had gezegd dat dat normaal was.

Peter was om tien uur terug in het ziekenhuis, bleef bij haar tot na twaalven en ging toen terug naar Greenwich om bij de jongens te zijn. Hij bracht Mike de volgende morgen om acht uur met al zijn koffers en tassen en sport-uitrusting naar school. Hij had een kamer met twee andere jongens gekregen en tegen het middaguur had Peter alles gedaan wat van hem werd verwacht. Hij gaf Mike een knuffel, wenste hem het beste en reed terug naar New York, naar Kate en haar vader. Hij kwam daar even voor twee uur aan en was verbaasd toen hij Frank rechtop zittend in bed aantrof. Hij zag er zwak en moe uit en was nog bleek, maar zijn haar was gekamd, hij had een schone pyjama aan en Kate was soep in z'n mond aan het lepelen alsof hij een baby was. Het was een enorme verbetering.

'Wel, wel!' zei hij toen hij binnenkwam. 'Zo te zien ben je van koers veranderd.' Frank glimlachte, maar Peter was nog steeds op zijn hoede voor hem. Hij kon niet vergeten wat Frank tegen hem had gezegd, noch de manier waarop het gezegd was. Maar ondanks dat, misgunde hij hem zijn overleven niet. 'Waar heb je die chique pyjama vandaan?' Hij zag er beslist niet uit als de man die, nog maar een dag geleden, in zijn eigen braaksel op de grond in het kantoor had gelegen en Kate glimlachte stralend. Zij had niet met deze herinneringen te kampen, noch met die van zijn boosaardige aanval op Peter.

'Ik heb hem door Bergdorf laten bezorgen,' zei ze tevreden. 'De zuster zei dat ze pap morgen naar een privékamer brengen als hij zo vooruit blijft gaan.' Kate zelf zag er uitgeput uit, maar daar gaf ze geen moment aan toe. Ze zou hem al haar kracht, al haar levenssappen hebben gegeven als dat hem zou helpen.

'Nou, dat is goed nieuws,' zei Peter en vertelde hun over Mikes aankomst op Princeton. Frank keek buitengewoon tevreden en een poosje later hielp Kate hem liefdevol om weer te gaan liggen voor een dutje, waarna zij en Peter de gang inliepen. Maar ze zag er lang niet zo opgewekt uit als toen ze haar vader soep zat te voeren. En Peter wist meteen dat er iets gebeurd was.

'Papa heeft me over gisteren verteld,' zei ze met een venijnige blik toen ze door de gang liepen.

'Wat wil dat zeggen?' Hij was zelf ook moe en had geen zin in raadseltjes. Hij kon zich niet voorstellen dat haar vader had opgebiecht hoe kwaadaardig hij was geweest en wat hij over en tegen Peter had gezegd. Peter had hem nog nooit excuses horen maken of een fout horen toegeven, zelfs niet als die overduidelijk was.

'Je weet wat dat wil zeggen,' zei ze. Ze bleef staan en keek hem aan, zich afvragend of ze hem eigenlijk wel kende. 'Hij zegt dat je hem bedreigd hebt over die hoorzittingen, op het gewelddadige af.'

'Wat heeft hij gezegd?' Dit was niet te geloven.

'Hij zei dat hij je nog nooit op die manier tegen iemand had horen praten en dat je weigerde naar rede te luisteren. Hij zei dat het hem gewoon te veel werd, en... en toen...' Ze begon te huilen en kon even niet doorgaan met praten terwijl ze met beschuldigende ogen naar hem opkeek.

'Je hebt mijn vader bijna vermoord. Dat zou gebeurd zijn als hij van nature niet zo sterk was... en zo fatsoenlijk...' Ze wendde haar blik van hem af, niet in staat hem nog langer aan te kijken, maar Peter hoorde heel duidelijk wat ze zei. 'Ik denk niet dat ik je dit ooit kan vergeven.'

'Dan kunnen we elkaar de hand schudden,' zei hij terwijl hij haar woedend aankeek. 'Ik stel voor dat je hem vraagt wat hij tegen mij zei voor hij onderuit ging. Ik geloof dat het was dat hij me jaren geleden had gekocht, met huid en haar, en dat ik dood kon vallen als ik niet naar zijn ver-domde hoorzittingen ging.' Hij keek op zijn vrouw neer met een blik in zijn helderblauwe ogen die zij nog nooit eerder had gezien en toen beende hij snel weg en stapte in de lift terwijl zij hem nakeek. Ze maakte geen aanstalten hem te volgen, maar dat kon hem nu niet schelen. Hij wist nu met grote zekerheid bij wie haar loyaliteit lag.

11

Frank herstelde verrassend goed van zijn hartaanval. Binnen twee weken mocht hij naar huis, en Katie ging met hem mee en zou een poosje bij hem blijven. Peter dacht dat dat misschien wel zo goed was, ze hadden beiden tijd nodig om na te denken en voor zichzelf uit te maken wat ze voor elkaar voelden. Ze had nooit excuus aangeboden voor wat ze in het ziekenhuis tegen hem had gezegd en hij bracht het niet meer ter sprake. Maar vergeten deed hij het ook niet. En Frank maakte er uiteraard geen gewag meer van dat Peter 'gekocht' was. Peter vroeg zich zelfs af of hij het zich nog herinnerde.

Uit beleefdheid en ook om Katie te zien bezocht hij zijn schoonvader geregeld. Hij was vriendelijk tegen hem, maar de verhouding tussen Frank en Peter was zichtbaar koel. Kate deed zeer afstandelijk tegen Peter, en ze was zo met haar vader bezig dat ze nauwelijks aandacht aan Patrick besteedde. Peter zorgde voor hem en kookte iedere avond voor hem. Het was geen moeilijk kind. De twee oudere jongens waren op school en ze hadden al verscheidene malen bericht van Mike gekregen. Hij vond het heerlijk op Princeton.

Precies twee weken na zijn hartaanval bracht Frank de hoorzittingen weer ter sprake. Beide mannen wisten dat ze ondanks alles nog steeds op de agenda van het CBG stonden en dat de hoorzittingen al over een paar dagen waren. Als ze het CBG niet om vervroegde vrijgeving gingen vragen, zouden ze hun verschijning daar af moeten zeggen.

'Nou?' vroeg Frank, achteroverleunend tegen de kussens die Kate net voor hem had opgeschud. Hij was onberispelijk geschoren en schoon en zijn kapper was net gekomen om hem te knippen. Hij zag eruit als een reclameplaatje voor pyjama's en dure lakens, niet als een man die bijna dood was geweest. Niettemin wilde Peter hem liever niet van streek maken. 'Hoe staan we er op het ogenblik voor? Hoe ziet het onderzoek eruit?' Beiden wisten wat hij werkelijk vroeg.

'Ik denk dat we daar beter niet over kunnen praten.' Katie was beneden de lunch voor Frank aan het maken en Peter was niet van plan met hem te gaan redetwisten om vervolgens twee Donovans tegenover zich te krijgen. Wat hem betrof was het onderwerp Vicotec taboe totdat de artsen zeiden dat het mocht.

'We moeten erover praten,' hield Frank vol. 'De hoorzittingen zijn al over een paar dagen. Dat ben ik niet vergeten,' zei hij kalm. Peter was ook niet vergeten wat hij op kantoor tegen hem had gezegd. Maar Frank kwam daar niet op terug toen hij zijn schoonzoon aankeek. Hij was een man met een missie. Het was niet moeilijk te zien waar Kate haar koppigheid en haar doorzettingsvermogen vandaan had. 'Ik heb gisteren met de zaak gesproken en volgens de researchafdeling is nu alles in orde.'

'Met één uitzondering,' voegde Peter eraan toe.

'Een minder belangrijke test, onder bijzondere omstandigheden op proefratten uitgevoerd. Dat weet ik allemaal. Maar dat is blijkbaar niet ter zake doend, omdat de omstandigheden waaronder die tests plaatsvonden, bij mensen nooit kunnen voorkomen.'

'Dat is waar,' gaf Peter toe. Hij hoopte maar dat Katie niet binnen zou komen en hen zou betrappen op deze discussie. 'Maar volgens de regels van het CBG is dat, formeel gezien, genoeg om ons te diskwalificeren. Ik vind nog steeds dat we niet naar de hoorzitting moeten gaan.' Daar kwam nog bij dat ze nog niet klaar waren met het overdoen van de Franse tests en die waren doorslaggevend. 'We moeten Suchards informatie ook nog controleren. Daarin zit de echte zwakke plek. De rest is eigenlijk allemaal routine. Maar het terrein dat hij heeft bestreken moeten we nog eens helemaal doornemen.'

'Dat kunnen we doen voordat Vicotec echt klinisch gebruikt wordt en het CBG hoeft daar op het ogenblik niets van te weten. Formeel voldoen we met vlag en wimpel aan al de voorwaarden die ze stellen. Meer dan we hebben vragen ze niet. Dat zou voldoende voor je moeten zijn,' zei hij op de man af tegen Peter.

'Dat zou het ook, als Suchard niet met een probleem op de proppen was gekomen en het wordt liegen als we dat feit geheimhouden voor het CBG.'

Frank negeerde hem en zei: 'Ik geef je mijn woord dat als er iets... wat dan ook... de kleinste aanwijzing van een probleem bij de latere tests te voorschijn komt, ik er meteen mee stop. Ik ben niet gek. Ik wil geen rechtszaak die me honderd miljoen gaat kosten. Het is niet mijn bedoeling om iemand om te brengen. Maar ik wil ook niet dat wij worden omgebracht. We hebben wat we nodig hebben. Laten we ermee aan de slag gaan. Als ik je mijn woord geef dat we tot het uiterste door zullen gaan, zelfs als we toestemming krijgen om vervroegd met proeven op mensen te beginnen na al onze laboratoriumtests, zul je dan naar de hoorzittingen gaan? Peter, wat voor kwaad kan dat nou...? Alsjeblieft...' Maar Peter wist dat het verkeerd was. Het was te vroeg en het was gevaarlijk. Als ze die toestemming kregen kon het meteen aan mensen toegediend worden en hij vertrouwde er niet op dat zijn schoonvader dat niet zou doen. Voor Peter maakte het niets uit dat het bij de klinische proeven maar om een heel beperkt aantal mensen en uitzonderlijk lage doses zou gaan. Waar het voor hem om ging was dat er geen onnodig en onverantwoordelijk risico genomen werd, ook niet met één persoon. Ze waren gewaarschuwd voor mogelijke gevaren als ze Vicotec in de huidige samenstelling zouden gebruiken en Peter was niet bereid die waarschuwing naast zich neer te leggen. Andere bedrijven hadden griezeltoestanden meegemaakt als ze dat wel deden, en er waren zelfs legendarische verhalen over producten die volledig verpakt in vrachtwagens hadden liggen wachten op toestemming van het CBG, zodat ze als die kwam meteen geleverd konden worden. Peter was bang dat zijn schoonvader ook zoiets voor Vicotec in gedachten had, ondanks de mogelijke problemen. Als Frank weigerde redelijk te zijn, waren de mogelijkheden voor misbruik oneindig. En het misbruik kon tot gevolg hebben dat er slachtoffers vielen. Peter wenste daar niet aan mee te werken.

'Ik kan niet naar het CBG gaan,' zei Peter triest. 'Dat weet je.'

'Je doet dit uit wraak... om wat ik gezegd heb... verdorie, je weet best dat ik het niet meende.' Hij herinnerde het zich dus wel. Had hij het alleen maar gezegd uit wreedheid, of omdat hij er zo over dacht? Peter zou het nooit weten. Wat hij wel wist was dat hij het nooit zou vergeten, maar hij was niet wraakzuchtig.

'Daar heeft het niets mee te maken, het is een kwestie van ethiek.'

'Lulkoek. Wat wil je dan? Een omkoopsom? Een garantie? Je hebt mijn woord dat ik niet verder zal gaan als er na het afronden van de tests nog steeds een probleem is. Wat wil je nog meer?'

'Tijd. Het gaat alleen maar om tijd.' Peter zag er vermoeid uit. De Donovans hadden hem de afgelopen twee weken afgemat en als hij er goed over nadacht, eigenlijk al veel langer.

'Het is een kwestie van geld. En trots. En reputatie. Weet je wel wat voor verlies we lijden als we ons nu uit die hoorzittingen terugtrekken? Het zou zelfs onze andere producten kunnen schaden.' Het was een eindeloos heen en weer gepraat en geen van beiden was het eens met het standpunt van de ander. Ze zagen er beiden nors uit toen Katie binnenkwam met Franks lunch en zij vermoedde meteen dat ze met een verboden gesprek bezig waren.

'Jullie praten toch niet over zaken, hè?' Ze schudden alle twee hun hoofd, maar Peter keek schuldig en even later zette ze hem klem. 'Ik verwachtte dat je iets goed zou willen maken bij hem,' zei ze raadselachtig toen ze in haar vaders keuken stonden.

'Wat moet ik goedmaken?'

'Wat je gedaan hebt.' Ze dacht nog steeds dat Peter hem bijna gedood had, hem zijn hartaanval had bezorgd door hem van streek te maken en niets of niemand kon haar van die opvatting afbrengen. In zekere zin ben je aan hem verplicht om naar die hoorzittingen te gaan. Dat kan toch geen kwaad. Het gaat er voor hem om geen gezichtsverlies te lijden. Hij heeft zijn nek uitgestoken voor die vervroegde proeven en nu wil hij niet toe moeten geven dat hij nog niet klaar is. Hij gaat Vicotec niet op mensen beproeven als het gevaarlijk is. Dat weet je van hem. Hij is niet achterlijk. Maar hij is ziek en oud en hij heeft er recht op om niet af te gaan tegenover het hele land. Jij kunt hem dat geven als je zou willen, als het je ook maar ene moer kon schelen,' zei ze beschuldigend. 'Het lijkt me toch niet te veel gevraagd. Tenzij je echt niets om hem geeft. Hij heeft me verteld dat hij laatst nogal akelige dingen tegen je heeft gezegd omdat hij overstuur was. Maar ik weet zeker dat hij het niet meende. De vraag is,' zei ze en keek hem doordringend aan, 'ben je grootmoedig genoeg om hem te vergeven? Of laat je hem boeten door hem te beroven van het enige dat hij van je wil? Je gaat toch naar het Congres op die dag, dus je kunt nog steeds voor het CBG verschijnen. Na wat je hem hebt aangedaan ben je hem dat wel verschuldigd. Hij kan nu niet zelf gaan. Jij bent de enige die het kan doen.' Ze gaf hem het gevoel een echte schoft te zijn als hij niet ging en ze was vastbesloten hem zich verantwoordelijk te laten voelen voor de hartaanval van haar vader. En net als haar vader leek ze wel bezeten van het idee dat hij zich op Frank wilde wreken voor wat die tegen hem had gezegd. Het leek allemaal zo kleingeestig en verwrongen.

'Daar heeft het niets mee te maken, Kate. Het is heel wat complexer. Het heeft met integriteit en ethiek te maken. Hij moet iets verder kijken dan alleen gezichtsverlies. Wat zouden de mensen denken, de regering bijvoorbeeld, als ze er ooit achterkwamen dat we voortijdig naar de hoorzittingen zijn gegaan? Ze zouden ons nooit meer vertrouwen. Dat zou het bedrijf kunnen ruïneren.' Nog erger, het zou hem kunnen ruïneren. Het was een schending van alles waarin hij geloofde en hij wist dat hij het niet kon doen. 'Hij heeft gezegd dat hij ermee zou stoppen als het moest. Je geeft hem alleen maar een periode van uitstel en een bezoek aan het CBG.' Zoals zij het bracht leek het een kleinigheid, en ze was een stuk overtuigender dan haar vader. Het klonk alsof het zo weinig gevraagd was dat ze niet begreep waarom hij dat niet zou doen. En op de een of andere manier lukte het haar zichzelf erbij te betrekken, alsof hij het haar verschuldigd was om te bewijzen dat hij nog steeds van haar hield. 'Hij vraagt alleen maar een tussenoplossing van je. Dat is alles. Ben je zo kleingeestig dat je dat niet kunt doen? Geef hem dat toch... deze ene keer. Dat is alles. De man is bijna gestorven. Hij verdient het.' Ze klonk als Jeanne d'Arc terwijl ze haar terrein verdedigde en Peter wist echt niet waarom, maar toen hij naar haar keek voelde hij zich afglijden. Hij had het gevoel of zijn hele leven op het spel stond. Zij had hem in die situatie gebracht. En de inzet was te hoog voor hem om zich tegen haar te verzetten. 'Peter?' Ze keek naar hem op, verleidelijk ineens, de femme fatale die ze nooit was geweest, begiftigd met bovenmenselijke kwaliteiten en wijsheid. Hij had niet eens de kracht om haar te antwoorden en al helemaal niet om haar te weerstaan. Zonder het te willen knikte hij. En ze begreep het. Het was gebeurd. Ze had gewonnen. Hij zou naar de hoorzittingen gaan.

12

De nacht voor hij naar Washington moest was een nachtmerrie voor Peter. Hij kon nog steeds niet geloven dat hij
ermee ingestemd had dat voor hen te doen. Maar Kate gedroeg zich heel dankbaar sinds hij erin had toegestemd, en
haar vader was inderdaad met sprongen vooruitgegaan en
liep over van hartelijkheid en lof voor Peter. Peter had het
gevoel of hij afgeschoten was naar een andere planeet waar
alles onwerkelijk was, zijn hart was versteend en zijn brein
was gewichtloos. Hij kon nauwelijks bevatten waar hij mee
bezig was.

Verstandelijk kon hij het wel beredeneren, net zoals Frank
had gedaan. Vicotec was er bijna en als er nog fouten in
zaten, zouden ze het terugtrekken voor het op de markt
kwam. Maar moreel en wettig gezien was het verkeerd wat
ze deden en dat wisten ze allemaal. Maar Peter begreep
dat hij nu geen keus meer had. Hij had Kate en haar vader beloofd dat hij het zou doen. De vraag was alleen hoe
hij daarna met zichzelf zou kunnen leven, of moest hij gewoon langzaam maar zeker zijn morele normen afbreken?
Als hij dit eenmaal deed, zou hij dan vaker uitglijden, nog
meer principes schenden die hij eerst had aangehangen?
Het was een interessant filosofisch vraagstuk en als hij niet
het gevoel had gehad dat zijn leven op het spel stond, zou

hij er grote belangstelling voor hebben gehad. Maar zoals het nu was kon hij niet eten en niet slapen. Hij was in enige dagen ruim zes pond afgevallen en zag er vreselijk uit. De dag voor hij naar Washington moest vroeg zijn secretaresse of hij ziek was, maar hij schudde zijn hoofd en zei dat hij het druk had. Frank had besloten nog een maand thuis te blijven en dus moest Peter nog harder werken dan gewoonlijk. En morgenochtend moest hij naar het Congres voor de hoorzitting over de prijzen, en naar het CBG. Hij zat nog laat die middag aan zijn bureau en bekeek de laatste proeven. Het zag er eigenlijk goed uit, afgezien van één kleinigheidje dat precies overeenkwam met sommige van de dingen die Suchard had gezegd in juni en Peter wist heel zeker wat dit kleinigheidje betekende. Volgens de onderzoekers ging het om een betrekkelijk onbelangrijke kwestie en Peter nam niet eens de moeite om Frank daarover te bellen. Hij wist toch al wat diens reactie zou zijn. 'Maak je geen zorgen. Ga naar de hoorzittingen en we zoeken het later wel uit.' Peter nam de rapporten toch maar mee naar huis, hij las ze 's avonds allemaal nog eens door en was om twee uur 's nachts nog net zo bezorgd. Katie lag te slapen in het bed dat naast het zijne stond. Ze logeerde niet meer bij haar vader, ze ging zelfs met hem mee naar Washington en had een nieuw pakje gekocht voor de gelegenheid. Sinds hij erin had toegestemd naar Washington te gaan waren zij en haar vader zo blij dat hij zich erbij had neergelegd, dat ze alle twee reuze opgewekt waren. Hij vond het nog steeds een helse opdracht en Kate had gemopperd dat hij overdreven reageerde. Ze probeerde te doen alsof hij gewoon zenuwachtig was omdat hij voor het Congres moest verschijnen.

Om vier uur in de morgen zat hij in zijn werkkamer in Greenwich te piekeren over de laatste rapporten en staarde uit het raam. Hij zou wel met iemand willen praten die er verstand van had. Hij kende de Zwitserse en Duitse onderzoeksmensen niet persoonlijk en met de nieuwe man in Parijs had hij niet zo'n goede verstandhouding. Frank had hem duidelijk aangenomen omdat hij meegaand was en een ja-knikker, maar hij was ook heel moeilijk te begrijpen en hij benaderde alles zo wetenschappelijk dat Peter het gevoel had dat hij naar Japans zat te luisteren. Toen bedacht hij opeens iets en bladerde in zijn telefoonklapper. Hij vroeg zich af of hij het nummer thuis had en vond het toen. Het was nu tien uur in de ochtend in Parijs en met een beetje geluk zou hij er zijn. Hij noemde zijn naam toen er opgenomen werd, de telefoon piepte twee keer, als een vriendelijke robot en toen hoorde hij de bekende stem.

'*Allô?*' Het was Paul-Louis. Peter had hem bij het nieuwe bedrijf waar hij werkte gebeld.

'Hallo, Paul-Louis,' zei Peter, vermoeid klinkend. Het was voor hem vier uur in de ochtend en het was een eindeloze nacht geweest. Hij vroeg zich af of Paul-Louis hem zou kunnen helpen een beslissing te nemen waar hij vrede mee had. Alleen daarvoor had hij hem gebeld. 'U spreekt met Benedict Arnold.'

'*Qui? Allô?* Met wie spreek ik?' vroeg hij verbijsterd en Peter glimlachte.

'Dat was een verrader die lang geleden is doodgeschoten. *Salut*, Paul-Louis,' zei hij in het Frans, 'met Peter Haskell.'

'Ah... *d'accord.*' Hij begreep het meteen. 'Je gaat het dus doen. Hebben ze je gedwongen?' Hij hoorde het aan zijn stem: Peter klonk afschuwelijk.

'Ik wou dat ik kon zeggen dat ze me hadden gedwongen,' zei hij. Dat hadden ze wel gedaan, maar hij was te veel heer om dat te zeggen. 'Om allerlei redenen heb ik het min of meer zelf aangeboden. Frank heeft drie weken geleden een bijna fatale hartaanval gehad. Sindsdien is alles niet meer helemaal hetzelfde.'

'Ik begrijp het,' zei Paul-Louis ernstig. 'Wat kan ik voor je doen?' Hij werkte voor een concurrerend bedrijf maar voelde oprechte genegenheid voor Peter. 'Heb je me nodig voor iets?' vroeg hij op de man af.

'Vergiffenis, denk ik, hoewel ik het niet verdien. Ik heb net een paar nieuwe verslagen gekregen en volgens mij ziet het er gezond uit, als ik ze tenminste goed begrijp. We hebben twee van de stoffen vervangen en iedereen schijnt te denken dat daarmee het probleem is opgelost. Maar er is nog een serie resultaten waarvan ik niet zeker ben of ik ze wel goed begrijp en ik dacht dat jij me daar misschien bij kon helpen. Er is hier niemand waarmee ik openhartig kan praten. Wat ik wil weten is of we iemand de dood in gaan jagen met Vicotec. Daar komt het eigenlijk op neer. Ik wil weten of het volgens jou nog steeds gevaarlijk is, of dat we nu op de goede weg zijn. Heb je tijd om het voor me door te kijken?' Dat had hij niet, maar hij was bereid om voor Peter tijd te maken. Hij zei tegen zijn secretaresse dat hij niet gestoord wilde worden en was meteen weer terug aan de lijn.

'Fax het nu maar meteen.' Dat deed Peter en er viel een lange stilte terwijl Paul-Louis het memo las. Het daaropvolgende uur namen ze het onderzoeksrapport van alle kanten door terwijl Peter zo goed als hij kon alle vragen beantwoordde. Ten slotte was er weer een lange stilte en Peter begreep dat Paul-Louis zijn gedachten had bepaald. 'Je moet begrijpen dat het heel subjectief is. In deze fase is er geen duidelijke uitspraak over te doen. Het is natuurlijk een goede zaak. Het is een fantastisch product dat de mogelijkheden om kanker te bestrijden zal vergroten.

Maar er zijn bijkomende elementen die beoordeeld moeten worden. Het is die beoordeling die ik je zo moeilijk kan geven. Niets is zeker in het leven. Niets is zonder risico of zonder prijs. Het gaat er maar om of je die prijs wilt betalen.' Hij klonk erg Frans in zijn filosofie, maar Peter begreep hem.

'De vraag voor ons is: hoe groot is het risico?'

'Dat begrijp ik.' Hij begreep het uitstekend. Dat was wat hem in juni, toen Peter in Parijs was, zorgen had gebaard. 'En het nieuwe onderzoek is zonder enige twijfel goed. Ze zijn op het goede spoor...' Zijn stem stierf weg terwijl hij fronste en een sigaret opstak. Al de wetenschappers die Peter in Europa had ontmoet waren rokers.

'Maar zijn we er al? vroeg Peter aarzelend, bijna bang om het antwoord te horen.

'Nee... nog niet...' zei Suchard op sombere toon. 'Misschien gauw, als ze in deze richting door blijven gaan. Maar je bent er nog niet. Naar mijn mening is Vicotec in aanleg nog steeds gevaarlijk, vooral in ondeskundige handen.' En dat waren precies de handen waar het voor was bedoeld. Het was gemaakt om door leken gebruikt te worden, zo nodig thuis. Dat betekende dat men thuis kon blijven voor de chemotherapie en niet naar het ziekenhuis hoefde, of naar een dokter.

'Is het nog steeds dodelijk, Paul-Louis?' Dat had hij in juni gezegd. Peter kon hem nog steeds horen.

'Ik denk van wel.' De stem aan de andere kant van de lijn klonk verontschuldigend, maar overtuigd. 'Je bent er nog niet, Peter. Geef het de tijd. Je komt er wel.'

'En de hoorzittingen?'

'Wanneer zijn die?'

Peter keek op zijn horloge. Het was vijf uur in de ochtend.

'Over negen uur. Om twee uur vanmiddag. Ik ga over twee

uur van huis.' Hij nam de vlucht van acht uur en was van plan om elf uur voor het Congres te verschijnen.

'Ik benijd je niet, m'n vriend. Ik kan hier niet veel aan toevoegen. Als je eerlijk wilt zijn, moet je ze vertellen dat dit een geweldig geneesmiddel gaat worden, maar dat het nog niet helemaal af is. Je bent er nog mee bezig.'

'Met zo'n mededeling ga je niet naar het CBG. We vragen toestemming voor vervroegde klinische proeven, gebaseerd op onze laboratoriumtests. Frank wil het op de markt brengen zodra we alle stadia van de proeven op mensen hebben doorlopen en de toestemming van het CBG hebben.'

Suchard floot aan de andere kant. 'Dat is beangstigend. Waarom zet hij er zoveel druk achter?'

'Hij wil zich in januari uit het bedrijf terugtrekken en hij wil er zeker van zijn dat de zaak dan loopt. Dit moest zijn afscheidscadeau aan de mensheid zijn. En het mijne. In plaats daarvan lijkt het meer op een tijdbom.'

'Dat is het ook, Peter. Dat moet je goed beseffen.'

'Ik besef dat. Maar niemand anders wil het horen. Hij zegt dat hij het product voor het einde van het jaar terug zal trekken als we niet klaar zijn om het op mensen te beproeven. Maar hij houdt vol dat we naar Washington moeten gaan. Eerlijk gezegd is het een nogal lang verhaal.'

Het had te maken met het ego van een oude man en een ingecalculeerd risico in een miljardenzaak. Maar in dit geval waren Franks calculaties niet goed, en gebaseerd op zijn ego. Het was een gevaarlijke zet die zijn hele bedrijf kon vernietigen, maar dat weigerde hij te zien. Het vreemde was dat Peter het zo duidelijk zag. Frank was op het krankzinnige af koppig. Misschien werd hij dement, of gewoon verblind door zijn eigen macht. Het was niet te zeggen.

Hij bedankte Paul-Louis voor zijn hulp en de Fransman

wenste hem geluk. Nadat hij had opgehangen ging Peter een pot koffie maken. Hij had nog steeds de mogelijkheid om zich terug te trekken, maar hij zag gewoon niet hoe hij dat moest doen. Hij kon ook naar de hoorzittingen gaan en dan ontslag nemen bij Wilson-Donovan, maar daarmee bood hij geen bescherming aan de mensen die hij had willen helpen en nu aan een risico moest blootstellen. De ellende was dat hij er niet op vertrouwde dat Frank de proeven op mensen zou afgelasten als de testresultaten niet binnen afzienbare tijd drastisch zouden verbeteren. Peter had zo'n gevoel dat hij veel te gemakkelijk bereid was de gok te nemen. Er was te veel geld mee te verdienen, risico of niet. De verleiding was te groot.

Katie hoorde een poosje later dat hij in de keuken bezig was en ze kwam naar beneden voordat de wekker was afgegaan. Ze vond Peter aan de keukentafel met zijn hoofd in zijn handen en aan zijn tweede kopje koffie. Ze had hem nog nooit zo gezien, hij zag er haast nog erger uit dan haar vader vlak na zijn hartaanval.

'Waar zit je nou zo over in?' zei ze en legde een hand op zijn schouder. Maar het was haar niet uit te leggen. Het was duidelijk dat ze het niet begreep, of niet wilde begrijpen. 'Het is voorbij voor je het weet.' Het leek wel of ze het over een zenuwbehandeling had in plaats van over een schending van alles waar hij in geloofde. Zijn ethiek, zijn integriteit, zijn principes, alles stond op het spel en zij begreep het niet. Hij keek haar ongelukkig aan toen ze in haar roze nachtpon, net zo verzorgd en fris als altijd, tegenover hem zat.

'De reden waarom ik dit doe deugt niet, Kate. Ik doe het niet omdat het juist is, of omdat we er klaar voor zijn, maar voor jou en je vader. Ik voel me als een huurmoordenaar van de mafia.'

'Wat een walgelijke uitspraak,' zei ze geërgerd. 'Hoe kun je zo'n vergelijking maken? Je doet dit omdat je weet dat het goed is en omdat je het aan mijn vader verschuldigd bent.'

Hij leunde achterover op de keukenstoel en keek haar aan, zich afvragend wat de toekomst hun op deze manier nog te bieden had. Afgaande op wat hij de laatste tijd ervaren had, niet veel. Hij begreep nu hoe Olivia zich had gevoeld toen ze zei dat ze voor Andy zichzelf had verraden. Het was een leven dat gebouwd was op leugens en schijn. En in dit geval: chantage.

'Wat ben ik hem volgens jullie eigenlijk verschuldigd?' vroeg hij kalm. 'Je vader schijnt te denken dat dat heel veel is. Voor zover ik weet is het al die jaren een eerlijke ruil geweest. Ik werk hard voor het bedrijf en krijg ervoor betaald. En jij en ik hadden een echt huwelijk, dat dacht ik tenminste. Maar de laatste tijd lijkt zijn opvatting over "verschuldigd zijn" zo'n beetje alles te omvatten. Waarom precies denken jullie eigenlijk dat ik het aan jullie "verschuldigd" ben om naar die hoorzittingen te gaan?'

'Omdat,' waagde ze zich heel voorzichtig op gevaarlijk terrein, omdat ze wist dat het een mijnenveld kon blijken te zijn, 'het bedrijf twintig jaar lang goed voor je is geweest en je het op deze manier terug kunt betalen, door op te komen voor een product dat ons miljarden kan opleveren.'

'Gaat het daar dan allemaal om? Geld?' Hij zag er lichtelijk onpasselijk uit toen hij die vraag stelde. Had hij daarvoor verraad gepleegd? Miljarden. Hij had zichzelf in elk geval niet goedkoop verkocht, dacht hij huiverend.

'Ten dele. Zo'n naïeveling kun je niet zijn, Peter. Je deelt in onze winsten. Je weet waar het om gaat. En denk eens aan de kinderen. Wat zou er met hen gebeuren? Je zou hun leven ook ruïneren.' Ze zag er heel koud en berekenend uit en heel hard. Ondanks al dat gepraat over haar vader, was het geld heel belangrijk voor haar.

'Gek, hè? Ik had het dwaze idee dat het voor het welzijn van de mensheid was bedoeld, of op z'n minst om levens te redden. Ik denk dat ik het daarom heb gedaan, daarom heb ik er de laatste vier jaar zo'n druk achter gezet. Maar zelfs toen was ik niet bereid ervoor te liegen. En nu, nu het alleen om geld schijnt te gaan, ben ik daar nog minder toe geneigd.'

'Ben je aan het terugkrabbelen?' vroeg ze ontzet. Ze zou zelf naar de hoorzittingen zijn gegaan als dat zou kunnen. Maar ze was niet in dienst bij het bedrijf en haar vader was nog te ziek om te gaan, dus was Peter de enige die het kon doen. 'Als ik jou was zou ik er nog maar eens ernstig over nadenken voor je je hier uit terugtrekt,' zei ze, terwijl ze voor hem stond en op hem neerkeek. 'Ik denk dat ik met een gerust hart kan zeggen dat het met je rooskleurige toekomst bij Wilson-Donovan wel zo'n beetje is afgelopen als je ons nu laat stikken.'

'En ons huwelijk?' Hij wist dat hij nu met vuur speelde.

'Dat staat nog te bezien,' zei ze zacht. 'Maar ik zou het als het toppunt van verraad beschouwen.' Hij zag dat ze het meende, maar terwijl hij naar haar keek voelde hij zich ineens een stuk beter. Ze was uitgesproken en zelfverzekerd, zoals ze altijd was geweest, hoewel hij dat niet altijd had gezien.

'Het is goed te weten wat jouw standpunt hierin is, Kate,' zei hij bedaard, en hun ogen ontmoetten elkaar over de keukentafel heen terwijl ze ieder aan een kant stonden. Maar voor ze kon antwoorden kwam Patrick binnen voor het ontbijt.

'Waarom zijn jullie zo vroeg op?' vroeg hij, nog slaperig.

'Je moeder en ik gaan vandaag naar Washington,' zei Peter gedecideerd.

'O ja, dat was ik vergeten. Gaat opa ook?' Patrick gaapte en schonk onderhand een glas melk in.

'Nee, de dokter vond het nog te vroeg,' legde Peter uit. Een paar minuten later belde Frank. Hij wilde Peter nog spreken voor die vertrok om hem eraan te herinneren wat hij tegen het Congres moest zeggen over de prijzen. Ze hadden dat de laatste paar dagen al verscheidene malen besproken, maar Frank wilde er zeker van zijn dat Peter zich aan de bedrijfspolitiek zou houden tegenover het Congres. 'We geven niets cadeau, en zeker Vicotec niet als het erdoor komt. Vergeet dat niet,' zei hij streng. Zelfs zijn ideeën over de prijs die Vicotec moest opbrengen druisten in tegen alles waarin Peter geloofde. Kate bekeek hem aandachtig toen hij terugkwam aan de tafel.

'Alles in orde?' Ze glimlachte toen hij knikte. Ze gingen zich aankleden en een halfuur later reden ze naar het vliegveld. Peter leek ongewoon kalm onderweg en hij zei weinig tegen Kate. Hij had haar even aan het schrikken gemaakt, maar ze besefte dat hij waarschijnlijk gewoon zenuwachtig was geweest. Ze was bang geweest dat hij zich terug zou trekken, maar nu was ze er zeker van dat hij dat niet zou doen. Peter maakte altijd af waar hij aan begonnen was.

Het was een korte vlucht van La Guardia naar National Airport en Peter besteedde die tijd om zijn papieren nog eens door te kijken. Hij had een aantal dossiermappen over de prijsstelling voor zich liggen en al de nieuwe onderzoeksrapporten over Vicotec. Hij nam de gedeelten waar Suchard hem die ochtend aan de telefoon op had gewezen nog eens heel nauwgezet door. De gegevens over Vicotec baarden hem veel meer zorgen dan zijn verschijning voor het Congres.

Kate belde haar vader vanaf het vliegtuig en verzekerde hem dat alles volgens plan verliep. In Washington werden ze door een limousine gehaald en naar het Congresgebouw gebracht. Toen ze daar aankwamen voelde Peter zich al een stuk rustiger. Hij wist min of meer wat hij te zeggen had en maakte zich geen echte zorgen.

Twee medewerkers van het Congres wachtten hem op in de personeelskamer en begeleidden hem naar een conferentiezaal waar ze hem een kop koffie aanboden. Kate was nog steeds bij hem, maar even later kwam een bode haar halen en bracht haar naar de tribune, vanwaar ze hem kon zien. Ze wenste hem geluk en raakte zijn hand aan toen ze wegging, maar ze bleef niet even staan om hem een kus te geven. Een paar minuten later werd hij zelf naar de zaal gebracht en heel even keek hij geschrokken. Hoe goed hij zich ook had voorbereid, het bleef een vreemde gewaarwording om tegenover de mannen en vrouwen die het land regeerden te staan en hun zijn mening te geven. Hij was hier voor de tweede keer en de eerste keer had Frank het woord gevoerd. Ditmaal was het totaal anders.

Peter werd naar de getuigenbank gevoerd en beëdigd. De leden van de subcommissie zaten met microfoons tegenover hem, en nadat hij zijn naam en de naam van zijn bedrijf had genoemd, begon men zonder omhaal aan de vragen, terwijl de leden van het Congres geïnteresseerd luisterden. Er werd met name naar bepaalde medicijnen gevraagd en naar zijn mening over de bijzonder hoge prijs daarvan. Hij probeerde er gemakkelijk te begrijpen redenen voor te geven, maar eigenlijk klonk de verklaring leeg en tamelijk armzalig, zelfs in zijn eigen oren. De waarheid was dat de bedrijven die deze medicijnen produceerden er fortuinen aan verdienden door de consument er veel te veel voor te laten betalen, en de leden van het Congres wisten dat. Wilson-Donovan maakte zich hier ook wel schuldig aan, hoewel hun praktijken en hun winsten niet zo onbeschaamd waren als die van sommige anderen.

Ze brachten nog een paar verzekeringskwesties ter sprake en aan het eind zei een vrouwelijk congreslid uit Idaho dat ze vernomen had dat hij later op de dag nog voor het CBG zou verschijnen om voor een nieuw product de versnelde procedure aan te vragen. En om op de hoogte te blijven van de nieuwe ontwikkelingen op dit gebied, vroeg ze hem daar iets over te vertellen.

Peter legde het zo eenvoudig mogelijk uit, zonder al te technisch te worden of geheimen prijs te geven. Hij vertelde de leden van het Congres dat het de aard van chemotherapie zou veranderen en die bereikbaar zou maken voor de leek, zonder dat die professionele hulp nodig zou hebben. Moeders konden het hun kinderen toedienen, mannen hun vrouw en met enige voorzichtigheid kon men het zelfs zichzelf toedienen. Het zou een radicale verandering teweeg brengen in de zorg voor alle patiënten met kanker. Het zou de gewone man in staat stellen zichzelf of zijn familie te behandelen, in landelijke of stedelijke gebieden, waar het maar nodig was.

Een ander vrouwelijk congreslid vroeg: 'En zal de "gewone man," zoals u dat noemt, dat kunnen bekostigen? Ik denk dat dat de hamvraag is.'

Peter knikte. 'Dat hopen we zeker. Het is een van onze doelstellingen om voor Vicotec de prijs zo laag mogelijk te houden en het bereikbaar te maken voor iedereen die het nodig heeft.' Hij zag er kalm en gedecideerd uit toen hij dat zei en verscheidene hoofden knikten goedkeurend toen ze dat hoorden. Hij was als getuige goed op de hoogte, duidelijk en overtuigend geweest. Korte tijd later bedankte men hem en mocht hij gaan. De complete commissie schudde hem de hand en wenste hem bij de hoorzittingen van die middag succes met zijn kennelijk opmerkelijke product. Peter was tevreden toen hij de zaal verliet en achter een regeringsmedewerker terugliep naar de vergaderkamer. Even later voegde Katie zich bij hem.

'Waarom heb je dat gezegd?' fluisterde ze ongelukkig terwijl hij zijn papieren verzamelde. Ze had hem nog niet gefeliciteerd of gezegd dat hij het goed had gedaan. Zelfs onbekenden hadden dat gedaan. Maar zijn vrouw bekeek hem met nauwelijks verholen afkeuring. Peter keek zijn vrouw aan en het was of hij Frank zag. 'Het klonk alsof we Vicotec cadeau gaan doen. Je weet dat pap niet wilde dat je ze hier die indruk zou geven. Het wordt een duur medicijn. Dat moet wel als we ons geld eruit willen krijgen en de winst willen maken die ons toekomt.' Haar ogen waren berekenend en hard.

'Laten we er maar niet over praten,' zei Peter terwijl hij zijn aktetas oppakte, de medewerkers bedankte en het gebouw uitliep met Katie vlak achter hem. Hij had niets meer tegen haar te zeggen. Ze begreep er niets van. Van de medicijnen begreep ze wel de winsten, maar niet de essentie, ze begreep de woorden, maar niet de betekenis. Maar ze durfde nu ook geen druk op hem uit te oefenen. Hij had één hindernis met succes genomen, maar nu moest de hoogste nog komen: de hoorzitting van het CBG. Ze hadden iets meer dan een uur voor hij daar moest zijn toen ze in de limousine stapten.

Katie stelde voor om ergens te gaan lunchen, maar Peter schudde zijn hoofd. Hij dacht aan wat ze net tegen hem had gezegd na de hoorzitting van zoëven. Naar haar idee had hij het verknald. Hij had gefaald, had zich niet gehouden aan de bedrijfspolitiek en aan zijn belofte om Vicotec en al hun andere medicijnen zo duur mogelijk te hou den, zodat ze er een forse winst op konden maken en haar vader tevreden konden stellen. Hij was blij dat hij het op deze manier had gezegd en hij zou in de komende maanden vechten als een leeuw om de prijs van Vicotec laag te houden. Frank had nog geen idee hoe vastbesloten Peter was zich daarvoor in te zetten.

Uiteindelijk aten ze broodjes met rosbief in de limousine en dronken koffie uit papieren bekertjes. Kate vond dat Peter er zenuwachtig uitzag toen de auto stopte bij het CBG. Het was een halfuur rijden vanaf Capitol Hill, en toen ze aankwamen viel het hem op dat het geen fraai gebouw was. Maar hier vonden belangrijke dingen plaats en daar kon Peter alleen maar aan denken. Hij dacht aan wat hier vandaag ging gebeuren. Waarvoor hij hier gekomen was. Wat hij Frank en Katie had beloofd. De belofte aan hen was niet gemakkelijk geweest, maar het was nog veel erger om hier te zijn, in de wetenschap dat hij een gevaarlijke onvolkomenheid voor het CBG verborgen hield en hun moest vertellen dat de medicijn klaar was om op het niets vermoedende publiek losgelaten te worden. Hij hoopte alleen dat Frank zich aan zijn deel van de afspraak zou houden en het product terug zou trekken als dat nodig was.

Peters handen waren klam toen hij de zaal binnenliep en hij was te zenuwachtig om de mensen die de hoorzitting bijwoonden op te merken. Hij zei niets tegen Katie toen ze wegging om haar plaats in te nemen. Eigenlijk vergat hij haar helemaal. Hij had belangrijk werk te doen, hij had idealen op te offeren en principes op te geven. En toch, als het product werkte, zouden ze levens redden of op z'n minst verlengen. Het was een vreselijk dilemma voor hem, hij was zich bewust van wat hij deed en ook van de noodzaak van het product.

Bij het CBG werd Peter niet beëdigd, maar de waarheid was hier van nog groter belang. Hij voelde zich licht in zijn hoofd toen hij om zich heen keek. Maar hij wist tenminste wat hem nu te doen stond. En het zou gauw voorbij zijn. Hij hoopte dat zijn verraad tegenover juist die mensen die hij had willen helpen maar een paar minuten zou duren, hoewel hij vreesde dat het heel wat meer tijd in beslag zou nemen.

Hij voelde zijn handen trillen toen hij voor de adviescommissie zat en op hun vragen wachtte. Het was de afschuwelijkste ervaring in zijn hele leven, niet zoals de hoorzitting van die ochtend. Vergeleken met dit was dat reuze onschuldig en eenvoudig geweest. Dit daarentegen leek daarbij zo onheilspellend, er stond zoveel op het spel, er rustte zoveel op zijn schouders. Maar hij hield zichzelf steeds voor dat hij alleen maar moest zien er doorheen te komen. Hij kon zich niet veroorloven aan iets of iemand te denken: niet aan Kate, niet aan Frank, niet aan Suchard, zelfs niet aan de rapporten die hij had gelezen. Hij moest opstaan en over Vicotec praten en daar wist hij alles van terwijl hij zenuwachtig aan de lange smalle tafel zat te wachten.

Ineens dacht hij aan Katie en aan alles was hij voor haar en haar vader had opgegeven. Hij had hen het geschenk van zijn integriteit gegeven en van zijn moed. Het was meer dan hij haar of haar vader 'verschuldigd' was.

Opnieuw zette hij haar uit zijn gedachten en probeerde alert te zijn toen het hoofd van de commissie begon te praten. Peter voelde zijn hoofd tollen toen ze hem een reeks zeer specifieke en technische vragen stelden en naar de reden van zijn komst vroegen. Hij verklaarde kort en bondig en met krachtige stem dat hij gekomen was om hun goedkeuring te vragen om een bepaald product op mensen te testen, een product dat naar zijn mening het leven zou veranderen van alle Amerikanen die aan kanker leden. Er ontstond een lichte beroering bij de commissieleden, papieren werden verschoven en men keek hem belangstellend aan toen hij Vicotec begon te beschrijven en hoe het waar dan ook gebruikt kon worden bij kankerpatiënten. In wezen vertelde hij hun precies hetzelfde wat hij die ochtend al aan het Congres had verteld. Het verschil was dat deze mensen niet onder de indruk zouden komen van een prachtig verhaal over medicijnen. Ze wilden alle ingewikkelde bijzonderheden weten en waren in staat die te begrijpen. Na een poosje keek Peter even naar de wandklok en besefte tot zijn verbazing dat hij al een uur aan het praten was. Toen werd hem de laatste vraag gesteld.

'En gelooft u werkelijk, meneer Haskell, dat Vicotec klaar is om op mensen getest te worden, zelfs in kleine doses op een beperkt aantal mensen dat de risico's kent? Is het uw oprechte overtuiging dat u de aard van al zijn eigenschappen heeft vastgesteld en ook elk eventueel risico? Kunt u ons zonder enig voorbehoud uw woord geven, meneer, dat dit product op dit moment gereed is voor proeven op mensen?'

Peter hoorde de vraag duidelijk in zijn hoofd. Hij zag het gezicht van de man en hij wist dat hij antwoord moest geven. Daarvoor was hij gekomen. Het ging maar om een enkel woord, hun verzekeren dat Vicotec inderdaad alles was wat hij had gezegd en wat ze dachten dat het zou zijn. Hij hoefde deze hoeders van de Amerikaanse volksgezondheid alleen maar te verzekeren dat Vicotec niemand kon schaden. En toen hij de zaal rondkeek en dacht aan al die mensen daar, hun mannen en vrouwen, hun moeders en hun kinderen en het oneindige aantal mensen dat door Vicotec bereikt zou worden, wist hij dat hij het niet kon doen. Niet voor Frank, niet voor Kate, voor niemand.

Maar bovenal, niet voor zichzelf. En hij wist zonder een moment te aarzelen dat hij hier nooit had moeten komen. Wat het hem ook zou kosten, wat ze ook zouden zeggen, wat de Donovans hem nu ook zouden afnemen of aandoen, hij wist dat hij het niet kon doen. Hij kon tegen deze mensen niet liegen over Vicotec, of over iets anders. Zo zat hij niet in elkaar. En hij wist heel duidelijk wat hij ging doen. Hij wist ook met absolute zekerheid dat zijn hele leven in dat ene ogenblik geruïneerd was, zijn werk, zijn vrouw, misschien zelfs zijn zoons, of niet, als hij geluk had. Ze waren bijna volwassen, en ze moesten begrijpen waar hun vader voor stond. Als ze dat niet konden accepteren, als ze niet begrepen dat integriteit heel veel waard was, had hij zijn taak ten opzichte van hen niet goed volbracht. Maar wat het ook zou vergen om eerlijk te zijn tegenover het Amerikaanse volk, hij was bereid elke prijs te betalen.

'Nee, meneer, dat kan ik niet,' zei Peter resoluut. 'Ik kan u mijn woord nog niet geven. Ik hoop dat binnenkort wel te kunnen. Ik denk dat we een van de beste farmaceutische producten van de wereld hebben ontwikkeld, een product waar kankerpatiënten over de hele wereld een enorme behoefte aan hebben. Maar ik denk niet dat het al voldoende risicoloos is.'

'Dan kunt u op dit moment van ons geen toestemming verwachten voor de proeven op mensen, vindt u niet, meneer Haskell?' vroeg de voorzitter van de commisie enigszins confuus. Over de rest van de commissie verspreidde zich een vage opwinding en de leden vroegen elkaar waarom Peter eigenlijk gekomen was. De hoorzittingen van het CBG werden meestal niet als forum gebruikt om onvoltooide producten aan te prijzen. Maar ze bewonderden zijn eerlijkheid, hoewel niemand wist dat daar ooit twijfel aan was geweest. Er was echter één gezicht in de zaal dat vertrokken was van woede. En thuis zou er nog een zijn als ze hem vertelde dat hij hen verraden had.

'Wilt u een nieuwe datum afspreken, meneer Haskell? Dat is misschien beter dan er nu nog meer tijd aan te besteden.' Ze hadden een volle agenda voor zich. Peter was die middag de eerste geweest en er kwamen nog meer mensen na hem.

'Ik wil graag een nieuwe afspraak, meneer. Ik denk dat een datum over zes maanden realistisch is.' Zelfs dat zou nog krap zijn, maar naar wat Paul-Louis had gezegd, dacht Peter dat ze dat wel zouden halen.

'Dank u voor uw komst.' Daarmee was het afgelopen en kon hij gaan. Hij liep de zaal uit op bevende benen, maar met rechte rug en opgeheven hoofd en hij voelde zich een fatsoenlijk mens. Het was alles wat hem nog restte en dat wist hij. Hij zag Kate in de verte op hem staan wachten en hij liep naar haar toe. Hij kon zich niet voorstellen dat ze het hem zou vergeven. Toen hij bij haar kwam zag hij tranen op haar wangen en hij was er niet zeker van of het tranen van woede of teleurstelling waren, waarschijnlijk beide, maar hij bood haar geen enkele troost.

'Het spijt me, Kate. Dit was ik niet van plan. Ik besefte niet hoe het zou zijn, werkelijk voor hen te staan en te liegen. Het is een indrukwekkend stel daarbinnen. Ik kon het niet doen.'

'Dat heb ik je ook nooit gevraagd,' loog ze, 'ik wilde alleen dat je mijn vader niet zou verraden.' Toen keek ze hem bedroefd aan. Ze wist dat het voorbij was. Voor hen beiden. Hij was niet meer bereid om compromissen te sluiten voor haar, om op te geven waar hij in geloofde. Hij had nooit beseft hoe ver het al was gekomen, tot aan dat ene moment. 'Besef je wat je zojuist hebt gedaan daarbinnen?'

vroeg ze grimmig, bereid haar vader tot het uiterste te verdedigen, maar niet haar man.

'Dat kan ik me wel voorstellen.' Ze had haar bedoeling 's
morgens in de keuken in Greenwich al duidelijk gemaakt.
Maar nu zwichtte hij niet. Op een vreemde manier was dit
wat hij wilde. Vrijheid.

'Je bent een achtenswaardig man,' zei ze terwijl ze hem
aankeek. Van haar lippen klonk het als een aanklacht.
'Maar niet erg slim.'

Hij knikte en zij draaide zich om en liep zonder nog naar
hem te kijken weg. Hij volgde haar niet. Het was al een
hele tijd over en geen van beiden had het gemerkt. Hij
vroeg zich haast af of ze ooit met hem getrouwd was geweest, of misschien alleen met haar vader.

Er was veel om over na te denken toen hij het CBG-gebouw
in Rockville uitliep. Kate was in de limousine gestapt en
liet hem gewoon achter in Maryland, een halfuur van
Washington. Maar het kon hem niet schelen. Helemaal
niet. Het was een van de belangrijkste dagen in zijn leven
en hij voelde zich zo vrij als een vogel in de lucht. Hij was
op de proef gesteld en was, voor zijn eigen gevoel, met vlag
en wimpel geslaagd.

... Kunt u ons uw woord geven, meneer... Nee, dat kan ik
niet. Hij vond het nog steeds niet te geloven dat hij het had
gedaan en hij wist niet waarom hij zich niet beroerder voelde over Kate, maar het was niet anders. Hij was net zijn
vrouw kwijtgeraakt, zijn baan, zijn thuis. Hij had als directeur van een internationaal bedrijf die ochtend voor het
Congres gestaan en die middag voor het CBG, en was er
met lege handen uitgekomen, zonder werk en alleen. Het
enige dat hem gebleven was was zijn integriteit en de wetenschap dat hij zijn principes trouw was gebleven. Het
was hem gelukt!

En terwijl hij met een glimlach om de lippen naar de septemberhemel stond te kijken, hoorde hij een stem vlak achter zich, vertrouwd maar vreemd. Een omfloerst geluid dat uit een andere tijd kwam, een andere plaats, en toen hij zich met een verbaasd gezicht omdraaide, zag hij Olivia pal achter zich staan.

'Wat doe jij hier?' Hij wilde dolgraag zijn armen om haar heenslaan maar durfde het niet. 'Ik dacht dat je in Frankrijk aan het schrijven was.' Zijn ogen verslonden haar en zij keek met een glimlachje naar hem op. Ze droeg een zwarte broek en een zwarte trui en had een rood jasje om haar schouders geslagen. Ze zag eruit als een advertentie voor iets heel Frans'. Hij dacht aan de avond dat hij haar vanaf de Place Vendôme was gevolgd en aan alles wat er was gebeurd in de vijf dagen die hij in Parijs was geweest, vijf dagen die hun leven voorgoed hadden veranderd. Ze was zelfs nog mooier nu en terwijl hij naar haar keek, besefte hij hoe wanhopig hij haar had gemist.

'Dat was behoorlijk goed daarbinnen,' zei ze met een brede glimlach. Ze was duidelijk trots op hem, maar ze had zijn vraag nog niet beantwoord. Ze was gekomen om hem bij de hoorzitting te steunen, al was het maar onzichtbaar. Ze had erover gelezen in de *Herald Tribune* in Europa. Het was haar niet helemaal duidelijk waarom, maar ze wist dat ze erbij moest zijn. Ze wist hoeveel Vicotec voor hem betekende en wat voor problemen hij ermee had toen ze hem voor het laatst zag. Ze wilde er gewoon zijn. Haar broer had haar verteld waar de hoorzittingen werden gehouden en had een plaats voor haar geregeld. Ze was blij dat ze op haar intuïtie was afgegaan. Edwin had haar ook over de hoorzitting van het Congres verteld en daar had ze Peter die ochtend ook gezien. Ze had stilletjes naast Edwin gezeten. En hoewel hij een beetje verbaasd was over haar plotselinge belangstelling voor de farmaceutische industrie, had hij haar niets gevraagd.

'Je bent moediger dan je denkt,' zei Olivia weer tegen Peter terwijl ze naar hem opkeek en hij trok haar langzaam naar zich toe, zich afvragend hoe hij de laatste drieëneenhalve maand zonder haar was doorgekomen. Hij kon zich niet voorstellen haar ook maar voor een ogenblik weer te verlaten.

'Nee, jij bent moedig,' zei hij zacht, zijn ogen vol bewondering. Zij had alles opgegeven, had alles achter zich gelaten en had geen enkel compromis gesloten. Toen drong ineens tot hem door dat hij net hetzelfde had gedaan. Hij had zijn vrouw, zijn baan, alles opgegeven voor zijn overtuiging. Ze waren nu beiden vrij. Tegen een hoge prijs, toegegeven, maar dat was het voor hen alle twee waard geweest. 'Wat doe je vanmiddag?' vroeg hij met een grijns. Hij kon duizend en één dingen bedenken: het Washington Monument... het Lincoln Memorial... een wandeling langs de Potomac... een hotelkamer, of gewoon daar blijven staan en tot in lengte van dagen naar haar blijven kijken... of een vliegtuig terug naar Parijs nemen.

'Ik heb geen plannen,' ze glimlachte. 'Ik ben gekomen om jou te zien,' zei ze zacht. Ze had niet verwacht hem te spreken, alleen maar hem van een afstand te zien. 'Ik ga morgenochtend terug.' Ze had haar ouders niet eens verteld dat ze kwam, alleen Edwin, en hij had beloofd niets te zeggen. Het enige waarop ze had gehoopt was een glimp van Peter op te vangen, hem weer even te zien, zelfs al wist hij er niets van.

'Mag ik je een kop koffie aanbieden?' vroeg hij en ze glimlachten alle twee bij de herinnering aan de Place de la Concorde, die eerste avond in Montmartre. Toen pakte hij haar hand en samen liepen ze de trap af, de vrijheid tegemoet.